天下文化
BELIEVE IN READING

新聞記者 | **張作錦** | 生平回憶記事

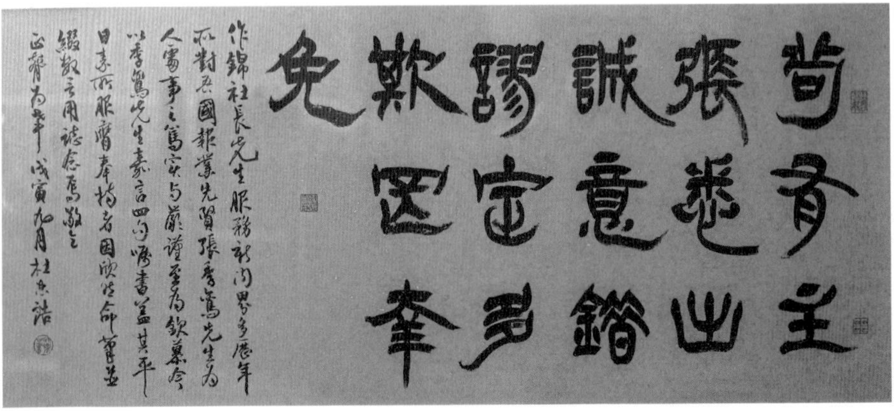

四十年記者 無時敢忘的四句話

苟有主張，悉出誠意；錯謬定多，欺罔幸免

各行各業都有典範人物，在新聞界，我認為應屬當年《大公報》主持人張季鸞先生。他為《大公報》所訂「不黨、不賣、不私、不盲」的「四不原則」，是報界永遠的碑石。又說，「苟有主張，悉出誠意；錯謬定多，欺罔幸免」，更給了我們「人品決定報品」的明確訓示。

1998年，作錦特拜請書法家杜忠誥教授，將此四句賜書橫披，懸於廳堂，朝夕相見，時時惕厲。四十年來，或能幸免隕越。

為什麼這本書叫「**姑念該生**」？

因為幼年流亡、當兵、失學，平生最大心願是上學念書。廿八歲考進政治大學新聞系，正自慶幸，教育部忽以我高中畢業證書問題，著學校勒令退學。經奔走請願說明，教育部最後「判決」：「姑念該生向學心切，著記兩大過留校察看」，我終得讀完四年，拿到平生第一張畢業文憑。

因為讀了大學，才有機會進入新聞界。我的前輩、同儕和朋友們，也都以「姑念該生，尚知勤勉」，願意幫助我，給我各種機會，使我四十年記者生涯，沒有完全虛度。

「姑念該生」，我永遠不會忘記這四個字的溫柔敦厚，及對我人生的意義。

目錄

第5部　中壢事件・退報運動・兩蔣日記・蘇聯特務在台灣

第6部 紐約．香港．大陸 221

第7部 報紙的養分在「學術」和「文化」 261

序一

從「姑念該生」到「感念該生」

——張作錦筆耕出自己的成就

高希均

（一）求學坎坷，得獎當然

張作錦十六歲離鄉隻身來台，先是從軍、逃兵、街頭「遊民」；稍後考進政工幹校，剛服役卻因肺病被退伍；二十八歲考上政大新聞系，又險被「勒令退學」，幸有教育部「姑念該生」的批示，三十二歲終於大學畢業，獲得平生第一張文憑。

「我的求學路，兩個字：坎坷」，作者在回憶錄中總結。

當馬總統在二〇一五年頒贈總統「文化獎」；二〇一六年又頒贈「二等景星勳章」給張作錦先生時，張夫人坐在第一排，面帶微笑，全神貫注；我自己也受邀觀禮，太為老友興奮了；一個新聞人兩年內獲得國家元首兩項大獎是前所未有的。

「他的得獎路，兩個字：當然」，這是我的觀察。

這個生命波折及才華被賞識的故事，只能在一個開放社會才容易出現；這本回憶錄也就值得細讀。

（二）走向新聞，展現長才

經過成長中的多重轉折，張作錦政大畢業後，苦盡甘來。孔子說得好：「三十而立，四十而不惑」。一九六四年進入《聯合報》，展開了從「遊民」到「報人」的新聞專業之旅。後來大家所熟悉的，「一生以記者」為榮的政大新聞系畢業生，從高雄地方記者走進台北總社，蓄勢待發。

一九七一年我國退出聯合國，外交孤立，但是全國上下鬥志高昂，經國先生開啟重用大批青年才俊。

那是一個年紀輕就要擔重任的改革年代。從新聞系畢業十一年，四十三歲的張作錦就出任《聯合報》總編輯。

在台灣經濟起飛意氣奮發的七〇年代；在台灣民主夾雜民粹的「寧靜革命」中不寧靜的

八○年代；在大陸和平崛起，台灣內部分裂，兩岸關係不確定的九○後年代；進入二十一世紀，兩岸差距變成逆向發展年代，張總編輯或在現場採訪報導，或在編輯檯上取捨新聞，或埋首撰寫重要評論。

書中第七部，作者對他所敘述的十位學者、知識分子，都有深交，也有相近的理念。這些人共同擁有深厚的中華情懷，民主法治的堅持，公平正義的落實，開放社會的建立，貧富懸殊的減少。在兩岸關係上，要走向交流協商，和平相處，追求雙贏。

他是台灣半世紀新聞事件變化中，站在第一線的見證人及號角手。他主編的報紙，他選用的記者，他邀約的評論，他自己的文章，都使我們變成了《聯合報》長期的忠實讀者。

(三)「好人」有「好報」

把「好人」有「好報」來歸納王惕吾創辦人領導下的聯合報系，再恰當不過了。重用了「好」的「人」（如張作錦等），才能辦出「好報紙」。

在張總編輯六年任內（一九七五~八一），他對《聯合報》編輯部所堅持的工作態度，與所做的調整，既貫徹王創辦人的「正派辦報」，也符合現代創新精神。例如增設專欄組、副刊組、民意論壇，推動內部訓練人才，獎助優秀年輕作家，創辦《聯合月刊》雜誌，開設文學獎項，舉辦座談會等等。

《聯合報》編輯部的這些創舉，如用一九八〇年代後西方管理學名詞來解釋，那就是：「藍海策略」的運用，「競爭力」的提升，「附加價值」的創造，「執行力」的貫徹。

大學管理學院的博士生可以寫好幾篇論文：探討「內容為王」（Content is the King）是《聯合報》在那黃金年代、聲譽及營收增加的關鍵因素。提升報紙的品質，正是張社長的最大強項，書中的四分之三的精華，就是環繞著這個大策略。

把報紙看成文化事業及傳播媒體，我就沒有把《聯合報》視為是一個典型的「企業」，因為惕吾先生辦報的目的不是「利潤極大化」；而是一面要體察國情，另一面要善盡「社會責任」。附錄中敘述了王創辦人的人文情懷及慷慨捐贈。每次動輒千萬台幣及百萬美金，成立文教基金會，贊助設立台大新聞研究所、學術出版社、資助國內外學人及大陸學生、論壇及相關活動；對前輩學者吳大猷、錢穆、牟宗三等之禮遇更令人感動。

當《聯合報》能同時兼顧到這幾個面向時，就接近了完美的平衡。對讀者而言，它在時事分析與新聞報導上不斷地愈來愈好，既鞭策了政府，也鼓勵了民間，更增加了全民的視野。這就帶動了社會的進步。

《聯合報》創造的多贏，再度證明了先有「好人」，才能有「好報」。

（四）筆耕下的成就

二〇一九又是台灣四年一次的總統大選年。如果是一個成熟的民主社會，選民當可驕傲地品嘗民主的果實；可是台灣就像一些民主國家一樣，變成了民粹當道。

這使人立刻想到四年前受到重視的兩本書：《誰說民主不亡國》與《江山勿留後人愁》，這是張社長在聯副二十七年「感時篇」專欄的精華集結。如果把「民主」改成「民粹」，那更是逼真的描述了當前我們的困境。

做為我們創辦事業群的推手，張作錦一共為天下文化寫了九本書，主編了四本書。每一本書都有重要的論述：如：《牛肉在那裡》（一九八八），《誰在乎媒體》（一九九六），《一杯飲罷出陽關》（二〇〇六），《誰與斯人慷慨同》（二〇一二），《我們生命裡的七七》（二〇一四，主編）。

毫不誇張地說：做為一個當代知識分子，都不應當錯過這些好書。

此刻，各方友人終於說服了他，撰述了一生最重要的著作——他自己的回憶記事。這是「天下文化」繼八月出版《郝柏村回憶錄》後，對讀者的另一大貢獻。

（五）第四位典範人物

筆者自己一生分成三個階段。二十三歲前在大陸與台灣：戰亂與求學；隨後的四十年在美國：進修與教書；最近的二十年又回到台灣（也常去大陸）：傳播與出書。

誰是我心目中台灣的典範人物？以前的文章中曾提過：對三位人物的尊敬與仰慕：李國鼎資政、郝柏村院長、星雲大師。此刻要增加一位：張作錦社長。

這些典範人物，我自己都與他們有三十年以上的相識，並且理念及政策上有共識；常向他們請益與往來。

李資政示範了一位敢說、敢想、敢做的財經首長，他擁有決策者的高貴靈魂，既「能」又「廉」，既「勤」又「實」。郝院長示範了一位出將入相、保台反獨、振興中華的軍政首長，充滿了使命感、迫切感、與責任感。星雲大師的影響超越台灣，跨越宗教，飛越時空，創造了無遠弗屆的「人間佛教」及「人間紅利」。

一九七〇年代利用暑期返台做短期研究時，因投稿《聯合報》而認識了編輯部的負責人張作錦先生。回到美國就告訴內人：暑假回台的最大收穫，就是結交了這麼一位值得信賴的朋友。半世紀的交往，如果拿英文來說：作錦兄就是a decent man, a trusted friend, a great writer。

綜合作錦兄的特質，我的歸納是：

- 做人：誠懇、守信、有分寸、不炫耀，做到別人不易做到的人。
- 做事：正派、負責、創新、貫徹，做別人不易做到的事。
- 文章：敏銳、犀利、感人，見人所未見，言人不敢言。

這就說明為什麼他得那麼多新聞獎、文化獎、成就獎，是那麼地「當然」及「自然」。值得補充的是，在二〇一〇年張作錦先生是第一位獲得了星雲真善美傳播獎項中「終身成就獎」的榮譽。

（六）故事分享

四十餘年相識，彼此的家人與友人共處了很多美好時光。每逢春節我們五對夫婦（張作錦、李誠、王力行、林祖嘉、高希均）常去各地旅遊，包括了南非、希臘、夏威夷、菲律賓、吳哥窟及大陸多處名勝，近年有幾位已不宜長途跋涉；聚在一起「回想當年」，還是一種樂趣。

下面分享幾個故事：

（1）政大到哥大，耶魯到耶魯：一九八三年春天我們和王力行夫婦相約在紐約探望來美不久的作錦一家。一天上午作錦和他的男孩南寧共去參觀他在進修的哥倫比亞大學。聊天中，這位剛來美讀高一的小留學生志向不凡，問我有哪些大學是和哥倫比亞大學一樣的好？我說有好幾個，如哈佛和耶魯。即預感他來日定有成就。果然申請大學時，耶魯提供獎學金，畢業後又再留在耶魯醫學院畢業，現在已是在紐約執業很有名氣的心臟內科醫師。

南寧的幼女惟美（Rachel Chang）更是天才型的學生。在高二（二〇一七）那年獲得了第一屆斯德哥爾摩青少年水獎（Stockholm Junior Water Prize）首獎。這個被譽為是「小」諾貝爾獎，是由三十七個國家選出的首獎當選人，共赴瑞典首都，在諾貝爾頒獎的同一個禮堂，當眾宣佈得獎者。最高榮譽的第一名給了Rachel Chang和另一位合作的男生，都是十七歲。獎金為一萬五千美元。他們成功地開發了新系統，能在十秒鐘之內檢查某些細菌。評審認定「擁有改善水質革命性的潛力」。高中畢業後，麻省理工學院與耶魯同時爭取她，最後她還是選定父親的母校耶魯，現為大二，主修環境工程。

在中國大陸戰亂中長大的祖父，自己從政大到哥大路程遙遠，兒子與孫女進另一常春藤名校耶魯則是理所當然，內心一定有無限的安慰。

作錦兄的長公子南強，新竹交大資訊工程系畢業後，到美國芝加哥西北大學取得電機工程碩士學位，入美國思科公司（Cisco）任工程師，後被派到上海，任大中華區副總裁，現轉職回台，為「和碩聯合科技」第六事業處處長。

（2）不占名額：二〇〇五年五月國民黨主席連戰有北京的「破冰之旅」，這是國共兩黨六十年來最高層次的開會。徐立德資政代表連主席邀請張作錦和我一起從台北出發赴會。作錦兄正在北京，忙著北大的「博士後」，他回話自己可以去北大，不必占台北代表團的有限名額。現場聽了連先生的北大演說，作錦兄讚不絕口。我則直接趕到第二站上海，現場聽到了連先生另一場精彩演講。

（3）北京的家：作錦兄要去參加北大「博士後」學程，大嫂看了附近第一間房子就喜歡，因為有一個她先生喜歡的大書房，沒有還價，就立刻買下。坐落在小區中，我去過好幾次，非常優雅、寬敞，似乎比他們台北在國父紀念館附近的家更舒適些。四年「博士後」結束回台時，張大嫂要出售，立即就賣掉了。你很難相信：張大嫂就是這麼一位「完全相信別人」、「你說了算」的人。賣掉之後，她發現居然超過了原價及四年的生活費用及往返機票，還有一些剩餘，果然印證「好人有好報」。

（4）莫斯科特派員：經過張總編輯的提議，我還有一次「特派員」參訪共產國家的經驗。

一九八〇年四月與十餘位美國教授們同去莫斯科開會（七月蘇俄辦奧運，發出了不少對美國各界的邀請參觀信）。作錦兄知道我有鐵幕行，希望能多停留些時間，寫幾篇對蘇俄及東歐經濟的觀察，費用由報社負責。利用這個難得的機會，我花了一個多月時間參訪了莫斯科、列寧格勒、華沙、布達佩斯等主要城市。《聯合報》五月刊出了五篇蘇聯系列文章，六月刊出了三篇東歐文章，九月《聯合報》出版了這系列文章集結：《共產國家來去：蘇俄、波蘭、匈牙利紀行》。

（七）文字是永遠的老師

沒有張總編輯的約稿，我不可能在七〇年代起開始寫文章（助理幫我計算從一九七五到今年四十餘年，在《聯合報》共發表了三百篇左右，令自己都不敢相信有這麼多），也就不會想到辦雜誌；更不可能在八〇年代初，我邀約了他、王力行及殷允芃討論創辦雜誌的可能性。先是《天下雜誌》（一九八一），後有「天下文化」（一九八二）與《遠見雜誌》（一九八六）的逐步問世。（參閱本書第七部：「天下沒有白吃的午餐」一節）。作為創辦人之一，作錦不論在紐約與台北，一直把他的書給「天下文化」，把專欄給《遠見》和《聯合報》。

面對當前「五缺」（缺水、缺電、缺地、缺工、缺人才），台灣最缺的還是典範人物。張作錦先生是個真實的、勵志的、可學習的典範，應當透過各種傳媒方式來推薦，擴散，包括要說服作老拍攝成紀錄片或影片。

一九四九年大遷徙中來了一百多萬大陸各地的人民，今年二〇一九剛好是七十年。七十年來他們及他們的下一代，奮發圖強，救了自己，救了台灣，也救了中華民國，外省人與本省人早已是一家人，有共同的犧牲及貢獻。

張作錦先生在這個大變局中，能從「逃兵」變成「報人」，正是奮鬥的典範。回首半世紀的人生，作老真是：一無所懼，走向新聞；一本初心，滿載而歸。教育部及他的母校政大早應從「姑念該生向學心切」改為「感念該生成就非凡」。

閱讀使我們謙卑，文字、報紙、以及書本所產生的力量，是我們永遠的老師。

（作者為「遠見・天下文化事業群」創辦人）

序二

道德文章　張作錦的三座錦標

黃年

張作錦回憶記事，是一部命運及反命運的勵志故事，是一位新聞工作者追求自由及自我問責的椎心思考，是一名志士仁人憂國憂時又不願對社會沉淪認命的沉重警語，也反映了這個詭奇時代充滿挑戰但無論如何不能失去正能量的淋漓寫照。

張作錦，新聞界稱張作老。作老說：「關乎人格與報格，我自認是努力信守了。」

作老的人生，有三座錦標。

第一座錦標，一九六四年進入新聞工作後的「後半個」張作錦，若與當年自政大新聞系畢業前的「前半個」張作錦相競賽，我覺得，錦標應屬前半個張作錦。

作老榮獲二等景星勳章、總統文化獎、中山文藝獎，及真善美新聞獎「終身成就獎」。這當是台灣新聞工作者空前絕後的殊榮，每一個獎都是一座輝煌的錦標，何況是悉歸一人。

作老歷任《聯合報》、《聯合晚報》、《世界日報》、《香港聯合報》，自總編輯、社長至副董事長各項要職，這每一項職位也都是一座輝煌的錦標。

作為一個新聞工作者能臻此成就，「後半個」張作錦可以說已是登峰造極，當然是人生錦標的歸屬者。

但是，閱此書者，看「前半個」淪為逃兵、自地上撿食麻糬，至高中文憑受質疑、險遭政大勒令退學的張作錦，應會感覺到，這個經歷挨餓、逃兵、回役、考政工幹校、患肺結核、考政大，飽經坎坷，但仍力爭上游的張作錦，才應是錦標的擁有者。

因為，在「前半個」階段，每一個轉折都可能會發展成另外一個完全不同的「後半個」張作錦。這段「前半個」張作錦，縱有命運的慈悲眷顧，但張作錦的不認命（他是當年政工幹校新聞系的入學狀元，但畢業後卻分發到野戰部隊），及不認輸（考政大新聞系兩次），才是他改造坎坷命運的決定性因素。

看他高中文憑出問題幾乎要被政大勒令退學的那一段，大學入學考試通過，上到大二，回頭再被追究高中文憑。情勢多麼險惡，幸虧他多麼掙扎。否則政大新聞系當年就已勒令一位後來的二等景星勳章、總統文化獎及中山文藝獎的得主退學了。

這「前半個」張作錦，從走投無路到自我救贖，作老寫來輕鬆並帶幾分自嘲，卻是用血肉生命寫出的傳奇勵志故事。沒有「前半個」張作錦的奮鬥掙扎，就不會有「後半個」張作錦的輝煌。錦標應給「前半個」。

第二座錦標，進入新聞工作後，一九七六年解嚴前的「前半個」張作錦，若與解嚴後的「後半個」張作錦相競賽，我覺得錦標應屬前半個張作錦。

本書呈現了作老的政治思維，尤其是他對新聞工作的自勉與期待。讀者可以仔細品味那一種「心中有自由／筆下有責任」的心緒。

解嚴，對每一位台灣的新聞工作者，都是一種解放，卻更增添一份責任。因為，戒嚴使新聞工作受到政治的約制，但解嚴後新聞工作者必須自己對專業及良知負責。

作老說，他與《聯合報》的政治思維與立場是「支持民主發展／期勿走錯方向」。可以說，支持民主發展若是指解嚴前的思考，期勿走錯方向則指解嚴後。

《聯合報》不是革命者，《聯合報》是民主改革者。《聯合報》認為，台獨不是台灣可行的生存戰略，因此不贊同台獨革命。台獨認為反台獨就是反民主，但《聯合報》認為民主當然可以不贊同台獨。這就是《聯合報》與張作錦操持的「支持民主發展／期勿走錯方向」。

前述作老任總編輯以上的職位，獲得了全部重量級勛獎，及他出版十三本著作，都是解嚴後的事。這些都是人生錦標，所以此處先說解嚴後。

但只能長話短說。作老的兩本著作，《誰說民主不亡國》與《江山勿留後人愁》，只看書名，即道盡作老的家國憂懷。

作老的政治思維和他的新聞專業操守是一個銅板的兩面。在解嚴前，他有操持；在解嚴後，他不媚俗。

對於解嚴後媒體界的省思，他說：「爭取到民主，卻未護衛，淪為民粹；爭取到自由，卻不節制，使社會失序。」

他的《聯合報》專欄「感時篇」，寫了二十七年，應當是台灣新聞界絕無僅有的長壽專欄。但整個專欄的總結，卻是：誰說民主不亡國，江山勿留後人愁。

這麼優雅的專欄文字，卻道出如此悲愴的心緒。何等矛盾，何等震撼。

二〇一四年十月「感時篇」封筆停刊，粉絲反應激烈，甚至有讀者來電泣訴：不要停，寫下去！

可見，張作錦的文字，是這個時代不能缺少的一塊拼圖。

解嚴有了自由，張作錦因自尊自愛而愛惜自由。但在戒嚴時代，自由受到約制，張作錦亦未完全受到捆綁，不忘給自己自由。

作老出任《聯合報》採訪主任及總編輯時，正是戒嚴時期台灣政治狂飆的一九七〇年代。在這個關鍵時代，比較穩重的《聯合報》由張作錦主持編採責任，奠定了此後《聯合報》解嚴前後「支持民主發展／期勿走錯方向」的編採方針。

本書提到的〈必須有團結的台灣，始可有統一的中國——對中國國民黨的諍言〉（一九七八），論及黨禁；及〈談報紙的「限張」和「限印」〉（一九八一），論及報禁；兩文皆是作老在戒嚴時期的作品。《聯合報》總編輯張作錦，從戒嚴的剃刀上滾過。

張作錦主持編務，在編輯部設置了台灣報紙第一個專欄組。由於戒嚴的文網較密，公共知識分子的專欄文字就很有發展空間。當年在報紙限張三張的篇幅下，時常刊登數千字、甚至上萬字的專欄或座談會記錄，議論時局，每每形成社會焦點，對於一九七〇民主狂飆年代的民主啟蒙與推進有明顯與重大的效應。此一編輯政策，及所以能放大推行，皆與張作錦的個人氣質與豐沛人脈有關。

正因如此，本書動人的亮點之一，是作老以相當大的篇幅，寫高希均、許倬雲、孫震、沈君山、龍應台、李亦園、胡佛、楊國樞等重量級公知（本書第七部）。使得這部張作錦回憶錄，也成了這些深受社會敬重的意見領袖的小傳軼史。相知相惜，令人感動。而這些人與張作錦的共同處，也許正是皆為「從戒嚴走到解嚴」而一致主張「支持民主發展／期勿走錯方向」的有志有心之士。

不識其人，觀其友。這是看張作錦的一個角度。

做為一個新聞人，張作錦在解嚴後的表現固然奪目，但他在戒嚴時代呈現的操持與心志，則更是難能可貴。沒有那個戒嚴時期不受捆綁的張作錦，就不能襯托出解嚴後這個不媚俗放縱的張作錦。所以，我覺得錦標要給「前半個」戒嚴時代的張作錦。

作老說：關乎人格與報格，我自認是努力信守了。這就是從戒嚴到解嚴始終如一的張作錦。

第三座錦標，要提張太太凌鼎方女士。「作老」的太太，我們稱「老太」，或張媽媽。作老退休前，日常生活的支柱是老太，這是「前半個」張作錦。作老退休後，老太身體有些病弱，反過來，作老成了老太的支柱，這是「後半個」張作錦。若兩相競賽，「前半個」錦標是老太的，「後半個」則是作老的。

作老一直覺得，當年在編輯檯上，天天凌晨兩三點才回家，家中兩子及大小事，皆由張媽媽操勞，他甚感歉疚失責。所以退休後，他要「回報」張媽媽。作老做的，恐怕他不想讓我細說，但細說也恐怕道不盡作老對張媽媽的深情及愛護。

夫妻與家庭，最能反映人格與情操的底蘊。作老有如此賢慧的妻子及優秀的兒孫，當然是他最榮耀的人生錦標。

作老與老太「鶼鰈情深」，也只有這麼俗的詞句才能描述他們之間。而他們的「鶼鰈情深」也感染了我們。作老一對、楊仁烽一對及我家一對，有個「三家村」群組，三對夫妻常聚常遊，作老及老太「鶼鰈情深」的「示範」，是三家村的「共同政治基礎」。

從作老的夫妻相處看，及從作老與朋友的交往看。張作錦的有情有義，更是他的「軟實力」，也是他的魅力所在。

寫到這裡，讀者或許感覺不到，我正全力嘗試「節字縮句」地寫。題材勉強節略，也就很難表情達意。寫著寫著，我覺得放開手我一定可以寫一篇兩萬字的「我看張作錦」。

不甘心就此擱筆，也不知如何收手。十六年前，二〇〇三年，作老在《聯合晚報》副董事長任內退休，退休茶會上，我代表報系同仁發表紀念談話，用幾件作老可能自認的「瑣事」談張作錦這個人，就容我在此藉轉載此文，權代那兩萬字的欲言難盡吧。以下是談話內容：

在作老的「肩膀上」做事，不是在作老的「手下」做事！

——代表報系同仁「頒獎」給我們的長官張作錦先生

我覺得，有些人上司怎麼看他，和同事怎麼看他，未必一樣。但作老這個人，從他的上司來看他，和從他的部屬來看他，都是一樣的。而且，報社裡面的人看他，和報社外面的人看他，也沒有兩樣。還有，張作老能寫很好的文章，四十年沒停過筆；在新聞界，能帶隊伍打勝仗，自己又能「成一家之言」的，作老應當是少見的代表性人物。更難的是，有些人的文章和他的爲人不太一樣，但作老卻是「人如其文，文如其人」。所以，作老是一個上下內外看他都是一樣的人，也是文章和人品都是一樣的人。

我們說，道德文章，一個人有道德又有文章，就是這個意思。

在場許多人都和作老共過事，也都讀過作老的文章。作老的文風和文采，相信每一個人都有深刻的領會和感受；所以我今天不談作老帶我們打過的勝仗，也不談作老寫過的轟動文章，只想說幾個很小很小的小故事，來爲這個紀念茶會留下一點紀錄。

第一個是關於《聯合報》現任總編輯黃素娟的故事。前年，報社決定由素娟接任《聯合報》總編輯，但是素娟有些猶豫，後來甚至表達了婉謝的意思。素娟當時不想接任，絕不是怕辛苦，而是覺得責任重大，不願貿然承諾。

話說那年八月底某一天的下午，張作老約了素娟到他辦公室，要勸她接下總編輯的職務，由我作陪。我和素娟並排，作老坐在我們對面。我們等著作老先說話。

忽然，看見作老面孔一下子漲紅起來，話好像堵在喉頭裡。接著，作老就說：「素娟，我今天是以孤臣孽子的心情來和你說話……。」一邊說，作老的眼淚一邊就迸了出來，話也說不下去了。

那個場景，眞是十分地震撼。那種感覺，到現在想起來心裡還平復不下來。我想，素娟到老的時候，回想人生的種種奇遇，一定會記得，在她接任總編輯的前夕，有一個人對著她老淚縱橫。

第二個故事是關於我自己的。話說二十多年前，我當時是專欄組副主任，作老是總編輯。我那時也是政大政治研究所碩士班的學生，學科修完了，論文拖了五年多，一直沒有寫，眼看學位就要泡湯了。有一天，作老忽然告訴我，黃年，給你三個月的假，把論文寫出來。

當時，我只覺得是報社要我把學位拿到，於是就帶職帶薪請了假，把論文趕出來，並在學校規定的最後期限畢了業。

一直到幾年前，我姊夫和我聊天時突然說，你們那個張作老來過我們家，你知不知道？我說，我完全不知道。接著，姊夫就說出了這段故事。

原來二十多年前的某一天，我父親打了個電話給當時的張總編輯，說他不知道能不能和總編輯見個面。作老說，不敢勞駕，我來看您。那時，我父親從台南上來，住我姊姊家，在永和，於是作老就到了永和。

我父親告訴作老，要請作老「命令」我把論文寫出來。父親也告訴作老，不要把他們見面這一段告訴黃年。父親說，如果黃年知道了這件事，一定會覺得很不自在。

這是二十多年前的事，後來我父親一直到他過世都沒告訴我，奇怪的是作老也一直沒告訴我。如果不是我姊夫在幾年前偶然說出來，我想作老一定也永遠不會告訴我。這件事，讓我覺得十分震撼，十分感動。更覺得作老這個人眞是「深不可測」。

第三個故事和工作有關。二十多年前，正是國內政治和社會劇烈轉型的時候。那時候，新聞的尺度很緊，所以報社就經常借用學者專家的聲音來突破尺度上的限制。

當年，在光復南路華視附近有個大陸餐廳，報社每個禮拜往往要在那邊舉行兩三次座談會，總編輯張作錦幾乎每一場都參與。

那時，陳祖老（陳祖華）是專欄組主任，我是副主任。現在回想起來，那個階段是《聯合報》學者專家資源最豐厚的階段，幾乎各種流派的指標型人物都歸匯到《聯合報》的旗幟底下來；包括胡佛、楊國樞、沈君山、李鴻禧、林山田、張忠棟等等。

但是，我現在不是要談當年的工作，而是要談張作老與這些學者專家相處的情況。我想，大概可以用很俗氣的八個字來形容，那就是「謙沖下士，無微不至」。

我記憶最深刻的是，有幾次與許倬雲教授見面，張總編輯叫我先到飯店等著，他親自到許教授家裡接人。我們知道，許教授要用兩隻手杖來移動，於是，你就可以看到，汽車停下來，作老從後座（許教授慣坐前座）下來爲許教授打開車門，幫許教授下車，扶許教授走過來，坐定了後，又幫許教授把手杖放在牆角。一切都是那麼自然，一切都是那麼眞情流露。

許教授比作老大一歲。那種情景，可以說有一種很典雅的古人之風，但也有一種像現代詩一樣的浪漫。

所以，有那麼多學者專家喜歡作老，敬重作老，和他成爲十分親近的至交摯友，也爲報館建立了很重要的人脈關係，這絕不是偶然的事情。

接下來這個故事和錢有關。話說作老原來住在報社後頭，比較簡單。後來搬到逸仙路，喬遷之喜，我們六、七個人覺得該送他一件賀禮。

作老固辭不獲，最後他說，你們別費心了，我已經選好了，一張休閒椅，而且還把價錢告訴了我們，大概是三四千塊錢。

那一天，作老請我們大吃了一頓豐盛的筵席，我們知道作老的脾氣，也不敢明目張膽地藉搬家的名目來賄賂他，所以每人好像是出了一千塊錢的整數，包了一個紅包，並參觀了那一張很樸素的休閒椅。

沒想到，第二天，每一個人都收到作老的一封信，寫了一大段像「感時篇」一樣的文字，記得好像還有一段「建構式數學」一樣的算式。說你們送了多少錢，椅子花了多少錢；前者減後者，節餘多少錢；節餘除人頭，現在我要每人退還給你們多少錢。記得當時退回來的數字好像是幾百幾十幾塊錢，還有三、四塊錢的銅板在信封裡晃晃盪盪的。

這就是張作老，對於這類事情，你不能想像他是多麼地「龜毛」。但也因爲作老的風格如此樸實，我們十樓一級主管辦公室的風氣一直十分單純、乾淨，皆因「十樓樓主」張作錦先生的影響使然。

再說一個與錢有關的故事。蔡詩萍兄從《聯合晚報》創刊就參加了言論部，一直是副總主筆，但工作皆由他執行。作老任《聯合晚報》社長的時候，詩萍仍是副總主筆，總主筆由作老兼任。有一天，作老對我說，詩萍的工作做得很好，應該給他實際的名分，也就是該升他做總主筆。作老兼任總主筆，有四萬塊錢兼職津貼；他不兼總主筆的意思就是說，他會少了四萬塊錢津貼。但是，作老並未把思考轉向這一方面。後來，詩萍升任總主筆，作老也就每個月少了四萬元收入。事成之後，作老請詩萍吃了一頓，還對詩萍說是「遲來的正義」。當時，若不是作老自己提出這個人事案，我想沒有人會要作老辭去這個兼職。作老自己從地方記者幹起，他很知道同仁爬梯子的心情。我想，如果沒有這四萬塊錢津貼，很多人會作出同樣的決定；但是，有了這四萬塊錢津貼，張作錦一樣作出這個決定，一無掛礙。

追隨作老二十多年，我的綜合印象是：

作老是一個很大的形體，但是他不重，因為你不必去抬他，捧他；而且他雖然大，卻不會擋住任何人，任何人的光和熱都能從他的身上反射出來，而且更加放大。

我們都是在作老的「肩膀上」作事情，而不是在他的「手下」作事。

正如必成董事長說的，在今天這個場合，我們來紀念作老退休還是其次的目的，主要的目的是在共同來見證一個由《聯合報》文化所錘鍊出來、並自己參與塑造出《聯合報》文化的新聞工作者的典範，讓我們後輩來學習。

董事長在送給作老的退休獎座上稱作老是「新聞記者的標竿」。我們大家都知道，這是實至名歸。

這篇序文的結語是：

道德文章，張作錦！

（本文作者為《聯合報》副董事長）

致謝

朋友撐起這本書

張作錦

劉昌平先生（左）是張作錦在聯合報的第一位總編輯，他鼓勵張作錦退休後，寫回憶記事。 沈珮君／提供

這多少年來，很多朋友鼓勵我寫「生平回憶」，認為我那一代人，歷經戰亂、流亡、從軍、失學，但不願放棄自己，努力自立，多少有點代表性，也有點「時代意義」，應該記錄下來。

這些朋友我無法一一列舉他們的大名，只能放在心中。但有一位新聞界的前輩不能不提，就是劉昌平先生。我初進《聯合報》當實習記者時，他是總編輯，一路指導提攜我。我二〇〇三年退休，他是《聯合報》副董事長。報館為我辦退休茶會，他講了話，說我退休了，要給我訂一個「新里程」，撰寫在《聯合報》服務四十年的回憶錄。我退休已經十六年了，昌公已於二〇一八年謝世，我的回憶文章這時才完成，實在愧對了他。

「天下文化」負責人高希均教授與我結識四十多年，承他厚愛，為我出了很多本賠錢的書，這回「再接再厲」，還願意印行這本《姑念該生》。他的序文，幾乎就是我「生平回憶記事」的濃縮版，非老友無以至此。而且他在序文中又對我多所揄揚，實在叫我惶恐，也叫我感念。

與我在《聯合報》一直「並肩作戰」的黃年先生，我們有「童舟（同舟）龔濟（共濟）」的長遠淵源和友誼。他序文中所提到的事，都不是「假新聞」，但是那樣的說法，總叫我「坐立不安」。

書法家杜忠誥教授，應我的請求，慷慨替我題寫書名，使拙著生色不少，銘感在心。

我一九九〇年從美國《世界日報》調回台北任《聯合晚報》社長，沈珮君小姐是編輯中心副主任兼三版主編。晚報當時有一百多人，我想盡快認識他們，就請編政組給我寫一份同仁名冊，每人附一張照片，好讓我盡早「接地氣」。名冊來了，沈珮君未附照片，聽別人轉述她的話：「我是來做報紙的，不是來賣唱的，還要貼照片？」幾年後，她被調任《聯合報》綜藝中心主任，是一百多人的大單位，她也請編政組造同仁名冊，並附照片。報應不爽。

我退休不久，珮君也「英年早退」，同任報館顧問，接觸的機會比過去還多了。她是我《姑念該生》這本書的主編，對書稿記載內容的完整性、文字修詞、資料補充，要求都極嚴格。但她給我寫的跋，溫暖動人，非認識真切者所不能言也。

我必須要感謝《聯合報》祕書賀玉鳳小姐，我們同事二十六年了，她個性溫柔，做事認真，二十多年來替我整理文稿，儲存資料，改正疏漏，使我能夠一直寫作到現在，將長記在心中。

《姑念該生》這本書，聯合報系《世界日報》台北辦事處的美術組長邱士娟小姐負責設計編排和美化版面，並和珮君一起去國家圖書館「挖寶」，共同從《聯合報》知識庫搜集到很多珍貴的照片，使這本書有不同的「面貌」。

我的老同事、原《經濟日報》社長楊仁烽先生，校讀我的初稿，發現許多錯漏之處，要謝謝他。

《聯合報》總編輯范凌嘉先生給我的支援，令我難忘。書中許多照片，多半是《聯合報》攝影記者陳易辰、林澔一、胡經周和邱德祥先生的攝影或翻拍，恐未能一一註明，就在此一起致謝了。

我在「天下文化」過去出版的幾本書，都是由副總編輯吳佩穎先生負責的。這本書同樣也煩勞了他，只能再說謝謝。

第 1 部

流亡三部曲

十六歲，隻身離家，流浪，挨餓。
當學徒且客串「女傭」。從軍又做了「逃兵」，被通緝。
終於重回軍中，安身卻未立命。

張作錦來台第一張照片，時年16歲。

別時容易見時難：離鄉・從軍・逃兵

共軍在遼瀋戰役、平津戰役和徐蚌會戰大獲全勝後，一九四九年四月廿一日開始橫渡長江，進取南京。此時距離慶祝抗日勝利不過四年，眼見又要「山河破碎風飄絮」，滿懷希望過太平日子的黎民百姓，真是情何以堪。

國軍在長江沿線部署了一一五個師約七十萬人，海軍一百多艘艦艇日夜沿江巡弋，空軍四個大隊隨時待命。但是，共軍仍在六月二日完成渡江任務。「鍾山風雨起蒼黃，百萬雄師過大江」，相對於毛澤東的意氣風發，我們這群流亡學生則惶惶然不知何所適從。

從抗日到「剿匪」，政府花了很多力氣照顧不願附敵、附「匪」的青年，為國家保留種苗。像「西南聯大」，就名垂教育史冊。

我的流亡學生過程始於一九四八年設在徐州附近的「八義集臨時中學」。我老家是徐州東方九十里路睢寧縣的古邳鎮，張良為黃石公穿鞋的那個圯橋就在古邳。因國共內戰，家鄉已無學校，十六歲那年，我隻身到徐州就讀「私立徐州中學」。私立學校要收錢，我幾乎都沒有飯吃了，哪有錢繳學費。後來政府設立八義集臨時中學，我就轉往那裡就讀。隨著共軍的迫近，臨時中學逐步南遷，也逐一改用不同的校名。我們的學校駐過南京附近的湖熟，然後遷丹陽、常州，最後落腳在蘇州的鄧尉山，乃名「鄧尉臨時中學」。

全國各地臨中都是國立，頂頭上司是教育部。名義上是公費，但除了每月發一些米，根本無油、無鹽、無菜。連米也不夠，每天兩餐，每餐一碗稀飯。學生餓急了，就跑到田裡偷農人的玉米、地瓜、蘿蔔等作物填肚子，被農家發現，追著喊打。孔子周遊列國，在陳國絕糧，還能說出「君子固窮，小人窮斯濫矣」這樣的話，真是了不起。我們那時年輕，未聞聖訓，就是懂得，恐怕也熬不過飢餓的肚子。

少小離家老大回，離鄉四十年，張作錦夫婦（左起一、二）第一次回到故鄉古邳鎮，在圯橋頭「漢留侯進履處」石碑前，與鎮長和接待人士合影。

學校到蘇州時，長江以北都已陷共，學生想去台灣，大概只有從軍一途，但從軍也要有門路才行。恰巧這時江蘇省政府成立

「警員總隊」，招考學員，我們臨中很多學生參加了受訓。省主席丁治磐全副武裝向我們訓話，勉勵我們認真學習，將來好保鄉衛國。時難年荒，江蘇省政府怎麼還能好整以暇的訓練警察？實際上就是一支「武裝部隊」吧。

訓練甫一月餘，共軍已抵長江，警員總隊奉命轉往上海，準備赴台。

學員從蘇州坐船啟程。我七姊張靜在另一所臨中，這時到岸邊送我遠行。她只比我大一歲，我一走，她就是孤零零的一個人背井離鄉了。儘管我心中不忍，但也別無選擇。「此地一為別，孤蓬萬里征。」台灣解嚴後開放大陸探親，我一九八九年回鄉再見到她，也與六姊張榮和弟弟作振團聚，白首重逢，相隔已四十年了。

虬江碼頭的風雨

警員總隊到了上海，隔日即在虬江碼頭登運兵輪船赴台。船上不供應食物，隊上先一晚每人發一塊很大很大的烙餅，讓我們背著。我們傍晚即抵碼頭待命，正巧大雨傾盆，我們排隊淋雨，直到深夜上船，此時渾身濕透，那塊大餅自然也「泡湯」。上船後坐在甲板上，太陽一曬，餅都霉了。船上人多，也無水喝。但為逃命計，飢渴均可拋。兩岸交流後我到上海，問起虬江碼頭，當地人多不知道，有人說早已拆除了。滄海桑田，世事多變。

1949年，一百多萬大陸人士從台灣基隆港上岸，從此在台安身立命。上圖是1954年基隆港。
聯合知識庫／提供

船抵基隆港，很多小船划近船邊兜售香蕉。香蕉在大陸北方罕見，何況又飢又渴，但是我們沒錢，台灣天氣熱，冬天衣服穿不到，就丟下去換香蕉，生平第一次懂得以物易物。

在基隆港下了船就上火車，一口氣開到鳳山，進了五塊厝大營房，編入陸軍訓練司令部通信兵營。第二天總司令孫立人來訓話。他儀表堂堂，著戎裝，登馬靴，往台上一站，不怒而威，使人油然而生「當軍人應如是也」的讚嘆。

我們接受入伍訓練，從立正稍息向右看齊做起。鳳山天熱，我們打赤膊，僅著紅短褲，戴斗笠，每天八小時操練。艷陽如火，我們不僅晒得黝黑，身上也一層一層脫皮，晚上睡覺，碰到床鋪就痛，如針刺火燒。

舉不起三零步槍

徒步操練固然辛苦，持槍操練更令人生畏。我們配用的是美製三〇步槍，因使用零點三英吋子彈而得名。這款步槍在第二次大戰戰場上使用，甚得美軍喜愛。但官方的評價缺點之一是太重，有四點三七公斤。如果美國大個子士兵都嫌重，我們中國營養不良的青年軍人就更不用說了。每次站立舉槍瞄準，槍要舉平，不可晃動。我和許多戰友，舉沒多久槍頭就下垂。那時軍中行打罵教育，班長過來就是兩拳。或捶在前胸，或捶在後背，反正都夠受的。有時我很想爭口氣，舉平一些，舉久一些，但多半力不從心，挨了很多打。

在流亡學校裡吃不飽飯，到了鳳山軍營還是吃不飽，因為每餐飯都不夠，更遑論菜蔬了。操練苦，肚子餓，亟思解脫，忽然機會來了：連長詢問大家，廚房要人工作，誰願去？其實，就是伙伕嘛！但他們不必出操，也就不會挨打，而且靠山吃山，靠水吃水，在廚房不會挨餓。有人很快舉了手，我臉皮薄，覺得到廚房燒飯終非是「正規軍人」，於是繼續挨打挨餓。

我們二等兵每月發餉台幣七元五角，可到營區福利社吃一碗牛雜湯，買一串香蕉。陸訓部有一份軍報名《精忠報》，一天有署名「千里馬」者，在上面為待遇過低發了牢騷：

「加薪消息早來了，究竟加多少？軍需昨日有謠風，公文尚在簽呈核准中。拙荊性命幸猶在，只是朱顏改。問君何苦這般愁，想起明日小菜淚交流。」「千里馬」是侯家駒先生的筆名，他後來成了經濟學教授，我擔任《聯合報》總編輯時，他是我們重要作家之一。與他同在孫立人總部的，還有張佛千和劉國瑞兩先生，後來都與《聯合報》發生關係。張先生是作者，也是報館顧問。劉先生則曾在我之後任《聯合報》總編輯，也是「聯經出版公司」的創辦人。有時，人生的際遇，小說都編不出來。

一名傳令兵出了營門

操練太重，營養太差，我病了。晚上整夜盜汗，還發燒。我請求連長准許我到營外軍醫院看病，連長要班長陪我去，我覺得連長太周到了，也不好意思勞累班長陪我跑一趟，就報告說我自己找得到路，但連長一定要班長陪我去，臨行時又低聲交代班長一些話。年長的戰友告訴我，不是連長體貼，而是怕我逃亡。我是真生病，本無逃亡之意，但是這句話倒提醒了我：對啊！我受不了，何不逃呢？

警員總隊各隊隊長，本都是軍人，有軍階，他們把我們送到五塊厝大營房，我們入伍受訓，他們也暫住營區。有一同學告訴我，我們鄰隊的李隊長，就住在我們連部附近，而且

鳳山五塊厝大營房，是張作錦到台灣的第一站，並自此「逃」出。

他最近可能去台北。我利用午休時間，跑到李隊長住處，他說馬上就要出發，如果我想走，他願帶我同行。我說營區大門警衛森嚴，我沒有外出證，怎麼出去？他替我出了主意：他是中校軍官，配有軍階肩章，我拿著他的皮包，跟在身後，裝作他的傳令兵，看能不能矇混過關。我照計而行，當走到營區大門，兩側衛兵高呼「敬禮」，李隊長舉手回禮，我的腿發軟，心都快跳出來了。如被現場抓到，軍法審判，一定坐牢。

上了北上火車，我無車票。當查票員來了，李隊長就叫我進廁所去，查過票再出來。就這樣出出進進多次，台北到了。我向李隊長恭敬行禮，道謝告別，遂又開始我人生另一段辛苦歷程。

街頭的「遊民」
挨餓·客串「女傭」·重回軍隊

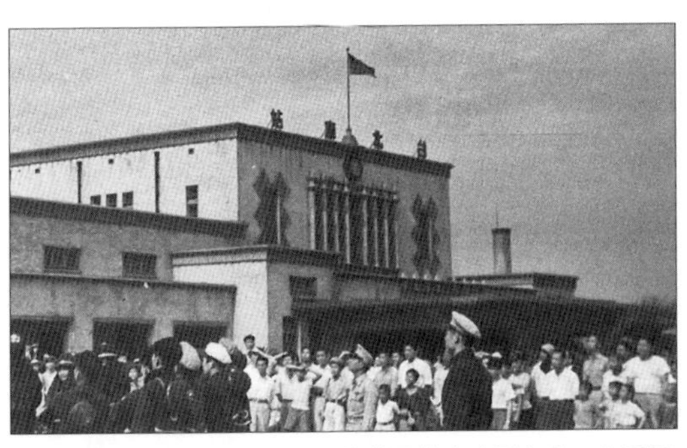
張作錦自鳳山逃出軍營，第一站就是搭火車到台北。上圖是1954年的台北火車站。 聯合知識庫／提供

一九四九年夏天，我在台北街頭，成了「遊民」。

遊民的界定，通常是無家可歸，無飯可食。我的情形並不全像，但庶幾近矣。

我自鳳山五塊厝軍營「逃出」，坐火車到台北市，出了車站，不知東西南北，雖然口袋裡的錢很少，也只有忍痛雇了一輛黃包車，請他拉到「公產管理處」，這是政府為接收日據財產而設立的機構，就在今天台北市忠孝東路一段行政院前面的一棟樓房，一度是新聞局的辦公室。我到這裡投奔一位親戚，蒙他收容一陣子。若干年後，我進入報館工作，新聞局和行政院是我採訪的機關，幾乎天天來，人生機緣，有如此者。

那位親戚，是王敦峻先生，我大嫂的弟弟，我叫他敦峻哥。雖然論親戚關係不算多麼近，但他是我在台唯一認識的人，除了他，無人可投靠。

那時我十八歲，他廿多歲，未婚，住在單身宿舍，四人一房。屋裡不可能再放一張床，我也無錢買床，晚上就和他擠在一起睡。

白天他上班，在公家食堂吃飯，我去找他，他替我買一份餐。那時我正值發育期，食量很大，但不好意思多吃，常常吃不飽。也不能餐餐去找他，自己又沒錢買飯，所以有一餐沒一餐，通常都在饑餓狀態。

我白天沒處去，在馬路上漫無目標的東走西走。四顧茫然，飢腸轆轆，一副遊民的樣子，雖然那時我並不知道「遊民」這個詞。

我在街上撿東西吃

有一天過信義路，在人行道上看到一個紙包，撿起來一看，裡面有四個圓圓的、軟軟的糕點，我也不管是誰遺失的，還會不會回來找，就站在那兒吃了起來。裡面有紅豆餡，又甜又香，我從來沒吃過這種東西，何況肚子正餓，真是人間美味。後來才知道這是台灣特產，名叫麻糬。

等我成家有了孩子，麻糬的故事是我「庭訓」的必修課。我告訴兩個兒子，要惜福，一粥一飯當思來處不易。但他們能聽進多少，就不知道了。有一次我跟他們講我在軍隊時的「克難運動」，老大貌似誠懇的請教我：「爸，我們現在要換上破衣服、改吃糙米飯，轉回頭來過『克難』生活嗎？」是啊！我們今天再讀「二十四孝」，還會有人效法「割股療親」嗎？

麻糬的經驗，倒使我自己終身受益。除了我幼年期就不吃的極少數幾樣食物，任何菜飯對我都是美味。

四粒麻糬只能解決我一餐或一天的飢餓，但我的胃可是每天都需要食物，我必須找一個固定工作。我雖然十八歲，勉強算是成年，但長期當流亡學生，幾乎沒有讀書，身無一技之長，又少社會關係，我能做什麼？又怎樣去找到一份工作？

台灣那時主要街道旁多設有「閱報欄」，貼有中央、新生等大報供民眾閱覽。我就去報紙分類廣告中查閱「徵才啟事」。工作機會雖有，但於我來說都是「高不成」。有一天，「低可就」的機會來了，臨沂街一家新設立的醬園店招一名小工，幾乎沒有什麼條件限制，我跑去應徵。老闆李先生上海人，很體面，也很和氣，問過幾句話之後就決定錄

張作錦曾在東門附近當小工。這是1957年國慶前夕，東門掛著比城樓還高的總統蔣中正圖像。　聯合知識庫／提供

用我，吃住在店裡，另有津貼。我怯生生的問：「津貼是多少？」他回答：「你好好做，我不會虧待你的。」

醬園店在東門市場。那時的東門市場可不能跟今天比，當時是傳統菜市場，人擠人，又髒又亂，還有一股難聞的氣味。醬園店除了門市鋪之外，還兼營自家生產的醬油。店裡有一年齡比我長的店員，我叫他師兄。我們兩人照顧門市，買油、買醋、買醬菜，都由我們招呼。外面餐館有整批買醬油的，則歸我用手推車送貨。我從小就是「路盲」，不識路，而台北又是初來乍到，更摸不清方向，送貨東找西找，常弄到很晚回來，多次受老闆斥責。

午餐和晚餐都在店裡，和老闆、老闆夫人、工廠主事、帳房及大師兄等一起吃。上海人講究飲食，飯菜都很可口。離家之後就當上流亡學生，以後進入軍隊，不久前又成街上「遊民」，多年在半飢餓狀態，現在是最享受的一段時光。

食甚好，但宿就很慘。晚上十時打烊，店鋪關門，我和大師兄就睡在盆罐旁邊，他張起一張床，有一頂蚊帳，我就在他床邊打地鋪，沒有帳子。市場環境汙濁，蚊蟲多如過境蝗蟲，叮咬一口就是一塊紅斑，既癢且痛，使人整夜無法入眠，白天自然精神不繼。幾天之後，師兄看我可憐，就讓我鑽進他蚊帳，他的「好生之德」，我至今感念。

替老闆太太擦榻榻米

醬園店是一幢二層樓房，一樓是店面，老闆全家住在二樓。有一天老闆夫人叫我上樓，拿一桶水和一塊抹布給我，要我擦他們臥室的榻榻米。我怔在那裡不知如何是好，當時台灣光復未久，仍沿日人習慣稱女傭人為「下女」。擦榻榻米是女傭人的事，我雖是小工，但不是「下女」，深覺被人看低了。可是我不敢拂袖而去，因為我無處可去，而且餓肚子的滋味並不好受。我向現實低頭，擦了榻榻米。

在醬園店工作了一個多月，敦峻哥來看我，問我生活還好嗎？我隱忍不住，流了眼淚。他了解我的心情，說「那就離開吧！」他表示自己無力量介紹我別的工作，但他軍中有朋友，可以讓我重回軍隊。我說我舉不動三〇步槍，也怕挨打。他說不到野戰部隊，去師級司令部，做抄抄寫寫的文書工作。於是我向老闆辭職，他很生氣：「沒有飯吃就來，有飯吃就走。」他發給我自「到職」以來的津貼，記得是新台幣二十元。

我重新「入伍」，到第六軍三六三師司令部當文書上士，派在主管人事的副官組工作。在台北報到的第二天，師部就調防宜蘭市。沒多久古寧頭大捷，有一些被俘虜的共軍，「分派」到宜蘭街上遊行，讓百姓了解國軍有能力確保台灣的安全。

自投羅網被「通緝」

「小人閒居為不善」，是《大學》裡的話，大概就指我這種人。生活才剛安定，就做出蠢事。我離開陸軍訓練司令部通信兵連，自知是「逃兵」，但當時國軍新敗，退守台灣，兵荒馬亂，軍人來來去去，司空見慣。我覺得對我的連長「不辭而別」，於禮不合，就寫一封信給他表示歉意，並說明我現在在哪裡，生活情況如何等等。可是我的好心未有好報，不久陸訓部來一公文，謂我是他們的「逃兵」，要求將我解回鳳山依法審辦。副官組主管人事，公文首先到我這個文書上士手裡，我這才感到事態嚴重。儘管逃兵常有，但若認真由軍法審判，至少要坐幾年監牢。我向副官組長官求救，他很輕鬆的說沒關係，這邊「報逃」，換個名字那邊「報補」就行了。

「報逃」和「報補」是當時軍中的專有名詞，需要解釋。因為國軍撤台後，軍人「流

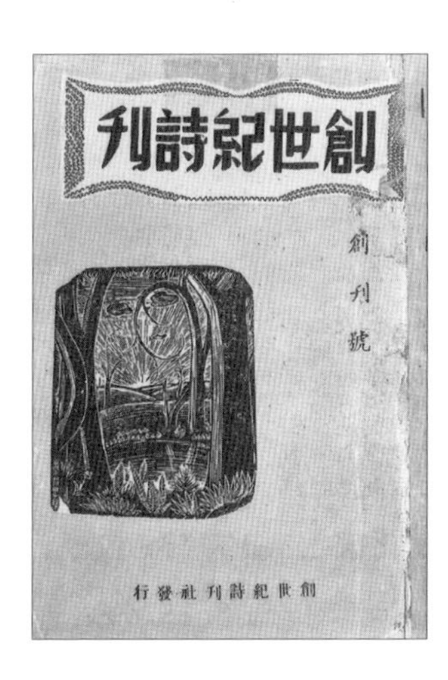

《現代詩》和《創世紀》是台灣最早的詩刊，對詩壇影響深遠。張作錦二十歲左右的詩作，都以筆名「金刀」刊在這兩本雜誌。

文訊／提供

動性」很大，今天張得功走了，就報給上級此人逃亡，停發薪餉。明天李得勝來了，就報給上級補上一人，開始發餉。

我小時由私塾先生取名「作錦」，離家到流亡學校，同學興起改名潮，又以單名為時尚，我從眾，棄「作錦」而改名「釗」。

我曾一度附庸風雅，學寫新詩，將「釗」一拆為二，以「金刀」為筆名，居然得與瘂弦、洛夫等名家，一同列名於《現代詩》和《創世紀》詩刊。後來自覺不是詩人的材料，才回頭是岸。

於是張釗「報逃」，張作錦「報補」，解決了我「逃兵」的問題，也使我恢復了本名。

我之所以敢逃出五塊厝，因為台北有敦峻哥可投靠。後來走投無路還能回到軍中吃糧，也是他的協助。他中年病逝，使我感傷。

林口・籃球・詩

活在年輕的「金色的陽光下」

師部於一九四九年從宜蘭移防新竹湖口，地為山區，出入不便。聞蔣總統年終校閱將到本部視察。總統親校，何等大事？上上下下都忙翻了。除野戰部隊外，師部忙的都是製作各種冊籍圖表，擺出來整齊、壯觀。這些都是我們文書人員的工作，夜以繼日抄呀寫呀，營養不良的眼睛，在昏黃的燈光下熬夜，不久我的視力就模糊起來，近視加散光，成為終身之累。那時只要吃點維他命或豬肝就行，可是沒有常識，沒有錢，也沒有人管。我們忙與病的犧牲，最後是一場空，蔣總統根本沒來。

軍人固窮，政府也窮，窮到與百姓賭博賺錢。一九五〇年四月，台灣省政府開始發行「愛國獎券」，頭獎二十萬元新台幣，當時可在台北市買棟小房子。獎券開始時每張十五元，對於一個每月薪餉數十元的士兵而言，太高不可攀了。社會大眾也嫌貴，不久降為十元，再降為五元。軍人望富心切，很多人每月都買一個希望。我很想有錢配一副眼鏡，但知道中獎是不切實際的事，也捨不得每月花五塊錢，就讓眼睛「帶病服役」，於好幾年後才配一副眼鏡，但視力已無法挽救。

我升了級，從上士文書升為准尉司書。准尉，是最低階的官，但總是進入官的行列。不久移防林口，後來我升了少尉。在林口住了三年，考入政工幹部學校才離開。

在軍中得到學習與成長

許多軍中同儕退役後，對軍人生涯常有怨言；我沒有，我覺得我在軍中得到學習和成長，尤以林口那段時間為然。

軍中缺少娛樂，運動就是最簡單的「康樂活動」。那時台北介壽館前的「三軍球場」建成，七虎、大鵬兩支球隊風靡全國，軍中籃球也蔚然成風。三六三師別名「成功部隊」，師部組有「成功籃球隊」，是年齡較大和階級較高的官佐組成，我們幾個低階和年輕的人組成「小鷹籃球隊」，我被選為隊長，「率隊」到各處比賽。只要有時間，總是賴在球場不下來。那時年輕，似有用不完的精力。

當年還沒有電視，每有七虎、大鵬的比賽，我們都守在收音機旁，收聽中廣洪縉曾先生的實況轉播。收聽轉播當然不過癮，有一天我們決定去現場觀戰。大家坐公路局班車

西門町電影院，有許多張作錦的青少年記憶。這是1959年的西門町，在今天捷運西門站附近。

聯合知識庫／提供

到台北，但看完球已十點多，公路末班車早已過了。當時還沒有計程車，有也坐不起。實際上我們早已打算好要「步行軍」回來。大家年輕氣盛，談談笑笑，不覺辛苦，清晨六時回到營房，正好趕上早點名。

我們還做過另一件「年少輕狂」的事。曠世電影巨片《亂世佳人》在台北「萬國戲院」首映，片長四小時，一次映完。首映之日是個星期天，我們半夜爬起來步行前往台北，一路都是石子、泥沙，沒有柏油路，大約要走十小時。我們到戲院排隊買早場票，還排在第一名。

軍中沒有書讀，除了中央、新生等報紙之外，雜誌也很少。報紙也不是每個辦公室都能分到一份，輪不到我們讀。

有一天，我無意中在儲藏室的一角發現一本《三民主義》。軍人對「三民主義」四個字無不琅琅上口，但這本書我從未讀過。「三民主義」本是國父孫中山先生的演講，由戴季陶記錄而成，非常口語化，我完全看得懂。對孫先生很多觀點和主張，也很敬佩。但後來我進了政工幹校和政治大學，《三民主義》都是必修課，老師必然會講孫先生的革命觀、歷史觀、哲學觀等等，把我弄糊塗，反而不懂了。「三民主義」是孫先生建設國家的方案，重在實行，不在有無深奧學理。這些年來我一直認為，「三民主義」被弄得支離破碎，使青年學子望而生畏，主義因而未得貫徹，授課的老師把它神化，藉此以自炫，實應負重大責任。

正因軍中無書可讀，我們乃有了「克難讀書法」，糾合若干朋友，每人每月各買書一本，大家交換來看，以有限的金錢，可以看到最多的書。

最關鍵的是受益於「反共抗俄」的國策，那時凡是俄國作家和本國「陷匪」作家的書，都是禁書，軍中由政工部門統一查收。恰巧我認識政工處的一位兄長，他見我好學心切，而又「忠誠可靠」，就把很多查禁的書借給我看，那時我認識了托爾斯泰和普希金，也認識了巴金、魯迅、老舍、沈從文、徐志摩、冰心等著名作家，拓展了一些視野。

我們的第一本詩集

我那時有三位意氣相投的軍中夥伴，俞允平是作戰組的繪圖官，和我同在師部，朝夕

張作錦的軍中文友四人拿著新出詩集合影留念：由右至左：前排俞允平、張作錦；後排何坦、趙玉明。

相處；何坦和趙玉明則在部隊裡，也能常相過從。我們都屬「文藝青年」，向軍報和社會報刊投稿。大家尤愛新詩，四個人共同出版了一本詩集《金色的陽光下》，一九五三年由《野風》印行。現在看來，正是為賦新詞強說愁。

四人中的老大何坦（阿坦），我們視之如師，以上校退役，於二〇一一年辭世。趙玉明（一夫）是「二當家的」，先後在《民族晚報》和華視任職，後入《聯合報》，是我後任總編輯。俞允平（疾夫）與我同年，他在台北主編過好幾本雜誌，其中以《文藝月刊》最負盛名也最具影響力。

在林口駐紮三年，讀了一些書，交了一些朋友，也學習寫文章、寫詩，自覺有些微長進。一九五三年考入政工幹部學校第三期新聞系，離情依依的別了林口，上了北投復興崗。

第 2 部

文武兩大學

考上政工幹校，抱希望而來，帶肺病而去。

進入政治大學，二十八歲老學生，險被「勒令退學」。

我的求學路，兩個字，坎坷。

32歲，張作錦從政大畢業，拿到人生第一張畢業證書。

政工幹校　抱希望而來，帶肺病而去

我和瘂弦同受江南的誣陷

蔣中正總統於一九五〇年三月一日在台復行視事，開始整軍，任命蔣經國為國防部總政戰部主任，建立軍中政工制度，乃有了北投復興崗的政工幹部學校。首期學生於一九五二年一月六日開訓，是日乃訂為校慶日。

幹校設政治、新聞、音樂、藝術、體育、影劇等六個系。軍聞社記者林宜慶二〇一二年一月四日發表〈復興崗一甲子報導〉指出：「當時幹校是在台設立新聞科系的第一所學校。由已故耆老謝然之教授擔任系主任，也成為一大特色，因此，第三期入學招生時，報考新聞系學生人數多達數千人。」

我早年失學，渴望讀書，雖知幹校並非純粹求知之地，但當時軍人不能報考普通大學，而自己也懷疑是否有能力考取大學，幹校乃成了當時的首選。

一九五三年我報考了新聞系。第一、在林口學寫文章、學寫詩，替軍報寫報導，自覺性向與寫作相近；第二、新聞系不考數學，那是我當學生時最怕的科目。

發榜了，錄取七十人，我的名字是榜單的第一個。如是按成績排名，我想我的作文應該替我拿了較高的分數。我記得作文題目是「給青年朋友的一封信」，我剛讀過一些石達開的詩文，他有兩句話，「忍令上國衣冠淪為夷狄，相率中原豪傑還我河山」。有人說是他檄文裡的句子，有人則指是偽造。但不管如何，我用在作文的結尾，在那個時空環境裡，必然會給閱卷官深刻的印象。

考上幹校，我卻又有了新憂，因為報到通知上明列要帶「一床棉被」。林口地勢高，風大，冬天甚冷，軍中只發一條毯子，有時晚上會凍醒，如果我當時有錢買棉被，我早就買了。正自發愁，但天無絕人之路。原來一年前國防部總政戰部向官兵徵求軍歌歌詞，我投稿寄去，這時公布，得了第三獎，獎金三百元，剛好夠買一床被子。

我得獎的那首歌叫〈林口謠〉，還記得開頭是這樣的：

車輪兒響呀，山道兒長，
山上有平原呀，林口好風光。
○○○○好練兵，大湖草野好牧羊。
練兵呀牧羊，民富呀國強……

現在林口已成台北市的副都市，高樓大廈櫛比鱗次，但當時那裡真的有人牧羊。

我入學時校長是王永澍，教育長是王昇，後來王昇升任校長。他們兩位都被視為「儒將」，可是容我直言，他們似乎並不重視教育。我們入學後，開始基本訓練，又是立正稍息向右看齊那些制式動作，然後就是體力勞動，譬如在大操場中央挖一個十分巨大的池塘，全校學生動員以原始工具施工，但挖成了，卻又填起來。除了磨練學生的體能和服從，找不出其他理由。而對於真正在教室中「上課」，學校似乎並不多麼在意。

蔣經國主任每周都來校探視學生，但有校長和教育長陪同，同學和他接近機會不多。我們九月入學，不久就是孔子誕辰，學校在禮堂舉行紀念會，蔣主任親臨主持，由政治系一位教授主講孔子思想。他有一段話說：中國道統由文武周公孔子一貫傳下來，接續這道統的是國父孫先生。國父傳給誰呢？自然是蔣總統。蔣總統傳給蔣主任，你們是蔣主任的學生，蔣主任當然傳給你們，所以你們是中國道統的承繼人。

我坐在台下全身悚然，道統還能「家天下」嗎？我冷眼旁觀坐在台上的蔣經國，他保持一貫不動聲色的習慣，沒有任何表情。我心想，蔣也許不好當眾發作，這教授說得太過分了，早晚要倒楣。但他一直沒倒楣，若干年後我考進政治大學，這位教授卻由幹校「升級」到政大教書了。

「抗俄」不可讀屠格涅夫

對學校的課程不滿足，我就自己找書讀。校外的朋友借我兩本書，屠格涅夫的《前夜》

和《羅亭》。那個年代，我們「反共抗俄」已到「堅壁清野」的程度，凡沾到「俄」的都犯大忌。我讀俄國小說，被隊上長官抓到，問題嚴重，開除都有可能。我解釋，屠格涅夫那一輩的俄國作家，他們反抗帝俄，比我們今天「抗俄」還抗得堅決。但是我的答辯未獲採納，長官也無暇去讀那些書，我只好認罪、悔過，並保證不再重犯。

那時學生規定每天要寫日記，白天出操、上課時，日記放在床頭，由隊上長官檢閱，作為考核的資料。我看俄國小說受罰，心中不服，希望在日記中作些「報復」。我過去已讀過一些胡適的文章，見學校圖書館有《胡適文存》，就借來，專揀他批判言論自由、思想管制的文句，以讀書心得的方式寫在日記上，並註明：「摘自《胡適文存》第某頁，借自本校圖書館」。

閱讀俄國作家屠格涅夫的兩本著作《前夜》和《羅亭》，張作錦在幹校惹出麻煩。

我這樣做固然逞了一時之快，但可能付出了代價。我們進了新聞系，畢業後自然希望能學以致用。學校對畢業學生的分發，雖無明文宣示，但大體有一「潛規則」，最優秀的到軍聞社、青年戰士報和幼獅社，第二等去國防部和各軍團的出版機構，第三等去三軍總部上班，「後段班」的則去野戰部隊。我分派的單位是台中清泉崗裝甲兵第二師一個步兵連任幹事。我入學考試放榜名單是第一名，在校成績自認也不錯，我想我的「操行」成績大概不及格。

更麻煩的是，畢業前身體健康檢查，發現我得了肺結核。那個年頭的肺結核病，比現在的肺癌還嚴重，因為那時鏈黴素發明、上市不久，是珍稀藥品，國內進口少，軍人也買不起。但學校既已分發，我只好拿著命令去台中裝二師報到。坦白說，以求學的目的到幹校來，結果是失望的；現在帶著肺結核而去，心情更是沉重的。

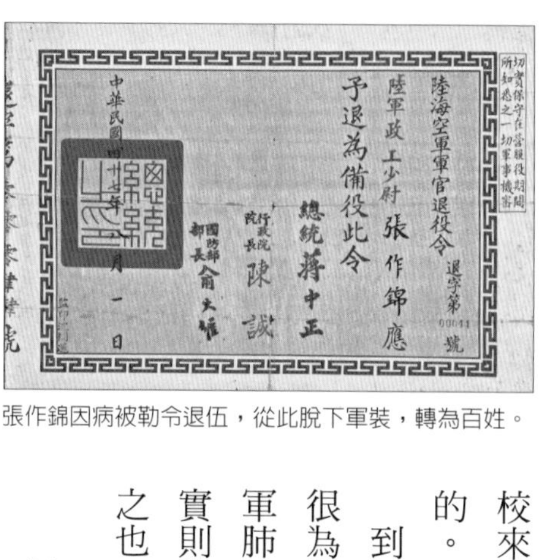
切實保守在營服役期間所知悉之一切軍事機密

陸海空軍軍官退役令　退字第00011號

陸軍政工少尉張作錦應予退為備役此令

總統蔣中正

行政院院長陳誠

國防部部長俞大維

中華民國四十七年　月　一　日

張作錦因病被勒令退伍，從此脫下軍裝，轉為百姓。

到了部隊，食宿與大夥在一起。而肺結核是傳染病，別人很為難，我自己也不安，不久師部把我送到台北縣三峽鎮國軍肺結核病患療養隊，有好幾百個病人。名為「療養隊」，實則僅有簡單食物可「養」，全無藥物可「療」，自生自滅之也。

被「強制退役」

一九五六年，政府執行「精兵計畫」，淘汰老弱殘兵。國防部派一上校來療養隊點名，諭令全體退役。點到我的名時，我說：「報告上校，我今年才二十四歲，剛從政工幹校畢業，還沒服務，不好現在就退役吧？」我說得冠冕堂皇，一副志在報國的樣子，實則有不可告人的私心。我隻身在台，又無社會關係，若真退役，到哪裡住？誰給我穿衣吃飯呀？上校當然不了解我的心情，他說：「軍人以服從為天職，叫你退役你就退役。」於是我拿了台幣七千五百元的退役金，脫下軍服，成了百姓。

所幸我的朋友俞允平在南部軍團主編軍報，在台北印刷廠印報，結識了同在一起印製的《中國勞工》半月刊總編輯錢江潮先生，我因緣加入了《中國勞工》半月刊，有錢租一個單人小房間，在路邊違建的小餐館吃包月飯。

「中國勞工出版社」是張作錦離開軍中後的棲身之所。圖為1958、1959年兩份《中國勞工》半月刊的封面。

幹校學制本來說修業兩年，但我們一九五三年秋天入學不久，次年一月廿三日韓戰一萬四千名反共義士回國，是國府遷台後與中共鬥爭的一項大勝利。行政院設立「反共義士就業輔導委員會」，由蔣經國實際負責，設楊梅、大埔和林口三個義士村，幹校三期學生全體派到義士村服務。「輔導會」專為義士辦一份報紙《義士之聲》，我分到報社工作。

報社成員都是幹校畢業校友和在校學生，總編輯鄧錦明，後到琉球和美國本土主持美軍廣播電台。採訪主任莫洛夫，就是後來著名詩人洛夫。編輯主任吳東權，是著名小說家，曾任中視新聞部經理。編輯陳璧，後入警界，官至警政署署長。另一記者宋咸萃，寫得一手好文章。「同學少年多不賤」，我也沾了光。

從義士村返校不久，就匆匆畢了業，前後約一年半。

後來我在《聯合報》任職，幹校幾次諭知，授我「傑出校友」的榮銜，我都未敢接受，因為自認沒有替學校效力。

倒是有一次報效的機會，卻又弄出意外。緣我在《聯合報》採訪主任任內，幹校新聞系第一期學長祝振華任新聞系主任，他請我到他系上與同學切磋採訪與寫作。我工作雖忙，但自覺難得可回學校服務，就答應了。

甫上課，系辦公室人員拿一份保證書要我填，還要找兩個保人。我很納悶，我只是每周來上課兩小時，不是正式職員，為何還要取保？振華學長忙解釋，這是學校規定，如果我不方便找保人，只要簽上名，他替我找人。人情逼人，我只好答應自己設法找保，可是細看保證書內容，有一條是保證當事人「不捲款潛逃」。我覺這規定不妥，我又不經手錢財，無需在人品上要人保證。振華學長解釋，這是學校統一格式，請我勉為其難。我說這是原則問題，我不能接受「捲款潛逃」的條款。振華學長說，如我沒有保證書，他無法替我請領鐘點費，我說我本意是來服務，不在意鐘點費。下周來上課他又告訴我，不僅我領不到鐘點費，系裡所有老師都領不到鐘點費。我長嘆一口氣，棄子投降。

幹校學生，尤其新聞系學生，在社會就業，每被認為與王昇將軍有關。王從幹校校長調總政戰部主任，在「劉少康辦公室」的時代更權傾一時，但幹校學生眾多，王將軍勢必無法全部「照顧」得到。

1970年，《聯合報》忠孝東路大樓正在興建，周遭房舍低矮，四處多是稻田。 聯合知識庫／提供

《聯合報》在忠孝東路的新址於一九七一年落成，是當時報界最體面的大樓。董事長王惕吾分別宴請黨政文教企業各界領袖到新大樓參觀。有一次款宴王昇，我那時是採訪主任，奉命作陪。餐罷，兩位王先生相偕參觀報館各部門。到了編輯部，王董事長說，《聯合報》編採部門用人，沒有門戶之見，台大、政大、師大、世新、文化和政工幹校的學生都有。王將軍驚訝的問：「也有幹校的？」王董事長不解的指著我：「我們採訪主任張作錦就是幹校的呀！」王將軍不識我大概使王董事長意外。我趕緊向王將軍致意：「忘記向校

長自我介紹了！」

受江南誣陷

旅美作家江南（劉宜良）一九八四年十月十五日在舊金山遇刺身亡，成為轟動一時的「江南案」。

《自由時代周刊》於一九八五年八月七日第十六期刊出「江南遺著」〈王昇浮沉錄〉，其中有一節指王昇「結合聯合報系，纏鬥中國時報」，文章說：

「王惕吾，看準情勢，早向王昇靠攏，編輯工作人員，請王昇推薦。於是張作錦，坐直升飛機般，由採訪主任、總編輯、副社長，王慶麟（瘂弦）副總編輯兼副刊主編。王的做法，非常高明，既然用王的人，王惕吾父子就不必操心總政治部、『警總』搗蛋了，從此安心賺錢。」

我自入政工幹校，到王昇將軍辭世，除了在大庭廣眾的集會中見過他之外，從未曾和他私下見過面。我在政治大學新聞系畢業時，被學校分派到《聯合報》實習，獲報館聘用，根本無須王昇將軍「推薦」。個人若想攀關係、找門路，可能有比王將軍更方便的途徑。

我在三六三師司令部當兵時，師長是何俊少將，副師長是王瑞鐘上校。王副師長遲遲未到差，有一天終於來了，主持了一次早晨的升旗典禮，然後又不見了。後來知道他去辦《民族報》，用「王惕吾」這個名字。《民族報》一步步演化成《聯合報》，我任《聯合報》

總編輯時，有一次跟王先生閒話，告訴他我曾在他麾下當兵。他大為驚訝：「為什麼你從來沒說過？」我半開玩笑的回答：「我若早說了，您要避嫌，我也要避嫌，我就當不成這個總編輯了！」

至於瘂弦，是我擔任總編輯後，專程把他從《幼獅文藝》請到《聯合報》主持副刊，也與王將軍無關。瘂弦是一位著名的詩人，二〇一四年「他們在島嶼寫作——文學大師系列電影」，介紹六位台灣文學大家，瘂弦是其中之一。而王昇將軍於二〇〇六年辭世，此時墓木已拱。王將軍生前不管有多少威權，大概也無法「製造」出一位詩人。

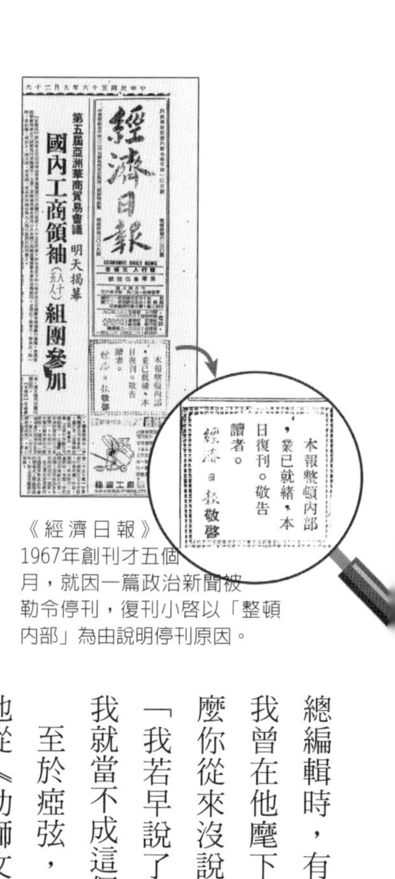
經濟日報

第五屆亞洲華商貿易會議 明天揭幕

國內工商領袖（五人）組團參加

本報整頓內部，業已就緒，本日復刊。敬告讀者。

經濟日報敬啓

《經濟日報》1967年創刊才五個月，就因一篇政治新聞被勒令停刊，復刊小啓以「整頓內部」為由說明停刊原因。

又，《聯合報》一九六七年四月廿日創辦《經濟日報》，不過才五個月，九月廿日因報導琉球問題，使黨政當局大怒，勒令立即停刊。《經濟日報》當日即停止出報，經緊急請願溝通，以撤換總編輯的「自我處分」，換得諒解，停刊四天後復刊。若如江南所言，結交了王昇，「就不必擔心政治部、『警總』搗蛋了，從此安心賺錢」，會有《經濟日報》幾乎被關門的事嗎？

江南不幸遇刺，令人同情，但他為文的無中生有，毀人名節，那就是另一件事了。

政治大學　廿八歲考上新聞系，險被「勒令退學」

長期流亡，自幼失學，我對學堂有一種刻骨銘心的敬畏與崇拜。每次走過一所大學，遙望圍牆裡的大樓，想大樓裡必有大師，學生涵泳於知識的海洋，是在天堂裡過日子。

但是當自己以廿八歲「高齡」考進政治大學新聞系，卻險些被一腳踢到天堂門外，重墮紅塵。

我在「勞工出版社」當了三年編輯，雖暫有棲息之所，但前途沒有展望。而自己「年華老去」，再不進學校念書就沒有機會了。那年，一九五九年，我報名大專聯考。在軍隊裡歡喜塗塗抹抹，寫點小文章在軍報發表，就認為自己在寫作上有點「才情」，於是以政治大學新聞系為第一志願。發榜了，不僅第一志願沒有考上，最後一個志願也沒取——名落孫山之外。

這次試水溫，才知自己程度有多差。明白自學不濟事，要人指導。那時台北市有兩個著名的升大學補習班，羅斯福路的志成補習班和火車站前的建國補習班。我取「有志者事竟成」的吉祥語意，捧著銀子進了志成。這還不放心，又從報紙分類小廣告中，找到成功中學一位數學老師給我補習代數。代數比較容易，只要數學不考鴨蛋，可從其他科目爭取分數。我也請一位年輕的老師教我英文，他說自己是蒙古人，但卻像我蘇北同鄉，嘴巴總是冒著一股大蒜味。日子久了，大家熟了，他叫我猜他的職業，我說與「情報」有關。他大吃一驚，問我怎麼知道的？我說一般人都把information這字譯成新聞、消息，他卻一直譯成「情報」，可見習慣成自然也。

身分證押在軍用機場

一九六〇年大專聯考，我再度鼓勇一試，仍以政大新聞系為第一志願。考試第一天，五點不到就起床了，檢點應帶物品，鉛筆有了，鋼筆有了，准考證有了，國民身分證……？啊！身分證哪裡去了？這一驚讓我嚇出一身冷汗，原來我的身分證前一天押在松山軍用機場檢查哨，忘記取回了。

當年民航不發達，台北松山機場是軍用機場，由軍方管理。我那時的女友、後來的太太凌鼎方女士，家住屏東，她父親任職空軍，軍眷可申請坐軍用航班飛機。先一天我送她到松山機場搭機回屏東，進機場要驗收身分證，出來時發還。我不知吃錯了什麼藥，出機場

台北松山機場以前是由軍方管理，民衆進出要押身分證。這是1959年美國空軍雷鳥特技飛行小組首度在松山機場公開表演。
聯合知識庫／提供

時竟揚長而去，忘記取回身分證。現在距考試只剩三小時，一寸光陰一寸金啊。

　　我跨上鐵馬，狂奔機場。衛兵同志了解來由後，指著旁邊一棟小房，說那是值星官臥室，要我去問他。天還沒亮，值星官尚未起床，在這個節骨眼上，我當然顧不得什麼禮貌，乃排撻而入。睡眼惺忪的值星官聽完我的陳述，大聲喝斥：「原來你就是張作錦，我們昨晚找了你一夜，以為你藏在機場。你這是犯法的，可輕可重哦！」戒嚴時期，軍事重地，他可不是嚇唬我。我連忙道歉：「報告長官，是我一時疏忽。」我說要參加聯考，還有兩小時要進考場，並把准考證給他看。沒有「匪諜」會像我這樣迷糊，還把證件留下立此存照的。值星官態度緩和了，從床頭拿了身分證交給我，「趕快去吧。」我立正舉手，行了一個標準的軍禮，然後騎鐵馬闖進考場，渾身大汗。幸而這回考上了。

九月政大開學，我以既興奮又尷尬的心情報到入學。興奮者，自己此生終於可上大學了。尷尬者，胡適自美學成進北大教書是廿七歲。我廿八歲進大學已比他晚了一年，還僅是讀大一。

開學第一堂課是中國通史。學校還沒有發制服，我穿著舊西裝進了教室。同班新生尚未沾染大學生某些眼高於頂的惡習，還保留高中「尊師重道」的傳統精神，看我進來，以為我是教授，起立致敬，我當然不能理會，很不好意思的在後面找個位子坐下。

我那屆新聞系，錄取二十人，三人是退伍軍人，鄒汶之是貨真價實的師範畢業生。吳桐曾讀外語學校，當過翻譯官，英文一級棒。不過他私下跟我說，很擔心自己的高中文憑會出事。我也跟他交心，表示有同樣的疑懼。

光陰似箭，日月如梭，不知不覺到了大二上學期，有一天教務處叫我去，給我一張教育部公文，明言學生張某人的高中畢業證書是假的，「著即勒令退學」。但吳桐那廝卻沒事，畢業後留學美國，取得博士學位在大學任教。可見教育部查驗證件，不管是多麼嚴謹，對當事人還是有幸有不幸。

我向教務處表示，我讀流亡學校，既無教室，更少老師，亦缺課本，跟學校跑一年就升一級。學校解散時，證書隨便自己填。我要向教育部申訴，在最後定讞前，希望學校能容我繼續上課。

當年從台北到政大，要坐公路局班車到木柵，再步行到學校，學生票有折扣，通學生每月向學校拿一張證明才能買優待票。教育部公文下達後，我再去拿證明，那位辦事的小姐表情詭異：「你還能拿麼？」那時窮，只好涎著臉請她通融。

我離開軍隊已做了幾年事，有點「社會經驗」。當時教育部長是黃季陸，政務次長鄧傳楷，高等教育司長姚淇清，主管學籍審查的是專門委員成女士。我打聽出她是世新專科校長成舍我的姪女。

記兩大過留校察看

我一面在政大念書，一面仍在「勞工出版社」兼職，賺取生活費。勞工社是中國國民黨中央委員會第五組（後更名社會工作會）的一個附屬機構。發行人是副主任梁永章兼任。第五組有好幾位副主任，鄧傳楷曾是其中之一，我請梁副主任寫信給他的老同事鄧副主任替我求情。我到教育部面謁，鄧表示願意幫忙。

我請系主任王洪鈞先生寫信讓我面見成舍我校長，舍老提掖後進，即時修書讓我持見成女士。他特別提醒我，他這個姪女兒性情耿直，未必買他的帳。我不敢到辦公室直接找成女士，怕當眾人之面弄僵。她住在木柵教育部宿舍，某日傍晚當交通車開到宿舍門口，大家下車，我才趨前說明來意，她果然大怒，「你居然敢跑到我家騷擾我！」憤而轉身離去。我想也難怪她，她主管全國幾十萬大學生的學籍，我個人的切身之痛，沒有理由要求她「痌瘝在抱」。

王洪鈞老師又寫信要我去見姚淇清司長。姚恂恂儒者，謂願在法令內酌情協助。

那兩三個月，我要上課，要照顧兼差的工作，要奔忙我的學籍問題，身心困頓之極，有時真想放棄算了，但是上學念書是自己平生的心願，現在犧牲未到最後關頭。

最後關頭是一樁好消息，教育部終審判決：「姑念該生向學心切，著記兩大過留校察看。」

察看三年，我畢業了。我小學、初中、高中，都未讀完，這張大學文憑，是我此生唯一的一張畢業證書。

好像是聖經裡的故事：一個牧羊人養了一群羊，有一隻羊走失了，他爬山涉水，辛辛苦

畢業證書

學生張作錦係江蘇省銅山縣市人
中華民國貳壹年肆月肆日
生在本校文學院新聞學系
修業期滿成績及格准予畢業依
大學法第二十九條之規定授予
文學士學位此證

國立政治大學校長 劉季洪
文學院院長 吳康

中華民國伍拾叁年柒月 日

政治大學新聞系畢業證書。張作錦小學、初中、高中都未讀完，這是他人生唯一的一張畢業證書。

苦的把牠找回來。有人問：你有一群羊，何必在乎一隻羊。牧羊人說：我在乎的是那個「羊」，不是那個「一」。

對我的學籍，教育部固然公事公辦，學校也從未有人找我問一問是怎麼回事，要不要協助。他們有很多羊，不在乎哪一隻，事實上也沒法照顧到每一隻。倒是我這頭幾乎走失了的羊，因離群而驚心，自己摸索，找路，跌跌爬爬的歸了隊。

能歸隊靠很多人的指引與協助：梁永章、鄧傳楷、王洪鈞、成舍我諸先生已歸道山，姚淇清先生和成女士如仍健在，也已是耄耋之年，在與不在，我終生感念，他們使我這個飽經戰亂流離的窮困青年夢想成真，我終於可以好好在學校讀四年書。

第3部

在聯合報　從實習記者到總編輯

「人品決定報品」。

對手報的「女人島」事件，給我第一次「震撼教育」。

在「天子腳下」跑政治新聞，很不容易，我被罵到想辭職。

32歲當實習記者，43歲當總編輯。

進《聯合報》實習記者碰到大新聞

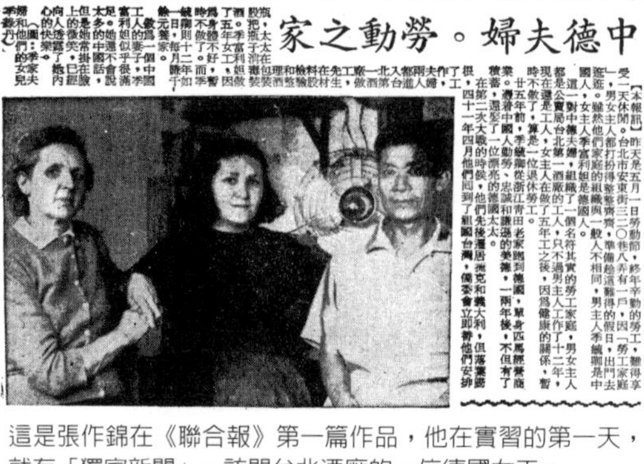
中德夫婦。勞動之家

【本報訊】昨天是五月一日勞動節，終年辛勤的勞工，難得享受一天休閒。台北市安東街三二〇巷八弄有一戶，因「勞工家庭」，男女主人都打扮得整整齊齊，準備趁這難得的假日，出門去逛逛。雖然他們家庭的組織與一般人不相同，男主人季緘卿是中國人，女主人季富利妲是德國人。

這一對中德夫婦，組織了一個名符其實的勞工家庭，男女主人都是公賣局台北第一酒廠的工人，只不過男主人工作了十二年，現在還是工人，女主人在做了五年工之後，因爲健康的關係，暫時不做了，算是一位退休勞工。

廿五年前，季緘卿從浙江青田老家跑到德國，單身匹馬經營商業。憑着中國人勤勞、忠誠和謙遜的美德，一兩年後，不但有了積蓄，還娶了一位漂亮的德國太太。

在第二次大戰的時候，他們先後遷居捷克和義大利，但落葉歸根，四十一年四月他們回到了祖國台灣，僑委會立即替他們安排了工作，夫婦兩人都進入台北第一酒廠做工，先生在材料股檢驗和整理酒瓶，太太在包裝股，把瓶子潤濕裝酒。季富利妲做了五年女工、因爲身體不好，暫時不做了。而季緘卿則十二年如一日，每月賺千餘元養家。

做爲一個中國工人的妻子，季富利妲似乎很滿足。她還不會說太多的中國話，但是她常掛在臉上的微笑，已經向人透露了她內心的快樂。

（圖：季家夫婦和他們的女兒季錄丹）

這是張作錦在《聯合報》第一篇作品，他在實習的第一天，就有「獨家新聞」，訪問台北酒廠的一位德國女工。

一九六四年政大新聞系畢業之前，學校規定學生都要到媒體實習一個月，由實習機構考核，及格者才能畢業。

我的實習單位是《聯合報》。我當然希望在實習時有好的表現，將來能留在報館工作。

實習自五月一日開始，而「五一」是勞動節。因我仍在《中國勞工》半月刊兼職，對勞工界較熟，知道菸酒公賣局台北酒廠有一德國籍女工，就去訪問照相發稿。她與她先生在德國相識、結婚，一九五二年回中國，後在台灣工作。雖然那時她已退休，但有一德國婦女在咱們工廠做工，仍然是少見之事，第二天見了報，也很受注意。一名實習記者當天就能有作品見刊，並被同仁評價「可讀性甚高」，我自己也頗受鼓舞。

以後幾天我陸續發些稿子，也蒙採用。後來擔任《聯合報》發行人的王效蘭女士，那年從世界新專畢業，也在《聯合報》實習。有一天晚上跑過來問我：「今天又有什麼獨家？」

不忍夜訪癌末病人

有時有獨家，有時也會失手。有一天晚上，督導我們實習記者的採訪組社會小組召集人孫建中先生跟我說，台灣療養院（後改名台安醫院）有一名癌症病人，自知不起，願捐器官，你去採訪看看。當時風氣未開，捐贈器官還是罕見之事，新聞性自是極強。可是當時已過夜間九時半，我想，在病房昏黃的燈光下，與一重病之人談他身後割下器官之事，心裡實有未忍。我推說，現在太晚，恐怕打擾病人睡眠，我明天白天去吧！他同意。第二天早上七點，我就跑到台安醫院，護士小姐告訴我，那位病患夜間走了。我怔了半天，一名實習記者，不聽指派，現在好了，回去如何交代？左思右想，終於想到一個補救的點子。

我跑到台灣大學醫學院，求見院長魏火曜先生，請他談談捐贈器官的問題。魏院長是日本東京帝大醫學博士，半生獻身臨床，又榮膺中研院院士，他對捐贈器官之於社會貢獻有剴切說明，並呼籲大家改變觀念。他還透露，他自己已預立遺囑，百年之後將捐贈器官。

我有了這條新聞，回到報館，自認可「將功折罪」。採訪主任馬克任先生叫我過去，問我「是魏院長自己說的？這可不能有錯。」我答是魏院長親口跟我說的。

實習生遇台灣第一次空難

學生在報館實習期限為一個月，三個星期左右，報社大概認為我的採訪寫作尚能及格，通知留用我，在學校畢業考試前，繼續在報館實習。

實習記者也能碰上大事。一九六四年六月廿日，「民航空運公司」（CAT）一架客機在台中神岡失事，機上五十七人全部罹難，也括二十三名外籍乘客，是台灣第一次空難。乘客多是參加第十一屆亞洲影展的影藝界人士，包括香港電懋公司負責人陸運濤，以及胡晉康、夏維堂、王植波等人，我方陪同者則有台灣省新處長吳紹燧和台灣製片廠廠長龍芳。

電懋和邵氏在香港爭霸，旗下有林黛、林翠、尤敏、葛蘭、陳厚等大明星，張愛玲就為電懋寫過十部以上的電影劇本。陸運濤遇難，電懋式微，論者認為，這次空難「改寫了香

1964年，民航公司台中神岡失事，遇難人士的遺體運抵台北松山機場。
聯合知識庫／提供

港電影史」。

神岡空難，震驚朝野。蔣總統夫婦交代要妥當善後。次日傍晚遺體運回台北，報館資深記者多人率領我這名實習生，到松山機場採訪。飛機遲遲未到，資深同仁去吃飯，要我守著。不久飛機到了，他們還沒回來。遺體一袋一袋運下來，生平第一次見此場面，傷心慘目，回到報館寫新聞，心情久久不能平復。

那次空難有劫機之傳聞。據說在機上找到一把手槍，和一本挖空了來裝手槍的厚書。但在當時的政治環境中，這樣的事自無法得到證實。

香魚：最原始的調查採訪

既為「候任記者」，也該先有個「轄區」，報館就指派我暫時照顧台北市郊區新聞，包括木柵、景美、深坑、石碇、坪林、新店。這塊地盤，面積大，交通不便，當年不要說個人買不起車，就連公路局班車也不多，「巡視」轄區一遍，兩三天都跑不完。事實上，當時報紙只有三大張，根本沒有版面登地方小事，只要跑新店警分局，不要漏掉重大突發性新聞就行了。

但不寫稿算什麼記者？總要發點新聞才行。新店的碧潭，潭上的吊橋，都很有名。有那失戀的女孩，一時想不開，從橋上縱身一躍，橋下划船的或觀景的人趕快將之救起，是我能碰到的最大「新聞」。但「少女投河，英雄救美」不能天天上演。演多了也會看膩，總要找些新東西，於是我想到香魚。

碧潭特產香魚
面臨絕種危機
漁管處盼加意保護
人工繁殖香魚試驗成功

【新店訊】碧潭著名的特產香魚，在日漸減少的情形下，已經面臨着絕種的危機，省漁業管理處特通知地方政府和警察機關，希望能加意保護。

漁管處認爲，香魚逐漸減少的原因，是很多人用電捕魚，以及工廠污水大量流入碧潭的結果。

香魚是魚類中的珍品，因其味道特別香美而得名。香魚的特性是只能生長在比較清潔的淡水中，污濁的水即無法養殖。本省出產香魚的地方，有台北的新店溪，桃園的大溪，台中的大甲溪，而其中絕大部份，是產自新店溪的碧潭。

依據漁管處的統計，本省香魚的總產量，四十二年是四萬四千公斤，到四十四年跌到一萬一千公斤，四十六年又恢復到四萬三千公斤。可是以後即一蹶不振，四十七年三萬九千公斤，四十八年二萬五千公斤，四十九年一萬七千公斤，五十年僅有八千公斤，現在連八千公斤都沒有了。由於產量減少，所以售價高漲，目前每斤約爲一五〇元。

漁管處特通知地方政府和警察機關，希望能對香魚加意保護，嚴格取締用電捕魚，並勿使附近工廠的污水流入碧潭，以維護此一名產不致絕跡。

【本報訊】省漁管處一位主管人員告訴記者，對香魚的人工培養，漁管處已試驗成功。不過他說，要想找一處適合香魚生存的清潔河流，也不是一件容易的事。

台灣最早的「環保新聞」：碧潭香魚為什麼要絕跡了。

香魚屬於冷水性魚類，身上會散出一種獨特的瓜香，因此得名。在台灣，以新店溪的最多，秋天順河而下，到碧潭產卵繁殖。潭邊垂釣客，街上烤魚店，是當年的盛景。連雅堂曾有詩詠之：

春水初添新店溪，溪流停蓄綠玻璃；
香魚上釣剛三寸，斗酒雙柑去聽鸝。

可是香魚沒有了，幾乎絕蹤了，為

什麼？我做了一項最原始的「調查採訪」，原來新店溪水污染嚴重，魚都被毒死了。在一九六四年代，這也許是台灣最早期的「環保新聞」了。

那年七月，我從政大新聞系畢業，報館派任為「高雄市特派記者」。高雄市是台北之外的台灣最大都會區，我從駐新店記者一躍而上，也可算當上「封疆大吏」了。

當時《聯合報》在高雄市有兩位先進，特派員是陳啟福先生，負責採訪市政府和市議會；另一特派記者是梁金彪先生，採訪警察局等治安新聞；除此之外，都是我的責任區。

那時政大在台復校未久，新聞系畢業學生不多，尚未受到媒體重視，與我同時進《聯合報》的僅有陳祖華先生駐台中市，吳炯造先生駐台南市。他們都是我學長，因為他們要服役一年，我是退伍軍人，不必服役，所以三人同時參加了報館工作。

後來三人都先後被調回台北總社，炯造跑國會新聞，祖華跑交通新聞，我跑政治新聞。炯造後來考取中山獎學金去美國南加大進修，取得碩士學位後就留在聯合報系《世界日報》負責洛杉磯分社社務，因病英年早逝。祖華兄曾任《聯合報》專欄組和採訪組主任，聯合報系《歐洲日報》總編輯，現已退休。

「女人島」一次專業倫理的「震撼教育」

人品決定報品，我要做什麼樣的記者，在起跑線就要決定

我一九六四年七月到高雄市報到，沒多久，當地同業就給我來個「下馬威」。這個下馬威，表面上看，我一個剛剛出道的記者，甫上戰場，就挨了一槍。可是這一槍卻使我警惕到新聞界的「險惡」，甚至有些「汙濁」。我要做一個什麼樣的記者，在起跑線上就要決定。所以這一槍，使我以後數十年的記者生涯「受益良多」。

當時台灣號稱有「三大報」——中央、聯合、徵信新聞（後改名《中國時報》）。《中央日報》代表官方，有它一定的任務和訂戶；兩份民營報紙《聯合》和《徵信》，無論是新聞還是發行，都爭得死去活來。

那時報紙只印三大張，第三版被稱為「黃金版面」。八月十六日，《徵信》在三版頭條刊出一條高雄記者所撰「女人島」新聞，配以醒目的大標題，和一大幅地理位置圖。

主標題說：

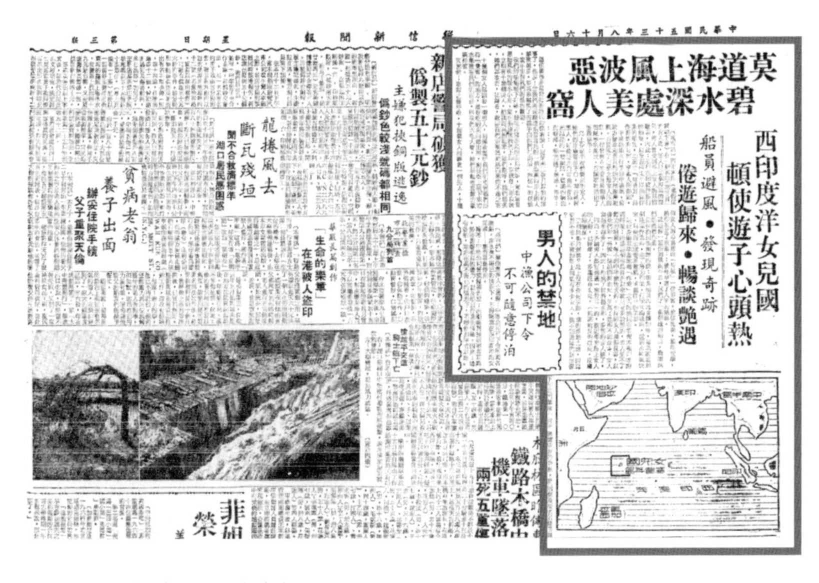
中華民國五十三年八月十六日　徵信新聞報

莫道海上風波惡
碧水深處美人窩

西印度洋女兒國
頓使遊子心頭熱

船員避風・發現奇跡
倦遊歸來・暢談艷遇

男人的禁地
中漁公司下令
不可隨意停泊

偽製五十元鈔

龍捲風去
斷瓦殘垣

貧病老翁
養子出面

「生命的樂章」
在港被人盜印

機車墜落

駭人聽聞的「假新聞」：女人島。

莫道海上風波惡
碧水深處美人窩

副標題是：

西印度洋女兒國
頓使遊子心頭熱

還輔以小標題：

船員避風・發現奇跡
倦遊歸來・暢談艷遇

十個女人一個男

《徵信新聞》說，消息來源是「一位曾經在賽西耳島飽嘗樂事的漁民在閒聊時說出來的」。新聞要點如下：

一、「西印度洋有一個名叫『塞西耳』的女人島。」

二、「中國漁船在作業途中遇風……躲進塞西耳島……而發現了這個全是女人的海島……島上全是半裸體裝束的女人。」

三、「我們的船下好錨，登上岸後，立即有十幾個美人，把我高高抬起來……十幾個女人包圍著一個男人……到他們招待貴賓的地方。」

四、「天黑啦……十幾個女人糾纏著一個男人，十幾個女人誠心誠意的『侍候』一位男賓，給你洗澡，給你按摩，給你剝光了衣服……使你享盡了人間的樂趣。」

五、「這個島屬於哪國？島上沒有任何痕跡，講的都是土話，因為語言不通，不確知島上到底有多少女人？」

除了以上五項要點外，《徵信新聞》為了表示消息的「權威性」，另發了一個花邊，說是中漁公司已下令禁止該公司漁船今後再停靠塞西耳島，以免「影響船員的體力，及船員作業的情緒」。

這則新聞充滿趣味，一時成為街頭巷尾的話題。但是我相信這純屬杜撰。第一、科學這麼昌明，南北兩極都被科學家們測量遍了，而在西印度洋居然還有一個不知名的「女人島」，這怎麼可能？第二、「一個全是女人的海島」，若是沒有男人，這個女人島如何永續？第三、消息來源是一個「漁民」說的，沒有名字，也說不出這個島是屬於哪一國管轄，處處可疑。

當時我只當是「天方夜譚」來看，沒理會它。可是，第二天，八月十七日，徵信的「女兒島」又來了，還是三版頭條，除了仍強調塞西耳島的「綺麗風光」外，另外又有了一些新的訊息：

消息來源是中漁公司船員山東籍的郭逢仙說的。

二、島上女男人數是八比二（已不再「全是女人」了）。

三、「沒有學校，沒有任何機構，唯有的只是一座用椰子葉搭蓋的天主堂。」

四、「她們沒有婚姻制度。」

五、島上有一家華僑開的酒吧，叫「中國之夜」（China Night）。

既然有了明確的消息來源，我覺得如果此事屬實，則也應該向自己報紙的讀者有所交代。於是往訪中漁公司船長金能震。金先生是中漁資深船長之一，曾去塞西耳島十次之多，他對外傳塞西耳島是落伍的女兒國等事，認為是極端荒唐的謠言，他以親身的經歷，為這事作了個見證。另外，我還訪問了中漁公司經理。

我的稿子送往台北時，我報告總社說，按理，這是很熱鬧的社會新聞，而且《徵信》也登在第三版，因此《聯合報》倘在第三版刊出也是順理成章之事。但是，《聯合報》最好只在向讀者說明事實真相，不必給人有意坍同業的台、出同業洋相的印象。而且我剛到高雄，也不希望立即與同業弄得很僵。所以建議新聞只登在高屏版，向新聞起源地的讀者交代一下。《聯合報》編輯部高層經考慮後，決定放在高雄地方版，八月二十日見報內容要點如下：

塞西耳的真相

一、塞西耳（Seychelles）是一個群島，漁船常去的是其中一個大島，叫做馬海（Mehe），島上的港口叫做維多利亞港（Victoria）。

二、馬海島並不落後，相反的有相當程度的物質文明，有電燈、有汽車、有電影院、有百貨店、有洋房、有學校、有教堂、有醫院、有酒吧、有總督府，有警察局，還有管理碼頭的港務局。像這種地方，如何能想像它是蠻荒之地？

三、島上居民，不論男女，不僅絕無赤身露體之事，就是衣服的質料，也多是尼龍、達克龍等人造纖維。

四、居民住的房子是用水泥、木材、磚石等做的，其總督府是新式洋樓，比高雄市政府還漂亮得多。

五、就事實觀察，男女人數絕不懸殊，而且有良好婚姻制度。

六、中漁高雄分公司經理黃衍，否認有不准漁船停靠塞西耳島的命令。

七、郭逢仙在電話裡大發脾氣，說《徵信新聞》記者亂來，因爲他只談過賽西耳島，絕沒說過塞西耳島是「女兒國」等等。

八、另外總社資料室還翻譯了一段大英百科全書，說明塞西耳島已由英國統治一〇五年，六十年前即有議會，種種跡象都說明塞西耳是相當文明開化的地方。

事態已十分清朗，不料，《徵信新聞》還是要自圓其說：

一、找到了新的「證人」，那就是設籍高市的美商海產公司總經理日人小川正平。在同一條新聞裡，先說小川稱「很多日本遠洋漁船船員，都曾對他談起過塞西耳的風情」，但後來又說小川正平「確實曾到過那裡，享受男人心目中所嚮往的愛撫」。

二、郭逢仙因傳出塞西耳的事，被中漁高雄分公司經理黃衍「申斥」了一頓。

三、「女兒島」並非是馬海島，而是群島中一個不知名的小島。

四、在島上，「男人找女人的土語翻譯是『幾季！幾季！』」，即多少錢的意思。

二十日下午，中漁公司一位去過塞西耳島三趟的船員黃西川，來到《聯合報》高雄採訪辦事處，提供了一些資料及在當地拍攝的照片。

黃西川說，塞西耳島有許多華僑，台灣的報紙該把這件事弄清楚，別讓華僑看我們淺薄，沒有常識，丟國家的顏面。

二十一日，《聯合報》刊出了黃西川的意見，並強調四點：

一、在塞西耳群島中，船員們能去的只有馬海島，因其他小島沒有港口和碼頭，漁船無法靠岸。而且該報當初報導時，說島上有華僑開設的「中國之夜」，而「中國之夜」就在馬海島，現在如說「另有他島」，顯見強詞奪理。

二、馬海島就像其他世界上任何港口一樣；有部分「賣春女郎」，風流一次的代價是台幣四十元左右；既謂當男人「找女人」要「幾季，幾季」，而且還要付錢，證明十幾個女人侍候一個男人純屬無稽。

三、當地男女社交全是紳士淑女風範，並不隨便，如「中國之夜」，每週六有舞會一次，還要自帶舞伴，在平常只能喝喝啤酒而已。

四、該報說郭逢仙曾受其經理之申斥，《聯合報》記者親自訪問了黃衍經理和郭君本人，他們都鄭重否認有這種事。

《聯合報》還刊出了三張由黃西川提供的馬海島照片，從照片上可以證明：

（一）街頭有洋房建築、標準鐘、汽車；

（二）路上行人男女都衣冠楚楚；

（三）在可辨認的十五個人中，女人只有三個，而且均衣著整齊，未見「全是半裸體裝束」；

（四）「中國之夜」就在那條街上，有極醒目的大招牌；該報既稱「中國之夜」在「女人島」上，如今何以又指另有他島？

次日，《徵信》承認馬海島是個相當開化的地方，卻仍強調該報所說的「女兒島」是另外一個小島；至於這個小島是什麼名字？《徵信》記者說：「並非每一個人都是地理學家」。

新聞發展至此，我報告台北就此結束，不再去浪費時間了。

塞西耳的鐘塔和建築典雅美麗，對應「女人島」之說的荒謬。
shutterstock.com／提供

記者與新聞・人品與報品

但這麼聳動的新聞是哪裡來的呢？是以訛傳訛，還是故意捏造？事後聽同業的說法是這樣的：

八月十五日，《中央電台》台長黎世芬和一廣播記者，到高雄來採訪漁會的一般狀況，用以對大陸作心戰廣播。他們去漁會時，《徵信新聞》的記者也隨往，採訪完了吃中飯，席上全是男人，談話內容很快就轉到女性身上。座間一位船長就說，遠洋漁船出海動輒就是一年半載，海上生活很寂寞，在西印度洋作業的漁船，只有靠在塞西耳島時才能找到女人。那天《徵信》的記者沒有稿發，就編了一個「女人島」的「故事」寄回報館，該報一見這條新聞，大喜過望，在三版以頭條地位刊出，並配上一幅地理位置圖，同時指示那位記者要繼續追下去。但事實上這是憑空想出來的，還往那兒「追」呢？只好繼續「編」下去。

「女人島」的故事完全顛覆了我在學校所受的新聞教育。而且是我正式走上新聞戰場的第一次遭遇戰。我很震驚，報紙內外勤人員怎敢這樣沒有紀律？這樣濫用公器？這樣沒有對社會負責的態度？我也很沮喪，這就是我們的媒體？就是被我們在學校裡歌頌的那個行業？我要長期在這樣的環境裡接受薰陶、學習和成長？

但是，這事對我也有正面意義，它讓我知道，新聞界不是我們在學校裡想像的那樣完美。人品決定報品，我要成為一個什麼樣的新聞工作者，在入行的起跑線上，就要想清楚。

高雄「我們曾經輝煌!」

我個人和台灣生命裡的共同記憶

二〇一三年三月廿七日《聯合報》發表社論:〈從『以前高雄很忙』的感嘆說起〉。

社論指出,「本報日前推出『突破悶經濟』專題報導,一位船東在高雄港邊接受訪問時,望海興嘆說:『以前高雄港還很忙時,要進港的船隻都得在外海排隊;現在則是隨時歡迎你。』」

社論說:「『以前高雄港很忙時』一語,慨嘆的不僅是高雄港的盛況不再,也是對台灣經濟風光消褪的無奈。在兩千年的最高峰,高雄港貨櫃吞吐量高居全球第三名,之後一路下滑,二〇〇八年跌到第十,再跌到如今的第十三名。」

為什麼跌?因為經濟衰退,無原料進來,無產品出去,原為亞洲四小龍之首的台灣,早已被踢出四小龍行列。

高雄港將要「很忙時」,我正好於一九六四年七月到了現場。那時,高雄港正在濬港

以前交通和通訊都不便，加上政府報禁「限印」，為了搶時間，送報、送稿要用飛機，成本很高。

聯合知識庫／提供

挖泥，像荷蘭一樣，填造海埔新生地，準備建「造船廠」，設「加工出口區」，再加上高雄原就是遠洋漁業基地及香蕉出口區，整個高雄瀰漫著勃蓬昂揚的生命力。我初為記者，初到高雄，不能自已的浸淫在那種歡樂繁忙的步幅中。

高雄市區很大，《聯合報》三名同事分工，特派員陳啟福負責市政府和市議會，另一特派記者梁金彪負責警察局，其他包括港務局、漁會、青果合作社、中央政府在高雄特遣機關，以及其他陳、梁兩位不管者，都是我的轄區。

那時公共交通運輸差，記者都騎腳踏車，而從高雄把新聞稿送回台北總社，其困難程度尤非今日所能想像。當時不僅沒有傳真機，連打長途電話都很貴，要節約。傳遞稿件有兩條途徑，一是遠東航空公司貨運機（尚無客運）下午二時飛台北，稿件一時半前送到公司高雄

送報、送稿除了趕飛機，也要趕火車。
聯合知識庫／提供

辦事處，他們帶到機場送回台北；另一是下午送到火車站，由鐵路局負責帶到台北車站，晚上報館派專人取回。

所以高雄記者一大早就得騎單車出門，到責任區巡訪。南部天熱，等十二時左右回到辦事處寫稿時，已渾身被汗水濕透，但不能休息，也不能吃飯，要振筆疾書，好趕上一點半的飛機稿。這批稿走了，要續寫火車稿，如果有照片，只能發火車稿。但碰巧了，可找便人帶，這就鬧出一個笑話：台北一家報紙駐高市記者發一文字稿，稿末給主編附一留言：「某某兄，本新聞另有照片，已請某某某帶往台北矣。」第二天新聞見報，附言也跟著刊出，卻未見照片蹤影。

隨著高雄的脈膊跳動，我的工作精神也跟著亢奮。那時年輕力壯，追逐新聞是寓工作於娛樂。

1978年，中鋼公司一貫作業大煉鋼廠全景。　聯合知識庫／提供

我們要一座大鋼廠

一九六四年十二月，我才剛當高雄記者四個多月，「製鋼工業會議」在高雄召開。鋼鐵，硬邦邦的消息，沒有同業注意，但我仍到了現場。時任經濟部長的楊繼曾在致詞中說，鑒於國家發展的需要，我們需要一座一貫作業的大鋼廠。第二天《聯合報》以獨家刊於第二版頭條位置。地方新聞而受到總社這樣注意，是很少見的。楊繼曾的話，發展成後來的「中國鋼鐵公司」。由於蔣經國的支持，趙耀東的努力，使它成為台灣經濟建設成功的一項指標。

但地方新聞並非每次都有好運。經濟部長李國鼎到高雄視察加工出口區預定地，只有我這個記者「隨侍在側」。他站在海邊，眺望遠方，眼睛發亮，似乎憧憬著台灣未來的輝煌前景。我問他：台灣打算只有一座加工出口區嗎？李答：哪裡！我們要有第二、第三和更多的加工出口區。我發了獨家新聞，次日《聯合報》登在經濟版小小的一塊。

李國鼎回到台北，招待記者，宣布要開發好幾個加工區，包括《聯合報》在內的各報，都以重要版面、顯著地位強調這項消息。這事使我很有感觸，等到我一九七五年擔任總編輯時，就定了一項新聞「只問重要與否，不問來自何處」的原則，力矯媒體重中央而輕地方的不良習性。

我工作管區有港務局，那是一個動態機關，所以我有很多機會接觸廣義的「社會新聞」。有一次大颱風雨，根本不能出門工作，我打電話到港務局相關部門，問「今天有什麼事嗎？」對方回答「沒事，沒事。」可是我從電話中聽到碼頭上人聲鼎沸，氣氛極為緊張。我不敢怠慢，穿上雨衣就往外走，但雨衣沒有用，一出門就渾身濕透，又不能騎腳踏車，步行一小時到了港口，此時停在碼頭的有六條萬噸級大輪船，纜繩都被狂風吹斷，六條大船在水中飄盪，只要碰上，就是巨災。碼頭人員冒險乘小船登大船，極力駕馭，終未使撞禍。次日台北各報說「高港平靜無波」，只有聯合報以大標題報導：「高港浪湧如山，六條巨輪斷纜」。

風雲人物

職務	姓名	獎金數
副總編輯兼採訪主任	于衡	五千元
副總經理兼發行主任	應人	四千元
通訊組主任	劉潔	四千元
財務處經理	吳鑄曾	三千元
主編	王潛石	三千元
採訪組副主任	孫建中	三千元
發行組副主任	王敬之	二千五百元
高雄特派記者	張作錦	一千五百元

美國「時代」雜誌，每年都要選拔一位在當年新聞中居最顯著地位，并在歷史上留下不可磨滅痕跡的世界「風雲人物」（Man of the year）以為表揚的對象，去年，該雜誌所選的風雲人物是駐越美軍總司令魏摩蘭將軍。無庸置疑，魏摩蘭將軍率領美軍在越南抵抗共產黨的侵略，其對維護世界和平所作的貢獻，當然會在世界史上留下不可磨滅的痕跡。

本刊是一本對內發行的刊物，也就是本報以後撰寫報史的藍本，除按月檢討撰發各類新聞及處理一般業務的得失而外，對於社內同人工作成績的優劣，每月亦有記載，去年，社方選拔了八位對報社有特殊貢獻的同人，除論功頒發獎金（如附表）而外，并交本刊發表，因而模倣「時代」雜誌一年一度之盛舉，以八位同人為本刊民國五十四年度的「風雲人物」，并分別略予介紹，但願今年有更多同人被選為「風雲人物」。

張作錦

張作錦兄在高雄，負責跑港口（包括港警所的社會新聞、漁業、工業新聞。在一個年度中，他發了七十多萬字，每月平均六萬字，幾乎都曾見報，而且經常是高版頭條及邊欄的供應者。張作錦兄有很多優點，常為同仁所樂道的是寫作流利，就算是枯燥無味的新聞資料，他也能適當的把握住可讀性。對於問題分析，他的稿不但有條有理，而且處處站穩法律立場。對新聞反應之靈敏、行動之迅速，尤為出色。去年，他所發漁會改選、「協和號」海上喋血、「海隆興號」漁民虎口脫險等新聞，都有事實表現。

《聯合報》唯一一次的「風雲人物」榜，張作錦是唯一一個「小兵」。

後來我調回台北總社採訪政治新聞。威權體制，戒嚴時期，工作之辛苦遠甚於高雄的「體力勞動」。但採訪主任于衡先生幾次說我：「你懂得新聞，會用巧勁，其實未必是一個賣力的記者。」我很想拿那條「六條巨輪斷纜」的新聞，來證明自己很「賣力」。但于先生是我政大新聞系的老師，我不能跟他頂嘴。

「小兵」立「大功」

不過我的努力台北總社還是看到了的。《聯合報》民國五十四年選了八位「對報社有特殊貢獻的人」，頒發獎金。對內刊物《聯合報月刊》仿美國時代周刊年度「風雲人物」之例，據之以為「《聯合報》民國五十四年風雲人物」。《聯合報月刊》介紹我說：「在一個年度中，發了七十多萬字，每月平均六萬字，幾乎都曾見報，而且經常是高雄版頭條及邊欄的供應者」。

《聯合報月刊》還指我「對於問題分析，有條有理，而且處處站穩法律立場。對新聞反應之靈敏，行動之迅速，尤為出色」，其實這只是作為一個記者的基本條件。

「風雲人物」前七位都是報館「高官」，只有忝列第八名的我是「士兵」，發獎金台幣一千五百元，大概是我一個半月的薪水。

不知為何，報館的首次「風雲人物」，竟也成最後一次，以後再也沒辦過。

前世今生．常留記憶

我在高雄服務一年十個月，於一九六六年五月調回台北。一年十個月，在我四十年的記者生涯中不算太長，但我珍惜這段時光。美國《紐約時報》專欄作家湯瑪斯．佛利曼二〇一四年寫了一本《我們曾經輝煌：美國在新世界的生存關鍵》，感嘆美國國力的式微，並探討其振衰起敝之道。高雄的前世今生，是我個人和台灣的共同記憶。我個人，從壯到老，是無可挽回的自然法則；但高雄，台灣，只應是「曾經輝煌」？它還有「我將再起」的機會嗎？

「天子腳下」的政治新聞
那年代見不到部會首長怎跑政治新聞？

台灣遊客到瀋陽觀光，大概不會錯過「帥府」——老帥張作霖和少帥張學良的故居。在客廳裡，掛著一張放大的《聯合報》第三版，時間是一九六四年七月廿一日，大標題寫著：

卅載冷暖歲月．當代冰霜愛情

少帥趙四．正式結婚　紅粉知己．白首締盟

夜雨秋燈．梨花海棠相伴老　小樓東風．往事不堪回首中

中華民國第一號政治犯張學良，被幽禁管束卅年，不見天日，和趙一荻結婚更是祕密進行，婚禮在台北市杭州南路一美籍人士家中舉行，在場的只有蔣夫人宋美齡，少帥的東北鄉長、考試院長莫德惠，以及總統府祕書長張群，總共只有十二個人。採訪到這樣的新聞，要多少功力？這是《聯合報》于衡先先的獨家報導。

在當時的台北新聞界中，論政治新聞的採訪，大概無出于先生之右者。而我，一個地方記者，卻回到京城，接他的棒子，內心戒慎恐懼，豈可言喻？

《聯合報》總編輯劉昌平先生升副社長，採訪主任馬克任先生接總編輯，副主任于衡先生繼任主任，我從高雄調回台北接他的路線。

《聯合報》那時尚未「大國崛起」，記者人手並不寬裕，于先生分派給我的採訪範圍，包括國民黨中央黨部、總統府、行政院、內政部、國防部、蒙藏和僑務兩委員會，以及後來設立、機關不大而權力甚大的人事行政局，另加大陸災胞救濟總會和亞洲反共聯盟。

蔣中正總統兼國民黨總裁，大權集於一身。政治體制是以黨領政，所以國民黨的中央黨部就成了重要的新聞來源。中常委有谷正綱、張其昀、倪文亞、黃少谷、袁守謙、蔣經國、沈昌煥等人。人數少，但都是黨國大臣。不像現在國民黨的中常委動輒幾十人，但外界幾乎不知道他們的名字。

那時中常會每週開會兩次，周一是預備會議，蔣總裁不出席，中常委為周三常會要討論的提案預為準備。周三常會由蔣總裁自己主持，通過的提案則交行政院週四的院會審議。

那個時代，黨政一體，又是戒嚴，又有出版法，官大民小，官員根本不把記者看在眼裡，跑政治新聞，不要說見不到部會首長，司處長願意跟你談談已經不錯了。譬如我跑行政院，就很難見到職司行政院發言人的新聞局長，他們只接見外國記者，本國記者則由國內新聞處處長「應付」。而應付的方法則是統一發新聞稿，而統一稿又偏偏不具新聞性，重要新聞多半祕而不宣。

漏了新聞就要挨罵

黨部也一樣，記者也見不到負發言責任的第四組（後改名文傳會）主任，連統一的通稿都很少。

每周三、四是我最難過的日子。常會、院會之後，苦心勞力，奔波於權貴之門，希望能見到一兩個人，問一兩句話，但多半被婉謝婉拒。晚間回到報館，心中惶愧忐忑。

于衡先生是政治新聞老手，他雖脫離第一線，但仍維持他的新聞源頭活水。每逢周三、周四晚上上班，他就叫我到他辦公桌前，「今天有什麼大事」？如果我報告的內容尚能使他滿意，他會說「嗯，今天及格了」；否則大聲喝斥，「今天不及格，漏了新聞啦」！聲音洪亮，整個編輯部都聽得到。

不僅漏新聞，有時還漏了大新聞。有一個周三晚上，于先生循例問我，中常會有何大事？我說沒有什麼大事。他大喝一聲：「台北市改制為院轄市，還不夠大嗎？」這樣的新聞不知道，自然是惶愧無肆。

台灣光復，台北市是省轄市，市長官派。一九五九年實施地方自治，市民直選市長，多半由「黨外」人士當選。一九六七年升格為院轄市，市長改由中央政府派任，外界猜疑，這是國民黨杜絕黨外人士選任市長的手段。一九九四年修憲，台北市改直轄市，市長復由市民直選。

于衡先生最看不得記者「偷懶」。一九六七年，大陸青年王朝天跑到台灣，是第一位具有紅衛兵身分的「反共義士」，在當時自是大新聞。白天我跑遍了所能尋找線索的地方，一無所獲，晚上回到報館坐在椅上發呆。于先生進辦公室，直衝著我問：「找到王朝天了？」我答：「沒有。」「那怎麼還坐在這裡？」「能找的地方都找了。」「記者坐在家裡怎會有新聞？」他大聲喝斥，「繼續出去找！」我坐報館採訪車再到外面東奔西跑，聽說王朝天已被安全機關保護起來，我請司機同仁開到長安東路，我按了國防部長

1967年，大陸青年王朝天跑到台灣，是第一位具有紅衛兵身分的「反共義士」。
聯合知識庫／提供

蔣經國住宅的門鈴。一位便衣安全人員出來應門，問我找誰？我自我介紹，然後說想見蔣部長。這人眼睛睜得大大的，大概從未有人深更半夜敲蔣府的大門，他生氣的說：「要見蔣主任，明天去救國團登記。」蔣經國也是救國團主任，他對外見客大概只在救國團。離開蔣家，我知道可以交差了。第二天于先生果然帶著嘉許的語氣說：「你昨天去敲蔣經國大門了，當記者就要這樣子！」我們同事都知道，于先生常透過採訪車司機來考核記者。

王朝天後來更名為王朝安，被警總以「匪諜」罪名感化教育三年，又在綠島管束十三年後釋放，他要求冤獄賠償二九六四萬元，二〇〇六年經法院裁決賠償卅七萬五千元。

儘管我政治新聞跑得心力交瘁，但于先生要求太高，常常在大辦公室裡大聲罵人。于先生罵人有個原則，是他學生罵得凶，否則客氣一些。我曾忝列門牆，而我的路線他又太熟，所以我挨罵最多，有時覺得人格受損，乃萌去意。

《中央社》和我跑同一路線的記者張靖國兄，有意轉換採訪路線，但社方要他找一個替手才放他走，他問我意見，我說正想離開《聯合報》。經他引介，我見了《中央社》採訪主任彭清先生。後來事情有變化，原來《聯合報》正想羅致《中央社》好手黃肇珩小姐，《中央社》總編輯沈宗琳先生兼任《聯合報》主筆，有一天來開主筆會議，跟報館高層說：「你們別打我們黃肇珩的主意，我們也不要你們的張作錦，大家和平共存。」這是我聽別人說的，不知真假，而我更不敢與黃肇珩小姐相提並論。但不管如何，于衡先生以後就很少在大庭廣眾間罵我。偶爾罵一次，聲音也不那麼大了。

出國，我看到了外面的世界

那個年代，出國比登天還難。一九六七年，「美軍協防台灣司令部」邀請軍事記者訪問太平洋美軍基地，包括琉球、關島、威克島和夏威夷。于先生派我去，那是我第一次走出台灣，看見了外面的世界。

當時越戰方酣，美國以關島為基地，用B52轟炸機猛烈轟炸越南。我們到機場跑道邊看飛機如何裝彈，渾身上下每一處都掛滿了彈藥。飛機起飛的聲音，如轟雷般的震耳。

到了夏威夷美軍太平洋總部，總司令馬凱上將親自為我們簡報，放映B52轟炸越南戰場的影片。飛機過去下面就是一片火海，人畜草木無一可倖存者，戰爭之殘酷，令人心驚。

一九六八年一月嚴副總統代表蔣總統，到泰國報聘泰皇和泰后的訪問台灣，我作了隨團記者，又見識了另一種異國風情。

先一年十月，國民黨在陽明山中山樓召開九屆四中全會，蔣總裁親自主持，他發給每人

副總統嚴家淦代表蔣中正總統，於1968年訪問泰國，抵達曼谷機場留影。左五起嚴家淦、泰國總理他儂、彭孟緝大使、大使夫人。右起第二人為張作錦。

聯合知識庫／提供

一本小冊子《台灣經濟發展之路》，作者是王作榮，那會兒我不知道他是何許人。蔣總裁很不高興的問道：你們在座的政府官員，有沒有讀過？沒有讀過，回去要認真的讀。

我回去認真讀了，覺得很有見地。隨嚴副總統到了曼谷，彭孟緝大使在使館舉行酒會歡迎副總統，聯合國派駐曼谷機構的華籍人士也請了來。大使一一介紹，當介紹到王作榮時，嚴副總統忙說，「我們是老朋友了」。王那時是聯合國亞洲及遠東經濟機構的組長。我約好次日去他住處訪問他。

那時王作榮隻身在泰，租一小房，除滿架書籍外，別無長物。我請教他一些國內經建問題，他所指陳者，似與在台灣聽到的並不一致。譬如那時國內有人主張，政府養活六十萬大軍，實為浪費，應讓他們退役，下來參與各項建設。王作榮則期期以為不可，他說，台灣還沒有充分就業，政府養活六十萬軍人，只要供給衣食及少許薪餉，是最划算的，若放到社會，不僅造成失業潮，連治安都有問題。

隔年，王作榮被政府召回，但他的經濟思想似與當時的財經官員不甚一致，故回國而未被重用，只派他去日本考察，他帶了農復會技正李登輝一起去，李後來當選總統，委任他為考選部部長和監察院院長。當時政爭激烈，反李之人自亦攻擊王，他晚年為此頗受精神傷害。

王氏自泰返國，一度任《中國時報》總主筆，忝為同業，個人與他略有過從，他也頗念當年曼谷一席談的「舊情」。

二〇一一年，政府改組頻繁，我以筆名襲濟寫一小文，刊於《聯合報》民意論壇版，謂當時何不請宋楚瑜組閣，蓋宋極有執行力也。王作榮打電話到報館謂他年老，行動不便，可否請襲濟來一談。他住女兒家，見了面才知我就是襲濟。他說我不清楚宋楚瑜，他知道，他對宋有極嚴苛的評語。政壇是非甚多，自然有待驗證。

那時王氏很虛弱，他小姐盼我能多去與老人家聊聊天。王先生是經濟學家，我與他共同語言不多，故未再去，而王先生於二〇一三年辭世。

王作榮最後一本書曰《壯志未酬》，或能道出他的人生。

一九七〇年萬國博覽會在日本大阪舉行，副總統嚴家淦去主持中國館開幕，並訪問日本，我奉派隨行採訪，是我第三次出國。

像我這樣年歲的人，身受日本侵略戰爭之害，對日本的情緒自是十分複雜。但看到日本建設之進步，國民在敬業、團結和愛國心各方面的表現，叫人既敬又怕。

那時中日有邦交，日皇為表示對中華民國的善意，臨時安排要接見嚴副總統，因為時程已滿，就擠出了一天，偏偏那天是七月七日，在國內立法院掀起一陣風潮。

若在今天的台灣，誰還管什麼「抗戰」，什麼「光復」，那一頁歷史早成皇曆了。

第 4 部

辦報應如金字塔，要能博大要能高

「專欄組」提高格局，「副刊組」開拓視野。
「新聞轉型」：「誹韓案」的具體實驗。
社長和總編輯應該也是「記者」吧？
「民意論壇」版是社會民意的疏洪道。
天大笑話，博士當了十二年卻未拿到證書。

一九七六年，聯合報小說獎開辦，第一屆得獎人為：

第一獎：從缺
第二獎：冬祭——丁亞民作
　　　　掉傘天——蔣曉雲作
第三獎：沉情——黃文鴻作
　　　　喬太守新記——朱天文作
佳　作：大榕樹——七等生作
　　　　四秒鐘——馬叔禮作
　　　　關山今夜月——蔣家語作
　　　　功在杏林——小赫作
　　　　生日蛋糕——千華作
　　　　故里人歸——鄭清文作
　　　　天涼好箇秋——朱天心作
　　　　小喇叭手——黃鳳櫻作
　　　　凶煞——蔡士迅作
　　　　我愛博士——曾台生作

第一屆小說獎贈獎，站在得獎人後面的，有董事長王惕吾（右五）、社長劉昌平（右四）、總編輯張作錦（左一）和聯副主編馬各（右一）及評審委員。

「專欄組」提高格局，「副刊組」開拓視野

改革「社會新聞組」，設「專欄組」和「副刊組」

當教育發達，人民素質提升，讀者會跟著進步，報紙必須提高格局，開拓視野，以適應主客觀的需要，否則就會落伍。

我就任總編輯不久，就把採訪組的「社會新聞小組」更名為「綜合新聞小組」。台灣各報創刊時，勿庸諱言，都強調「社會新聞」，以求吸引讀者，增加銷路。嚴格說起來，社會上發生的各式各樣的新聞都可以叫做「社會新聞」。但是當年報紙的「社會新聞」，多半是指姦淫燒殺的「犯罪新聞」。這些新聞固然也反映了社會的一面，但過分強調是不正常的，不健康的。我把「社會新聞小組」改名「綜合新聞小組」，希望引導採訪同仁改變觀念，進而改變採訪的內容。譬如《聯合報》曾經報導過的「誹韓案」，就是很好的有歷史感，有文化感，也有社會新聞內涵的「綜合新聞」。

此外，我在六年總編輯任內，對《聯合報》做得最有意義、也許最有貢獻的，是在

一九七七年六月一日同時成立「專欄組」和「副刊組」。

根據傳統的新聞學理論，報紙不僅要提供讀者信息，也要對這些信息加以解釋，讓讀者能知道其中更深層的意義，幫助他在信息發展過程中，如何適應環境，趨吉避凶。這就需要分析性的文章了。

中美斷交報社座談會，官員來旁聽

分析性的文章通常是找學者專家撰稿，根據當時報館內部的分工，是總編輯的責任。如果總編輯很「內向」，這一部分就會比較弱。我在採訪組主任任內，就主動協助總編輯向學者專家約稿。但我發覺這種方式有其局限，一則不能把握時間，分析跟不上新聞；再則學者對新聞背景不了解，議論有時不免隔靴搔癢。所以我接了總編輯，決定成立「專欄組」，有專人負責與專家學者聯繫，可自己設定議題，採訪學者專家撰稿，把握時效，也可自己寫，這樣較能直指核心，更有效果。

專欄組成立，經常舉行座談會、討論會，使《聯合報》內容的深度與廣度，又向前邁了一大步。一九七八年十二月十六日美國總統卡特宣布翌年元旦與我斷交，當天下午，《聯合報》立即舉行座談會，請來胡佛、楊國樞、呂亞力、袁頌西、李亦園、許倬雲、丘宏達、高希均、張京育、陳長文、金神保等眾多學者，商談台灣因應之道。時任新聞局長的宋楚瑜和國際新聞處處長戴瑞明，特別到場旁聽。後來美國副國務卿克里斯多夫來台談判，新聞局延請多位與會學者作為政府顧問，在談判中扮演重要角色。

鎮定·團結·繼續向前！
海內外學人談國家短期應變措施和長期奮鬥目標

定心應變·操之在我
社會團結·否極泰來

厲行戰時生活
加強國防備戰

日匪勾搭俄越締約
促成美匪提前建交

我國當前現實情況
構成歷史特點

估量影響
三個層次

堅持民主反共
對抗共黨極權

我們愈團結愈保持鎮定
對經濟的影響也就愈小

應變要有周詳考慮
重視國際連鎖反應

堅持均富目標
發揚傳統文化

橫逆來時·真是同舟一命
和衷共濟·自可衝破難關

卡特總統預告將中美斷交，《聯合報》當天下午立刻邀請各方學者專家舉行座談會，研討國家因應之道，第二天以整版篇幅報導與會者發言內容。

副刊升格，獎助年輕作家

早期報紙的「副刊」，好像是「聊備一格」，版面小，偏促一隅。不是一個「單位」，只有一位主編，有時會有一位助理。我接總編輯時，恰巧前任主編平鑫濤辭職，專心去經營他自己的事業《皇冠雜誌》。我覺得台灣應袪除「文化沙漠」的惡名，致力「文藝復興」，除了成立「副刊組」，使它在形式上「升格」，也要為它物色一位夠格的主編。

我想到了詩人瘂弦。我年輕時，附庸風雅，也寫過幾天詩，和瘂弦是舊識，也是同行。那時瘂弦是《幼獅文藝》主編，我約同另一詩人楊牧去武昌街找他，在周胖子餃子館吃午飯。瘂弦說他願意參加《聯合報》，但是他已拿到美國威斯康辛大學的入學許可，最近就要去進修，要一年半回來。我說就等你一年半，千金一諾，就算訂了口頭契約。

事實上，平鑫濤離職後，「聯副」即由《聯合報》第二版主編駱學良接手。他是小說家，筆名馬各，是一位工作極度熱忱又思想細密的人。他歡喜與年輕作家接近，請他們到家裡喝茶聊天，給他們寫信，鼓勵他們創作。

有一次我跟馬各說，有個叫「念真」的作者，小說寫得很不錯，可要他多寫。馬各說，他沒法多寫，因為他白天讀書，晚上還要兼差賺學費和生活費，時間不夠。我問，他兼差賺多少錢？馬各說不清楚，但不會超過五千元。我說那就每月贈送他五千元，算預支稿費，他每月給「聯副」一篇文章就行。馬各說這當然很好，但是像念真這種情況的人很多啊！我說請你開名單，我們一起來幫忙。馬各就開了一份名單，如果我記得不錯，有吳念真、小野、丁亞明、季季，李昂、朱天文、朱天心、蔣曉雲、三毛、蕭颯、蔣家語等人，後來都成了名家。

小野曾說，他當時是陽明醫學院助教，月薪四千五百元，《聯合報》給的五千元，寄回

五千元和大作家

聯副黃金期
民國六十六至八十六年

民國六十六年十月一日，詩人瘂弦（本名王慶麟）接掌聯副，聯副進入「副刊黃金時代」，直至今日仍為資深作家稱憶。

瘂弦是聯副歷任主編中，在職最久的一位（民國六十六年十月一日至八十六年五月三十一日），這二十年的時光裡，涵蓋台灣從經濟起飛，邁向解嚴（民國七十六年）的過程，在工商、經濟活絡之後，非官方的《聯合報》與《中國時報》兩大報成為國內快速成長、最具公信力的媒體，而在那報紙只有三大張的年代，全版的副刊相對而言極為「奢侈」，遂成為知識分子試圖衝撞言論箝制的最佳園地，也因此打造了副刊的「黃金年代」。

在這樣的時空環境裡，瘂弦從幾個方向讓聯副站上高峰：

擴大文學獎　開闢新天地

「聯合報小說獎」第四屆（六十八年）時從原有的短篇小說獎項，增設中篇小說、長篇小說、極短篇小說等項目；第八屆（七十二年）增設散文獎，民國七十四至七十六年停辦三屆，七十七年聯副展開第二階段的徵文比賽，以「鼓舞全世界中國人，開創文學新紀元」為標竿，除各類小說創作獎之外，設「大陸地區短篇小說推薦獎」，該屆得主即為日後大陸最重要的小說家之一：莫言。七十九年再增設「報導文學獎」；直到民國八十三年（第十六屆），徵文種類涵括了長篇、中篇、短篇、極短篇小說及新詩、散文、報導文學七類獎項，並更名為「聯合報文學獎」，獎金總額提高為新台幣二百萬元，成為海內外華人文壇最矚目的全面向文學獎，三十多年來，培養作家無數。

文學獎的意義，當年不僅在於拔擢新秀、培養作家，也成功扮演了突破言論尺度、衝出社會常軌的先鋒，例如[illegible]的黃凡，在民國六十九至七十三年間四度獲獎，又如平路影射陳文成命案的短篇小說《玉米田之死》（七十二年），李昂女性主義里程碑之作中篇

246 247

聯副培養年輕作家、詩人瘂弦開創聯副黃金期，曾列入《聯合報》報史。

家給父母，他就可以安心寫稿。

那時《聯合報》經濟條件甚好，不必事前經報館同意，編輯部即可做一些事。

從「小說獎」到「文學獎」

儘管如此，馬各還是跟我說，副刊來稿以散文和詩為多，小說因經營困難，來稿不夠，我說那咱們就獎勵大家寫小說，於是在一九七六年辦「聯合報小說獎」，開報紙文學獎之先河，次年《中國時報》跟進。

「聯合報小說獎」後來擴大為「聯合報文學獎」，除小說外，還有散文、詩、報導文學等等，將各種文類都納入，蔚然成一體系。

「聯合報文學獎」有一特色，就是評審公開，把評審委員名單、評審經過、委員的發

言和爭辯等等，都在副刊上刊登出來，不僅是昭大信，科評委以責任，也要讓作者知道他們當選或落選的原因，對他們及其同儕，都是一種激勵和切磋的機會。

每人每月五千元獎助青年作家，舉辦文學獎，這些事，都有很多人知道，都可能記得很久。但是有一件小事，卻使我和馬各私下得意。

那時物質缺乏，作家因陋就簡，常用信紙寫稿。當時有些報紙就印有格子的稿紙給作者，方便他們書寫。稿紙的左下方，都印上「〇〇報稿紙」。馬各問我，要不要也印一些，我說，那用不了多少錢，可以做，但是要與他報不同，左下角不要印「聯合報稿紙」，而要印上作者的名字，如「余光中稿紙」、「夏志清稿紙」、「司馬中原稿紙」等等。稿紙發出去，得到的回饋簡直使我們受寵若驚。

一年半後，瘂弦學成返國，打電話給我說，另一家報紙派人到機場接他，邀請他去接任副刊主任，他很為難。我也很為難，我本意是馬各在《聯合報》資深，本身也是小說家，我想請他擔任副刊組主任，瘂弦任主編，兩代相輔相成，是個很好的安排。馬各見我為難，表示願意回去編二版新聞，副刊組主任由瘂弦擔任。於是開啟了《聯合報》副刊的「黃金時代」。瘂弦點子多，人頭熟，與《中國時報》副刊主編高信疆作君子之爭，兩副刊並肩起飛，真正是「鼓動風潮，造成時勢」，提高了副刊的地位，也擴大了副刊的讀者群。

朱銘的震撼　施叔青

他的詩觀

艾利提斯的世界　李永平 譯

墓地管理不能再緩

巧遇　王汝振

聯合副刊

我的寫作生活

延陵劍

聯合副刊

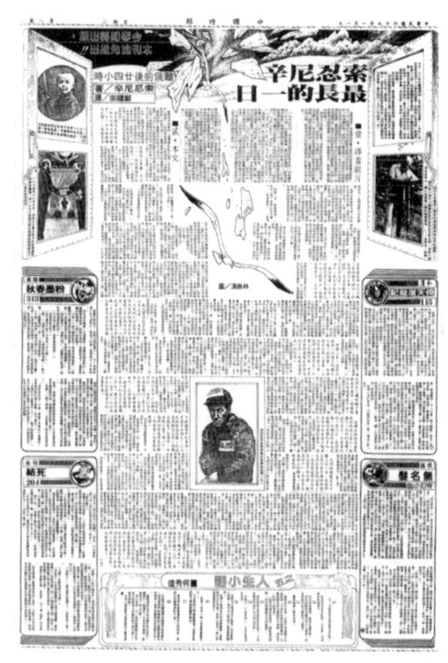
索忍尼辛最長的一日

來吧，一九八四！

寒山拾得

中國小說美國評論家

遠見

岳飛傳

飲馬流花河

瘂弦和高信疆主持副刊編務時，競爭激烈，《聯合報》（上排）及《中國時報》副刊大放異采。

從「大家談」到「民意論壇」

報紙「為誰而戰」？「為何而戰」？

一九六四年，我初到新聞界工作，那是一個威權體制，戒嚴時期，媒體的報導和評論，都受到相當的約束。但是我體認到，那些約束，大體僅限於政治層面。對於大多數的民眾來說，他們生活上的種種問題，若能得到反應，受到重視，獲得解決，這於他們才是最重要的，也是減少政治緊張，使社會趨向和諧的必要因素。所以在我擔任採訪主任時，就「越權」向總編輯提出建議，多發表讀者投書，後來變成一個固定的小專欄「大家談」。

全國高中青年頭髮得到解放

等到我當了總編輯，更可親自處理讀者投書，曾有幾次把投書放在第三版頭條，受到很大的注視，也收到很大的效果。譬如當時學生的「髮禁」問題，就因為《聯合報》不斷報導，包括年輕的學生和他們的家長投書呼籲，讓政府知道社會輿情的真相，最後「髮禁」

中華民國六十一年三月二十三日

頭髮問題引起爭議 或長或短見仁見智

各方來函探討，說來頭頭是道 究竟如何適度，且等教部定奪

▶《聯合報》對學生「髮禁」問題，不斷以大篇幅刊登讀者投書和專家評斷，最後終使「髮禁」解除。

星期三、 體育新聞版 第三版

民生論壇

聞「髮禁」之將解 ·張作錦·

台北傳來的消息說，教育部考慮解除中學生的「髮禁」，並由政務次長阮大年為專案研究小組的召集人，看來是很認真的。對眾多青年學生而言，這可能比解除「黨禁」更令人注意。

中學生頭髮之長短是否應該由教官拿尺來量，已爭論多年，正反雙方的意見都可車載斗量，不會再說出什麼新道理了。不過阮次長有幾句話，倒頗不「八股」。他說：「現行髮式規定，讓許多國小畢業的小女生，在升上國中之前痛哭一場，也讓不少大學生回味中學生活時，留下不愉快記憶。」阮次長是教育部高級官員，又檢討前人的政策，說話也許不能不委婉一些，實際的情形恐怕比他說的要嚴重得多。

個人在國內外接觸到的許多青年，對「髮禁」一事都深惡痛絕，他們認為這種規定無意義、橫不講理，完全無視於他們的意願和人格。此念一生，慢慢的由痛生怨，由怨成恨，寖假而對教育、政府和權威產生若干程度的反抗與疏離。今天，在國內校園裡和已出國學生的某些微妙心態，也很難說不是起於「牽髮之末」。

再說，教育的最大功能和目的，在變化氣質，這顯然是在精神能力方面；現在把全國青年學生的頭髮弄得一式一樣，而其內心祗去教育日遠，這難是當初頒「髮禁」者之初衷嗎？

「髮禁」問題，歷有年所，其利其弊，也早經各界廣泛討論。今天教育部願意研究改進，顯然是認為弊多於利的，否則就不必多此一舉。這些利弊既存在已非一日，且人人得而見之，絕非從前各任教育首長不能體察。只是這事牽涉廣，居高位者意見多，改得好了無功，改得不好有過。既然有此「危險」，自以「蕭規曹隨」為佳，從這兒就可以看得出來，為什麼政務官之難得及可貴。

從國內外情勢看，台灣正面臨革新進步的大關口，每一個在政務官職位上的人，都要能表現出政務官的作為才行。

▲「髮禁」將解除，遠在紐約的張作錦，在《民生報》撰文談他的觀察。

終於解除了。

政府解除髮禁時，我已經被派到聯合報系的紐約《世界日報》工作，應《民生報》總主筆張繼高先生之邀，為《民生報》寫專論。一九八七年一月七日專論題目是：〈聞「髮禁」之將解〉。現將全文錄在後面，讓今人能了解當時解除「髮禁」對全國高中青年之重要性，以及對教育品質和國家政情之影響。因為許多青年對髮禁深惡痛絕，認為這種規定完全無視於他們的意願和人格。

聞「髮禁」之將解

台北傳來的消息說，教育部考慮解除中學

生的「髮禁」，並由政務次長阮大年爲專案研究小組的召集人，看來是很認眞的。對眾多青年學生而言，這可能比解除「黨禁」更令人注意。

中學生頭髮之長短是否應該由教官拿尺來量，已爭論多年，正反雙方的意見都可車載斗量，不會再說出什麼新道理了，不過阮次長有幾句話，倒頗不「八股」。他說：「現行髮式規定，讓許多國小畢業的小女生，在升上國中之前痛哭一場，也讓不少大學生回味中學生活時，留下不愉快記憶。」阮次長是教育部高級官員，又檢討前人的政策，說話也許不能不委婉一些，實際的情形恐怕比他說的要嚴重得多。

個人在國內外接觸到的許多青年，對「髮禁」一事都深惡痛絕，他們認爲這種規定無意義、蠻不講理，完全無視於他們的意願和人格。此念一生，慢慢的由痛生怨，由怨成恨，寖假而對教育、政府和權威產生若干程度的反抗與疏離。今天，在國內校園裡和已出國學生的某些微妙心態，也很難說不是起於「毫髮之末」。

再說，教育的最大功能和目的，在變化氣質，這顯然是在精神能力方面；現在把全國青年學生的頭髮弄得一式一樣，而其內心卻去教育日遠，這能是當初頒「髮禁」者之初衷嗎？

「髮禁」問題，歷有年所，其利其弊，也早經各界廣泛討論。今天教育部願意研究改進，顯然是認爲弊多於利的，否則就不必多此一舉。這些利弊既存在已非一日，且人人得而見之，絕非從前各任教育首長不能體察。只是這事牽涉廣，居高位者意見多，改得好了無功，改得不好有過，既然有此「危險」，自以「蕭規曹隨」爲佳，從這兒就可以看得出來，爲什麼政務官之難得及可貴。

從國內外情勢看，台灣正面臨革新進步的大關口，每一個在政務官職位上的人，都要能表現出政務官的作爲才行。

方便了二十萬退役軍人

我和編輯部的同事們確認報紙是為讀者辦的，他們是我們唯一的服務的對象，奮鬥的目標。

一九九一年四月，政府開始發放戰士授田補償金。既屬德政，又為創舉，頗受社會各方注意。

四月十八日，《聯合報》刊出讀者伍岳先生的投書：

我是一名退役軍人，承政府發給戰士授田補償金，叫我四月十七日到台北市團管區去領。發放通知單上註明要攜帶各種證件，其中一項是「輔導會未輔導就業暨未列爲輔導安置視同就業之證明」。我十五日早上到輔導會申請，以爲前後有三天時間一定可以辦好，但是到了那裡才知道錯了。

輔導會樓下的一角，早被人潮淹沒。標誌不明顯、手續不清楚、橫七豎八的隊伍不知從哪兒排起、有些人不會寫字、會寫字的人也沒有地方寫。天氣熱、沒冷氣，人人火氣大。詢問聲、解釋聲、爭吵聲、咒罵聲，眞是夠瞧的。

糊裡湖塗的辦好申請手續，要十九日才能去取證明。

輔導會竟然可證明有沒有輔導我們就業，可見這些事他們是有登記的。照我想，繕一份名冊，複印給各團管區，凡名冊上沒有的都未輔導就業，不就完了嗎？也許有人認爲這會增加輔導會的麻煩，但是授田戰士廿二萬一千七百零一人，輔導就業的大概不多，現在十幾萬人至少都要跑輔導會兩趟，這是多少人力、車資和時間的浪費？而更糟的，輔導會爲每個人辦證明，反而增加了不少麻煩。我們想不通爲什麼要這樣做？除了「官僚」之外實在無從解釋。政府有很多事，往往都以「德政」開始，以「民怨」結束，叫人感嘆！

投書刊出的第二天，輔導會邀請國防部和聯勤總部的代表會商，採納了伍岳的建議，決定免驗「未輔導就業證明」，不必繳了。十幾二十萬退役軍人因此得到方便，也因而減少了民怨。

此事被列入「聯合報四十年」報史中，但記述這件事的人，並不知道「伍岳」就是我本人，因為「伍岳」是我偶然使用的筆名。

當時我是《聯合報》社長，我寫這篇投書，沒有利用職權，我在《聯合報》工作，也讀《聯合報》，既然是「讀者」，自然也有權「投書」。這篇投書刊在「民意論壇」版，而「民意論壇」版，也應該在《聯合報》的歷史上記上一筆。

一九九一年，《聯合報》董事長王惕吾先生指示報館三位幹部黃年、胡立台和筆者，提一「編務革新計劃」，由黃年主稿，他是一個思想縝密而又有創見的人，對《聯合報》從制度面到技術面都提了很多建言。我那時剛從紐約《世界日報》調回台北不久，在紐約八年，天天讀《紐約時報》，它真有吸引人的地方。紐約治安差，房價貴，但很多人不願搬到他處，因為捨不得《紐約時報》。我心中也常常有《紐約時報》的影子，在「編務革新計畫」中，就建議報紙開闢言論版，置於報紙第一疊最後兩版，命名為「民意論壇」。一版置「社論」、「黑白集」，以及學者專家的文章；另一版則是一般讀者的投書，反映普羅大眾的意見與要求。

為民意找出路

「80年編務革新」報告於一九九一年歲尾提出，當時解嚴未久，社會鬆綁，民意正在尋

機密 請妥為保管

「80年編務革新」報告

編務革新專案小組：
張作錦
黃年
胡立台

中華民國八十年十二月卅一日

民意論壇

問題 有人提出 才可能解決

掀開大衣 替國民黨黨務聽診

新連線過河 迎上港都風

用上驅逐二字 過分肅殺

施暴反制 戾氣糾纏民主

嫖客？

《聯合報》「民意論壇」創刊第一天的全頁版面。

找出路，媒體自應配合這種新情勢，建議遂得到報館接納。但是報紙一下子挪出兩大版版面，稍嫌勉強，主持社論和黑白集的言論部門也不願意從第二版被「擠」到偏遠地區，於是「民意論壇」以一個整版在一九九三年開版，由當時的專欄組主任胡遜負責，一開始就受到注目。不僅在當時，就是中國報業歷史上，恐怕也是前所未有，成了《聯合報》一項特色，也為以後同業仿效。

大家都重視讀者的意見，傾聽民間的聲音，自屬好事，也應是社會能和諧、國家能進步的力量。惜乎台灣有「統獨之爭」，有「畛域之見」，百花齊放的民意版，是否只是強化了各自的「偏好」，築起了更高的壁壘，使社會更分裂，國家更沒力量？這也許是今天我們應該思考的問題。

「窮人」助「富人」
一幅漫畫‧一段故事

我曾到美國若干報館參觀，他們在大廈進門處，常有一幅漫畫，以及漫畫作者的照片。漫畫以政治諷刺性者居多，因與時事有關，故最能傳神和打動讀者。

回台灣，我很想「見賢思齊」。但當時各報的漫畫作者，多以替文章配插圖為主，尚無畫時事漫畫的訓練。我就和報館漫畫同仁合作，我想一個主題，他們觸類旁通，常有佳作。譬如這一幅。

一九八一年十月一日，中共人大委員會委員長葉劍英提出「有關和平統一台灣的九條方針政策」，其中第六條說：「台灣地方財政有困難時，可由中央政府酌予補助」。那時大陸人民尚處於「一窮二白」的狀態，相對的台灣經濟已經有很好的發展，大陸說要「補助」台灣，豈非好笑？於是《聯合報》第二天，十月二日，就刊出這幅漫畫，一時倒也轟動。美國一本雜誌，一時記不起是《時代雜誌》還是《新聞周刊》，曾予轉載。

避免報館變成衙門

倡議全員皆記者．只分工無階級．總編輯回「部」辦事

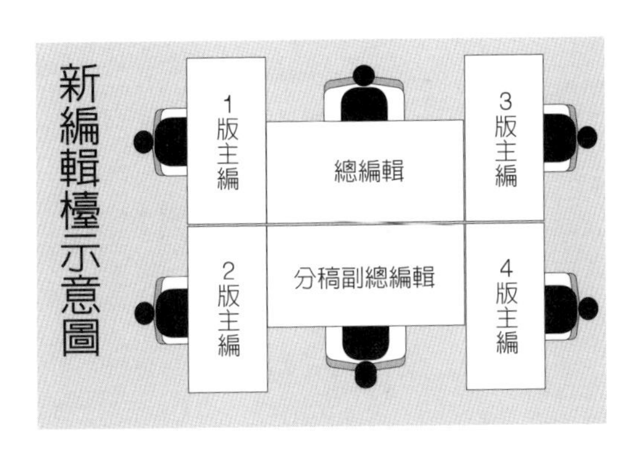

新編輯檯示意圖

一九七五年十一月，我出任《聯合報》總編輯。

新官上任都有三把火，我好像未能「免俗」。首先我改變總編輯辦公桌的位置。過去各報的慣例，總編輯的桌子都被放在編輯部大辦公室的中間，前後左右都無人煙。總編輯有事與同仁商量，或自己移樽就教，或請工友去請。同仁有事請示總編輯，則要親自跑來。這樣不僅耽誤時間，且日陵月替，也讓本質上是文化團體的報館，逐漸變成衙門。

我上班的第一天，把座位作了重新排列組合，讓主管分稿的副總編輯和較重要的第一、二、三、四版的主編，和我坐在一起，溝通方便，提高效率，也應可提高報紙品質。而且

更讓同仁知道，在編輯部工作的人，只有分工不同，並無階級高下。事情也許不大，但也可能是開中國報業傳統的新局。

現在這種編輯檯的座位方式，各家報紙都是這樣，已不足為奇，但當年可是「變法維新」之舉。

新聞只問重要否，不問何處來

我還有第二把維新之火，過去台北記者寫的稿，開頭都是（本報訊），駐紮各地方記者寫的稿，開頭都冠地方的名字，如（嘉義訊）、（雲林訊）等等。台北市記者的稿是（本報）的，（地方）記者就不是（本報）的？台北總社在取稿上，也有輕重之別，（台北訊）的稿子，無甚內容，也會發重要版面；（地方訊）的即使有同樣的分量，也可能上不了全國版。我曾在高雄市工作近兩年，深悉此弊。我讓台北記者發稿從（本報訊）改成（台北訊），也要求取稿要依據新聞內容，而不能依據來源地。我更要求在每晚的「編前會議」上，地方新聞組主任要出席推薦當天在地方上發生的重要新聞，供選擇上全國版。報紙是報館全體同仁的，不應有「畛域之分」。而且，把好新聞只提供給某一地方和少數讀者，對全國讀者也不公平。

我另外一個想做的體制改革，竟成我的未竟之志，直到今天也未見任何中外媒體做過，令我耿耿於懷。

我在報館內部，公開的或私下的場合，多次建議，報館上下全體員工，至少由高層領導，並先從編輯部門開始，名片都要改印，均應以「記者」為本職，其他都是「兼職」。譬如：記者兼發行人、記者兼社長、記者兼總編輯、記者兼採訪主任等等。這樣做，有兩點好處：第一、可祛除大家的心理障礙，不必再覺得有人是「兵」，有人是「官」，影響團結和諧；第二、根據「彼得定律」，人在工作崗位上會升遷到「不能勝任的位置」。如果「記者」不是本職，他升遷到一個「不能勝任的位置」之後，就回不來了，就「報廢」了。

我的建議是本著大學的精神，教授兼任所長、院長、甚至校長之後，退下來仍可作教授，到教室講課。可是在報館，茲事體大，可能被視為有點「離經叛道」，所以未獲採納。但是我不死心，我希望可先從總編輯這個職位推動。

倡議「總編輯輪流制」

我參觀過美國和中國大陸的報館，他們的總編輯通常不上夜班。台灣報紙總編輯的工作則有不同的模式。早晨起來就要讀報、與採訪組聯絡重要新聞、參與社內會議和社外應酬、傍晚主持編前會議，一直到凌晨三點報紙印出來才得下班。雖然編輯部各部門分工合作，但總編輯負綜合的和最後的責任，心理上有沉重的壓力，故身心特別勞累。等他撐不下去了，報館只好調整他的職務。可是報館已經衙門化了，只能「崇功報德」，把他調升副社長等等閒差事。編輯部少一有經驗的老手，新單位多一無用的新手，對他個人和團體都是損失。

所以我向報館提出一個解決方案，即「總編輯輪流制」。就是報館找幾位可擔任總編輯的同仁，譬如甲、乙、丙三人，甲先做總編輯，衝刺兩年，換乙做，甲則回任副總編輯，來幫助甲，然後輪到丙，乙也協助他。如此周而復始，大家都有活力，都有修補機會，經驗可以積累，人才不會流失。我在總編輯的職務上提出這項建議，我說，我願從自己開始做，我卸任之後做副總編輯，開此先例之後，後來的同仁就不會有心理上的負擔。我雖然覺得我的倡議是報館發展可大可久的方案，但仍未蒙採納。不久，我就被調去紐約《世界日報》工作，這事也就沒有人再提了。

二〇〇一年八月，《聯合報》總編輯黃年升任副社長，但仍在編輯部上班，我聽了很高興，寫信給黃年：

年之：

終於爭取到不當總編輯了，希望你能喘口氣。

「卸任總編輯仍留在編輯部」，這是我當年提出的偉大構想，不料閣下卻成爲第一個「受益人」。

作錦　八月二十日

但黃年之後，卻後繼無人。改革，難啊！

兩條新聞改變了台灣政治和社會生態

專訪孫科，使節育「公開」、「合法」化

我在《聯合報》擔任外勤工作多年，採訪過大大小小的新聞，見過國王、總統和達官顯要，國內外也去過若干地方。但如今回想，有兩條新聞卻在印象裡特別突出。自覺這兩則報導，對國家、社會有些具體貢獻。

其一就是使「家庭計劃」不再是「地下工作」，光明正大、名正言順的成為「節育」，使人口問題不再成為國家發展的阻礙。

台灣自從一九五〇年代逐漸有人口壓力。民以食為天，工作上與農業、糧食有關的農復會主任委員蔣夢麟博士，自是「春江水暖鴨先知」。他於一九五二年即建議政府提倡節育，卻遭到部分立法委員的強力反對。他們認為這種主張違反國父遺教，而國父遺教是我們立國的基礎。孫先生在民族主義第五講談到人口時，說：「中國人口在以往一百年沒有增加，而美國增多十倍、俄國增多四倍，英、日各增三倍。我們受各國人口的壓迫，不久就要滅亡。」

老蔣總統支持蔣夢麟，但當時國家環境特殊，立法院關乎國家體制，他不願公開反對立委的意見。在蔣的默許下，「家庭計劃推行委員會」於一九六四年設立，提倡「兩個孩子恰恰好，女孩男孩一樣好」。即使如此低姿態，這項運動也不敢公然行之，遮遮掩掩，被人譏為「地下工作」。

蔣夢麟深知人口問題的嚴重，他在一九五八年的一篇談話裡這麼說：「台灣人口每年正以三・五%的增加率增加，每年增加三十五萬人，約略相當於一個高雄市現在的人口。這三十五萬人的基本需要，年需糧食五萬二千公噸，建築中的石門水庫將來完成後，灌溉所及，年約增加糧食七萬二千公噸，僅足供每年新增人口三十五萬人一年零四個月的消耗。」那時石門水庫是國家重要建設項目，蔣夢麟擔任「建設委員會」主任委員。

蔣夢麟：殺頭也要提倡節育

蔣夢麟愈努力，愈受到某些立委的批判，立院有「殺蔣夢麟以謝國人」的呼聲，蔣氏也不含糊，慨然回應：「殺了我的頭，我也要推行節育」。

但是那個年代，兩岸爭著作為國父的傳人，國父遺教就是金科玉律，節育既違反國父遺教，這個責任誰也擔不起，於是節育就只好以「家庭計劃」的名義繼續做「地下工作」。

國父的男嗣孫科，大陸棄守後即赴美定居，一九六六年受政府邀請回台訪問。七月四日，他在台北市中山堂舉行的經合會「人力資源研討會」開幕式發表演講，他首先分析台灣的人口現狀。他說：「台灣人口密度每平方公里三五一人，和荷蘭並列為世界最高者。但荷蘭多平原，台灣因為多山的關係，耕地不及全島總面積三分之一，如以耕地面積來計算人口的密度，則台灣比荷蘭還要高出四倍之多。可是依照專家的預估，在未來的十年中，每年還要增加卅五萬人。」

孫博士說：「人多成災，在中國歷史是不乏證據的。人口繁殖多了，糧食不敷分配，導致社會經濟崩潰，於是引起大亂，以兵災減少人口，再漸趨平衡。」他認為：「人口無計劃的增加是待開發國家的普遍現象。其最大的害處是使國民生活水準無法提高。」

孫科救了「家庭計劃」

演講結束後，我到休息室專訪他，直截了當地問他：「在台灣推行節育，違反國父遺教嗎？您是國父的哲嗣，長期追隨他，研究他，應該最適合回答這個問題。」他也直截了當的答覆我，「不違反國父遺教。」

他說，「當年國父主張繁殖人口，是基於當時環境的需要，那時中國只有四億人，而帝國主義者又不斷壓迫。但是現在事過境遷，當時的帝國主義國家目前已無復舊時型態，而我們的人口也不是從前的數目了。目前台灣人口增加太快，以致影響生活水準的提高，是一迫切問題，必須立即設法解決。」

《聯合報》第二天發表了這則新聞，推行「家庭計劃」的人從此可抬頭挺胸承認他們做的是節育工作，政府也納入施政範圍，編列預算，蔣夢麟博士也不必再擔心他的安危。

那時記者寫新聞不署名，但我卻有幸接到立法院一位老委員的信，痛罵我「賣國」。

真是「物極必反」？二〇一九年三月二十四日，設在美國加州的《世界人口綜述》（*World Population Review*）發布統計，全球二百四十個國家，台灣人口增加率以一・二一八％排名榜尾。

從三・五％到一・二一八％，世事多變。

另一樁「記憶猶新」的新聞，是一個非常「有趣」，但極端暴露政府機構怠惰、顢頇的「故」事。

一九七二年十二月，季辛吉首訪大陸，一九七八年，美國承認中共政權，宣布與中華民國斷交。這對台灣朝野都是極大的震撼與衝擊，因為人人知道，有無美國的支持，至關台灣的安危也。

國家興亡，匹夫有責，民間社團和國民大眾，紛紛為政府籌謀劃策，如何應對當前的危困局面。三月六日，我接到「國家博士聯誼會」的一份通知，他們將於次日舉行記者會，提出他們的「國是建言」。所謂「國家博士」，就是我們國家授予的博士學位，從前讀博士都必須要去國外才行，民國四十九年教育部開始頒授我們自己的「博士學位」，學界戲稱「土博士」。

我把通知交給跑文教新聞的同事，她表示第二天會去記者會。我說為什麼要等第二天？今天就應該去。如果他們有好的意見，我們不是可以早一天就發表嗎？但她不知道這個社團，也不知地址在哪裡？我告訴她，我們第一位國家博士是周道濟，他現任商務印書館總編輯，找到他，一定找得到「國家博士聯誼會」。

當天晚上這位同事寫了新聞稿來，周道濟正是聯誼會的會長。聯誼會的建言內容甚豐富，所以稿子很長，但很多都是別的社團建議過的。前面的幾千字我逕行刪去，只保留最後的三段，以免珍珠埋在沙子裡，編輯未看到，不強調，讀者也就看不到了。

博士十二年未獲證書

我國教育部於民國四十九年開始頒授國家博士學位，第一位獲授博士的是周道濟，但是十二年過去了，他還沒有拿到博士證書。

周道濟昨天向記者慨嘆政府行政效率之低落，認爲非痛加檢討不可。十二年來，教育部長已經換了好幾任了，但是教育部一直沒發證書給他們。在一個多月之前，周道濟曾聯合其他獲國家博士學位的人，寫信給羅雲平部長，但仍舊是石沉大海，沒有消息。

周道濟和其他將近四十位獲授國家博士學位的青年，將於明天聯名發表一篇對當前國是的共同意見，供政府參考。他舉這個切身的例子，說明政府機關有很多地方需要切實改革。

那時候報紙每天只印三大張，次日新聞在第二版刊出。當天上午，台視、中視、華視三家電視台，都把周道濟請到教育部門口，讓他親口說明這件「千古難遇」的奇聞。

為什麼十二年過去還不發證書呢？教育部的說詞是，博士證書應該是什麼樣子，還沒有設計好。新聞刊出五天後，教育部對外宣布，證書設計好了。

還有令人想不到的事，六年後，一九七八年三月三十日，《聯合報》又報導說，不僅博士證書曾遲遲難產，博士袍教育部也還未設計好，以致當時二七〇位獲得博士學位的人，都未穿過國家博士袍。教育部這才信誓旦旦的說，要在「三個月內完成」。

「千古奇冤」的「誹韓案」

《聯合報》「新聞轉型」的具體實驗

台灣初期的報紙，多數主攻狹義的「社會新聞」，就是刑事案件的犯罪新聞，以求擴展業務。「社會新聞」有警惕大眾趨吉避凶的功能，有它一定的價值。但是過度強調這類新聞，會窄化讀者的視野，使社會內涵貧瘠，影響國家整體發展。

我擔任採訪主任和總編輯後，希望找到一個切入口，讓《聯合報》成為一個比較「菜色可口而又營養健康」的廚房，讀者歡喜而又可安心的取菜。恰在此時，「誹韓案」來了，我們讓它自由發展成為一個討論的話題，由高陽、陸以正、嚴靈峰、沈雲龍、張玉法、薩孟武、錢穆，以及眾多司法界人士一起參加討論。為社會大眾開了一堂歷史、法律、文化和言論自由的「綜合課程」，歷時一年多才「下課」。

故事來自一位國樂演奏家黃家識，他看到同鄉會刊物《潮州文獻》，有一篇〈韓文公、蘇東坡給與潮州後人的觀感〉的文章，形容韓愈是「得風流病誤服補劑中毒死亡」，大為

韓愈畫像。

光火，一狀告到官裡，指控撰稿人郭壽華誹謗先賢。

誹謗是告訴乃論罪，黃家識並非韓愈家屬，沒有權利提出告訴。這種事情少見，《聯合報》在一九七六年十一月九日在第三版以重要地位報導出來，標題為：

洗刷先賢「風流病」　不教污蔑「韓文公」

爲古人提告訴・此事少見

非親屬而興訟・官司難打

第二天繼之以記者唐經瀾和吳添福專訪，用的篇幅又大了一些，標題為：

文起八代之衰・謗生千古之後

風骨載在史乘・風流有污先賢

道德文章典型垂範・黃家識替文公辯誣打誹謗官司

諫迎佛骨觸怒天子・黃得時認爲韓愈不致如此不堪

韓愈三十九代孫提告訴

第三天，韓愈第三十九代後裔韓思道拿出家譜，以直系血親出面告訴，《聯合報》更以

第三版頭條刊出，標題是：

先賢遭厚誣．後裔提告訴

韓愈第三十九代子孫

具狀控告郭壽華誹謗

至此，為古代人打誹謗官司已成定局，而海內外中文媒體也紛紛跟進報導。先是檢察官受理、勸和；繼而被告道歉，原告拒和；發展至一九七七年二月初，一審判郭壽華罰金銀圓三百元。銀圓一元等於台幣三元，換言之，罰郭壽華台幣九百元。

判決書指出，韓愈的道德文章，人皆景仰；奈何千百年之後，被告郭壽華竟標新立異，著文詆毀，自應論科，以保先賢高尚品德，並維國人對道統文化之信仰。

這是第一波，法院審理傾向以道德規範論科被告郭壽華有罰無刑。

但法學權威台大教授薩孟武立即有不同意見，他投書《聯合報》指出，「生在千年之後，批評千年以前的人，有人控告誹謗，法院竟予受理，且處被告以罰金之刑，這真是開司法未有之例。此例一開，任何一本書都要變成禁書。」官司宣判當天，另一位歷史學者嚴靈峰，在《聯合報》刊出〈誹韓案的文字獄平議〉一文，他認為：「此風一開，我們不能批評王莽，不能批評曹操，不能批評秦檜，不能批評張邦昌。文人一執筆，一下筆，動輒得咎，哪裡尚有什麼言論自由？」

台北地方法院庭長薛爾毅則就法論法，認為「可受公評之事」自然不在限制之列，但「我們的法治，還在起步階段，她像一顆脆弱的幼苗，切望朝野人士著加愛護，她實在禁不起望重士林的學者無心的踐踏」。

法官、史學家、小說家都參加討論

推事楊仁壽則認為是被告郭壽華不知舉證非「明知虛偽」以致受罰，法官認事用法，實至公允。至於因此而興文字獄，楊仁壽認為：「本案僅新聞性較高之誹謗官司而已，殊不得以『文字獄』視之。我國崇尚法治，尤重言論自由，如言之有據，話有所本，縱高談賢不肖，法院於我何有哉！」

楊仁壽法學素養深厚，且對法律問題勇於表示意見，後來不斷升遷，做到司法院大法官和最高法院院長。

歷史學者張玉法，從法院應否受理誹韓案指出，既受理誹韓案，就要想到為古人名譽打官司的困擾。況且後人以家譜作為直系血親的認證，也值得商榷。受理之後，又當如何審理？只因不敬韓愈而誹謗先賢，那麼「被告所寫的是秦檜、張邦昌等人的事，是否也『誹謗先賢』？賢與不肖在法律之前的地位都是平等的，除了法律剝奪掉的權利之外，其他的權利都是相等的。」

歷史小說家高陽從直系血親與撫養觀點駁論隔了三十九代的後人，不應再享有對先人誹謗的告訴權。他並指出：「最後，我還有不能已於一言者，學術上的問題，非司法所能解決；歷史公案亦唯有歷史能裁判。不僅『身後是非誰管得，滿村爭唱蔡中郎』的詩句可以證明，中國向來有褒貶古人的言論自由。而且，在世受人誤解，而居心行事有自信者，往往亦表示『身後千秋付史評』；倘或《昌黎集》中有類似的意思透露，則韓思道的告訴，違反所謂『受害人』的本意，法院更不當受理！」

國學大師錢穆也有話說

史學大師錢穆在《聯合報》上撰文〈為誹韓案鳴不平〉，則從道德或文化觀點質疑：「若謂居今日凡善皆在外洋，凡惡皆在我躬，此猶可也。果必求惡於古人，吾祖吾宗，積數千年來，無善可述，則今日吾國人，可與為善者又幾希，此誠當惕然自反也。」

他還說：「惟亦竊自附於學術言論之自由，當受衛護，不受裁判，則雖遭鄙斥，又何說以效東野之不釋然哉。韓公答胡生書有曰：別是非，分賢與不肖，愈不敢有意於是，竊願附於此，用息不知者之謗。」

錢穆的確指了一個困境，即使在學術自由與法治的前提下，文化傳統將如何安身立命？而讀者究竟是對「風流案」有興趣，還是在意「言論自由」？

由於誹韓案是否干預了言論自由，多數學者幾乎眾口一詞認定是「文字獄」。外交官陸以正就說，在英美法系國家，此案不可能成立。史學家沈雲龍更為文指出，要火燭小心，為歷史公案竟要受司法審理大表不平。

時任宜蘭地方法院院長管國維以「欣見言論自由」為題指出，整個誹韓案應是具正面意義的。它雖然有一場糊塗仗的意味，但因此引起一般人留意法律常識的興趣，就算是一次很不錯的收穫了。這篇文章刊登於一九七七年十月十日，歷時一年多的「誹韓案」到此結案。

像這樣的「社會新聞」，充分流露對於人文價值的殷切關懷，以及對政治正義的深刻檢討。是《聯合報》「綜合化」社會新聞的具體實驗，也是「新聞轉型」的一個好的開端，讓社會大眾了解，一份什麼樣的報紙，才應該得到讀者的信任與欣賞。

台大新研所・政大新聞系・聯合月刊

聯合報「為報育才」及「人才輸出」

《聯合報》在台灣誕生、成長，也做了一些事來回饋這塊土地。在社會服務上不能細說，對新聞本業最有意義的貢獻，應是協助在台灣大學設立新聞研究所，和政治大學新聞系建教合作，以及創辦《聯合月刊》。

《聯合報》做這些事，固然為自己培育了人才，卻也向新聞界「輸出人才」，而且是很大的一筆數字。

先就台大新研所這件事來說，它由《聯合報》倡議，出力，又出錢，最後卻蒙不白之冤。

政治大學一九五四年在台灣復校，成立新聞系和新聞所，以後有很多大學都跟著設立了新聞系。按理說，每年有大批新聞系畢業生可進入媒體工作，新聞界應該是人手充足、甚至人手過多才是。但是相反的，新聞界卻為晉用新人而苦惱，因為一般大學新聞系教學，多側重新聞學理論的探討，缺少實務上的訓練。以我自己來說，我畢業於一個著名大學的新聞系，在課堂四年，從未實地採訪過一條新聞，畢業前在校內周刊實習一個月，不幸又派為內勤，連這僅有的四次採訪寫作的機會也失去了。新聞編輯的原理原則大體都記得，但只讀食譜，不下廚房，考試得了九十七分，卻不會編報。以後進了報館，每年迎接不少新聞系畢業學生進來，但不需經過再訓練而能立即派上戰場的，似乎不多。

新聞系重理論、輕實務

一般大學之所以側重理論，輕於實務，主要理由在大學是通識教育，不是職業訓練班。這話是沒有人會反對的，英國威靈頓公爵說過：「教育若沒有宗教信仰，就只能教出聰明的魔鬼。」一個沒有純真品格的新聞記者，比沒有記者更可怕。但是，一個略有學養的新聞系畢業生，必須以不會採訪寫作為代價麼？醫學院的學生也教醫學倫理，他要謹遵只能救人不能害人的規範，可是他不會看病不會開刀行嗎？

一般大學新聞系重理論而輕實務的另一原因，是教課老師自身缺少實務經驗。他們鑽研新聞學，不能到新聞界服務，就像在新聞界工作的人，無暇兼及學術研究一樣，都不是什麼不光彩的事。但是若干老師在課堂上過度強調新聞學理論，可能造成兩項負面作用，一是使學生誤認為理論才是高尚的，實務是雕蟲小技，因而產生不屑於到媒體工作的心理；另一是老師為凸顯自己在理論上的真知灼見，對於媒體現狀作過度的批判，也嚇阻了學生到新聞界就業的意願。

新聞學理論是新聞事業的指導方針，毫無疑問的十分重要；可是新聞系所的主要功能之一在為新聞界培養從業人員，這恐怕也是無人能否認的。再說，新聞學的研究對象在新聞事業，要是媒體不存在了，新聞學依附在哪兒呢？

由於新聞院校的畢業生未能密切配合新聞界的需要，新聞界對新聞教育就不能樹立堅強的信心；再加上若干老師常對新聞界作尖銳的批評，也引起新聞界若干反感，認為他們自己不是或不願作傳培梅那樣的名廚藝家，又看不起燒菜的人，說的都是外行話，不值得理會。這樣的對立與循環，恐怕是新聞教育界和媒體之間共同的不幸。

「教、用不合一」的情形，並非始自台灣，早在大陸的大學新聞系已經有此現象。所以一九五〇年，台灣報業還在草創時期，中央社總編輯沈宗琳就以台北市編輯人協會的身分，協同另一代表李荊蓀，拜會台大校長錢思亮，請他同意在台大設立新聞系。沈宗琳在他《凡而不俗一甲子》的回憶錄中說，他們的要求雖未明言理論和實務並重，但是希望「能配合台灣新聞事業的發展」，也就「不言而喻」了。但是他們的建議為錢校長婉拒。

沈宗琳回憶說：「錢先生滿腹苦經，述說台大整個預算如何極度短絀，教學設備如何難得加強，社會各方期待大，批評多。言外之意，顯然認為『新聞』非『學』而只是『術』，台大難予考慮開設新聞系。」

但新聞界不死心，一九八六年，又起心動念要仿照美國哥倫比亞大學新聞學院的規模和精神，在台大設立新聞研究所。《聯合報》董事長王惕吾承諾在財力和人力上支持。當時台大校長孫震和法學院長袁頌西願意配合，至此大勢底定。

王惕吾紐約訪喻德基

一九八八年五月底，王惕吾從台灣到紐約，三十一日到哥大拜會新聞學院代理院長喻德基教授，當面邀請他擔任未來台大新研所所長，喻教授同意「回去教教自己的孩子」，於是大事底定。當時筆者正在紐約《世界日報》工作，那天隨王董事長去哥大，客串攝影記者拍了一張照片，王先生拱手「拜託」，喻教授回禮「不敢」，這應該是台大新研所的「歷史文獻」了。

喻教授又找了他的得意門生印裔美籍教授聶維斌來助陣，台大新研所的籌備工作就展開了。開辦新單位需要經費，喻德基和聶維斌兩位客座教授的待遇需要補貼，都由《聯合

《聯合報》董事長王惕吾（左）到紐約哥倫比亞大學新聞學院拜會代院長喻德基教授，請他回來擔任台大新研所所長。王先生拱手說「拜託」，喻教授抱拳說「不敢」，就訂了「口頭契約」。

報》承擔。《聯合報》財務處指派專人，負責協助新研所的經費開支。

新研所於一九九一年首次招生，六百四十七人報名，錄取十二人，錄取率一・八五％，可能已創造了中國或世界紀錄。但時僅一年，忽然傳出了所謂「路線之爭」，也就是要走當初設計的美國哥倫比亞大學側重實務的路線？還是走國內大學傳統上側重理論的路線？

有一天在台北市「銀行家俱樂部」，筆者和《民生報》總主筆張繼高與台大教授楊國樞喝咖啡，張繼高也是新研所成立的有力推手之一。楊教授說，「台大是一個研究型大學，不是職業訓練班，怎麼可以設立側重實務的新聞研究所？」不管楊教授是否知道新研所與《聯合報》的淵源，他的話正代表了台大、甚至學界某些人士的意見，於是新研所的教學，應該是「側重理論」還是「側重實務」的「路線」之爭，就浮上檯面。

還有更不堪的傳聞，外界有人認為《聯合報》要壟斷新研所，導引它的教學方針，且專為《聯合報》一家報紙培育人才。這雖都是捕風捉影的無稽之談，學界，包括台大，倒也有人相信。事實上，《聯合報》從未過問新研所的教學，而第一屆畢業生十一人（錄取十二人，一人未報到入學），只有楊珮玲、李文娟、孫榮光三人到《聯合報》工作，後來都轉業他去，《聯合報》何曾、又何能「壟斷」？

喻德基教授因年事稍高，不願捲入「路線之爭」的困擾，且自謂「身心疲憊」，於設所不到一年，便在一九九二年三月辭職返美。聶維斌後來也因為與法學院主管意見不合，離職赴英。到此，新研所又是一番新的面貌了。

教出好記者，就是好路線

我寫了一篇文章發表在一九九二年六月十四日的《聯合報》，題目是：〈不管是哥大路線，還是台大路線，能教出好記者的就是好路線〉。標題很長，很囉嗦，但很寫實。

二〇一九年三月二十八日《聯合晚報》報導說，「台大新研所，報考率逐年下降，今年創新低，僅七十六人報考。」報導指出，「昔日最多有四三二人擠破頭」。記者沒有查證資料，其實首屆招生報考者六四七人，錄取率一．八五％。大學新聞系所招生普遍困難，非某一校之事。但台大新研所號召力下降，也是事實。

《聯合報》希望自己有夠水準的記者，也希望能提升新聞教育的品質，我在總編輯任內提出建議，與政大新聞系主任漆敬堯先生商定，雙方正式簽訂「合約」，辦理建教合作。由政大負責推薦學生，其四年在校學雜費用、生活費用、書籍費用等等，概由《聯合報》負擔。暑假到《聯合報》實習兩個月，另發生活津貼，畢業到《聯合報》工作五年，五年後自由選擇去留，這樣的條件可謂優渥。有當年建教合作留下工作的學生，目前已擔任報館主管階層的職務，譬如《經濟日報》社長黃素娟和「願景工作室」執行長羅國俊等人。

新聞系學生不了解報館的工作，所以暑假期間要他們到報館實習。很多新聞系的老師對新聞界也非常陌生，因誤解而有很多不切實際的批評，對學生的指導也會有隔閡，我認為也應該請老師到報館「見習」，以增進雙方的認識，這才是完善新聞教育積極的做法。

這個構想，與學校若干老師談起，他們很贊成，但報館有些前輩頗有疑慮。他們認為，那些老師，常對新聞界挑眼，恐已養成「習慣」，若請他們進報館觀摩，出去再有苛評，說這是他們親眼所見，報館更是百口莫辯。我想這個「危險性」不是沒有，就不敢再繼續推動。

除了協助台大設立新研所，以及與政大新聞系建教合作之外，《聯合報》為了人才考量，也創辦了《聯合月刊》。

《聯合月刊》是人才蓄水庫

《聯合月刊》於一九八一年八月創刊。那時聯合報系已經又開辦了《經濟日報》（一九六七年）、美加地區的《世界日報》（一九七六年）和《民生報》（一九七八年），規模已經不小了，何貴乎再多辦一本雜誌？

其實，正因為《聯合報》是報系的母體，報系每一次擴張出一份新報紙，都調用《聯合報》已成熟的編採人員，到新報紙組成「核心團隊」，再輔以新招考進用的人，才能「無縫接軌」，立即上戰場衝鋒陷陣。

但這樣一來，「母瘦子漸肥」，《聯合報》本身必須進補強身才行。但人才很難速成，不僅需要時間鍛練技術，尤其需要在磨合薰陶的過程中，認同團體的文化價值，有情感上的依存信賴，大家才能合作無間的協同作戰。

基於這樣的認識，我向報館提議創辦《聯合月刊》。我形容它為「編採人才蓄水庫」，平常存有足夠的水，且把水「養」好，一旦編採部門需要人的時候，只要把閘門打開，水就來了，及時有效，不需臨時匆促張羅。報館採納了我的建議。

我向報館當局說，《聯合月刊》的社長必須由《聯合報》總編輯擔任，因為他最清楚水庫何時需要進水，何時需要放水。報館當局也同意了。我在《聯合報》服務四十年，這是唯一的一次主動「求官」。

我委請當時專欄組副主任黃年為副社長，請他「組閣」，負責招兵買馬，並設計及執行雜誌的性格與內容。他為《聯合月刊》前前後後羅致不少人才。總編輯陳曉林，自是雜誌的靈魂人物，他尋思議題，設定方向，依同仁的性向和專長分派工作，使雜誌的內容長期保持一定的水準。

編採同仁有易行、胡遜、戎撫天、郭冠英、孟玄、魏誠、林若雩、劉明華、陳朝平、陳國祥、劉健文、胡鴻仁、吳統雄、陳清喜、焦雄屏、楊喜漢等等。這些人，當時在《聯合月刊》，後來到聯合報系各單位，有人轉到其他媒體或學術界發展，都有很顯眼、很輝煌的成就，足證當時我們延攬這些同仁，方向是正確的，眼光是精準的，功夫沒有白費。也證明「人才走向有人才處」這句話，不是空泛的說詞。

其間還有一個「插曲」：有一天黃年跟我說，他想邀請甫自政大新聞所畢業的陳國祥「入夥」，但陳國祥說，「我把你們的總編輯張作錦得罪了，他怎麼會讓我進《聯合報》？」黃年問我有這事嗎？我說有兩件：

第一件：台灣縣市長選舉，我發了一則「讀者投書」，投書人呼籲在野人士的競選活動要有分寸，不要造成社會不安。陳國祥寫信來，指控那封信是我偽造的，怎麼解釋他都不信，不得已我違反「行規」，把投書人姓名和地址塗掉，讓他看看原信多麼激烈，我改得多麼平和理性。

第二件：此事發生不久，政大新聞系賴光臨教授請我到他班上與同學聊天，座中忽有一名學生大聲提出質問，非常突兀。賴教授制止他：「陳國祥，你不是我這班上的學生，不可在我這裡鬧場，請你出去。」我才知道這個年輕人就是陳國祥。

我告訴黃年，他沒有「得罪」我。努力追求真相，也許正是一個記者應有的品性。我覺得《聯合報》同仁同質性太高了，倒是願意請陳國祥進來，發揮些「鯰魚效應」。於是陳國祥就進了《聯合月刊》，寫了很多重要專文。不久我去美國休假一年，又留在《世界日報》工作，陳國祥後來離開聯合報系，先後擔任過《自立晚報》和《中國時報》總編輯、《中時晚報》社長和《中央通訊社》董事長。

曹極回憶「林宅血案」

《聯合月刊》創刊號內容的亮點之一，是前刑事警察局局長曹極先生的〈偵查林義雄家屬命案回憶錄〉。

一九七九年二月二十八日中午，台北市信義路三十一巷林宅發生三死一傷的重大血案。男主人林義雄，當時擔任台灣省議會議員，因牽涉「高雄美麗島事件」而被羈押，凶手闖入林宅，殺死了林義雄六十歲的母親及一對七歲的孿生女兒亮均、亭均，長女奐均也被刺六刀，經急救倖免於難。

消息傳出，中外震動。警方雖曾「訪問」過林家兩位友人，其中還有一位是美國人，但均沒有證據。治安機關為偵查本案，據說曾經清查逾百萬的對象，但無任何收穫。

曹極在任時負責偵辦本案，因為案情太重大而離奇，他退休後仍鍥而不捨，撰寫經辦回憶錄，希望能繼續理出頭緒，所以他的文章極受讀者注意。

台灣另一大血案是「陳文成命案」。一九八一年五月二十日，返台度假的美籍卡內基美隆大學教授陳文成，被發現陳屍在台大校園，家人指是謀殺，美國政府也很重視，派美國法醫生理學家及學校教授來台「檢視遺體」，沈君山曾加協助。他在第四期《聯合月刊》上，撰寫〈參與澄清陳文成案始末〉。

他在文章的開頭說：「狄格魯教授和魏契醫師對陳文成案的正式報告已於十月二十二日發表。陳案撲朔迷離，這份報告的正確性有幾分，見仁見智，固然各有不同，即使對狄魏兩君來台經過和在台所作所為，也有很多猜疑，有的評論甚至牽涉到國家主權和法律尊嚴。我總以為，凡國家的事，除了國防外交方面必須保守機密者外，總以與民坦誠相處為佳。一個國家愈開放，國民的智識程度愈高，便愈有判斷是非的能力。你愈相信老百姓，老百姓便愈相信你。狄魏兩君此行的安排，我們常從符合國家利益、遵守法律規定、尊重個人權益這三點上著想，其前後經過相信也多少兼顧到這三點。但中國人的事而要讓洋人來插手，讓洋人來作判斷，情緒上總是很難釋然。」

沈君山不僅參與「澄清」陳文成命案，而且也照顧了林義雄家的事。他也協助「美麗島事件」的善後工作，是朝野共同信任的人。

創辦《聯合月刊》，除了報館內部人才「蓄水庫」的作用之外，其實外部社會環境也需要這樣一本雜誌。當時的台灣，經濟蓄勢待飛，政治的一黨獨大和一言堂已開始鬆動，社會各方希望有發言的管道，且希望意見受到重視。

政治經濟，多元發揮

為回應這些情勢和期許，《聯合月刊》立即請兩位財經學者撰文，林鐘雄寫〈當前我國經濟問題與其展望〉，林建山寫〈從俞國華的兼職去留談起——提升經濟規劃效能的一個重要決策問題〉。

政治在台灣似乎永遠「發燒」，《聯合月刊》請中央研究院院士林毓生談〈走出統獨之爭，但求責任倫理〉。現在到了二〇一九年歲尾，林院士的期望，似乎仍未達到。

為了促進行政效率，端正政治風氣，《聯合月刊》舉辦「我們的行政首長可以得幾分」的調查活動，請立法委員給行政首長打分數，結果行政院長孫運璿得分最高，可見公道自在人心。

《聯合月刊》也同樣要求黨外人士在行為規範上以國家利益為念，所以辦了「給黨外人士打分數」的活動，結果立法委員康寧祥得分最高，這也是與社會大眾的觀感相一致的。

朝野雙方都有「模範人物」，我們的國家是否前途「一片光明」了？當然沒有這麼樂觀，《聯合月刊》於一九八二年第五期作了一項「特別報導」：「當前台灣社會的兩大隱憂」，陳朝平寫〈金錢・政客・蝕——為當前台灣政經關係把脈〉，龍振屏寫〈暴力・殺・逃——暴戾之氣的病理分析〉。迄今三十七年過去了，我們政治上的金錢與貪腐比從前好些了嗎？暴戾之氣也沒有收斂，只是以另一種形式表現出來而已！

《聯合月刊》不是只注重政治、經濟議題，社會和藝文也是同仁們所關心的。譬如以大篇幅報導「我們需要保護消費者的法律」，呼籲大家一起制定《消費者保護法》。同樣的，也協助催生「勞動基準法」，記者魏誠寫〈勞動基準法一波三折〉，易行寫〈勞資關

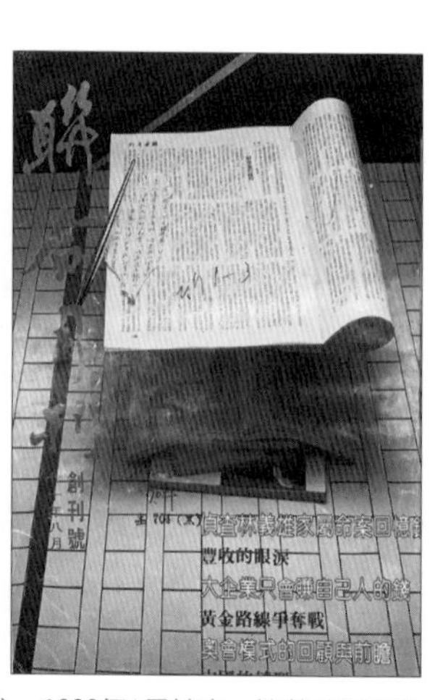

《聯合月刊》在1981年8月創刊（右），1988年1月結束，培養了很多編採人才。

係的經濟層面與倫理層面〉。

《聯合月刊》創始的年代，同性問題在台灣社會還是一項禁忌，幸有畫家席德進先生發表〈「致戀人」信〉，勇敢走出第一步。

《聯合月刊》每期都有電影、繪畫或其他藝術創作與報導，希望做一個「骨肉亭勻」的人，藉以陶冶和影響讀者大眾。

最值得一提的，《聯合月刊》闢有「三人行」專頁，供讀者、作者和編者三方面「交談」。讀者可發問，作者可解釋，編者可說明，大家「發言踴躍」，非常成功。

《聯合月刊》一九八一年夏季創刊，我於一九八二年冬季赴美休假一年，名義上仍是社長，第二年奉派到紐約《世界日報》工作，即辭《聯合月刊》的職務。倡議創始在先，卻未能與同仁一起打拚到底。報系因整體發展考量，《聯合月刊》一九八八年一月發行第七十八期停刊。

這樣多方齊頭並進為報育才，使《聯合報》有豐沛的「人才庫」，而在管理學「成長分割」的應用上，也綽有餘裕，所以《聯合報》能在海內外擴增了《經濟日報》、《民生報》、《聯合晚報》、《香港聯合報》、美國、加拿大和泰國的《世界日報》，以及巴黎的《歐洲日報》。

儘管如此大規模的擴張，《聯合報》還是不斷向台灣新聞界「輸出人才」。二〇一九年七月二十九日，《聯合報》或仍在職或已退休的三位資深同仁黃年、楊仁烽和張作錦，偶然聚談，數了一下聯合報系對外「輸出人才」的情形，歷年從報系轉任其他媒體，擔任總編輯、總經理以上，包括社長、董事長等職務的，有二十五人之多。

春秋戰國時期有一故事，見《公孫龍子・跡府》，楚國一位君主帶著他最珍貴的弓去雲龍澤打獵，把弓遺失了，他的侍臣都要去找，楚王卻阻止他們，說道：「楚人遺弓，楚人得之，又何求乎？」《聯合報》那些「出走」的老同事，到新單位，都能發揮所長，貢獻才智，對他們個人，對整體新聞界，都是好事。《聯合報》要反思的只是：報館為什麼沒有留下那些人？

「有制度」的一刀兩刃

在新聞同業中，《聯合報》一向被視為「有制度」。「有制度」可能是讚美，做事不會亂來；也可能是譏評，不知變通。《聯合報》在人事任使的「有制度」是什麼呢？是升遷像爬梯子，一個梯階一個梯階的往上爬，不太可能一次爬兩個梯階。

從上面提到的楊仁烽、黃年和張作錦三人為例，楊仁烽從送報生、校對、業務員、組長、副理、經理、副總經理、總經理、總編輯到社長。黃年和張作錦都是從實習記者、記者、採訪組副主任、主任、副總編輯、總編輯到副社長、社長。《聯合報》的梯子，在記憶中很少人躐等。好處是「資歷完整」、「循序漸進」，了解他負責部門的全盤業務；壞處是「曠日廢時」，有「師老兵疲」的可能。而且，梯子少，人多，年輕人等不及，就「人才外流」了。

「朝無倖進，野無遺賢」，是古往今來治理之至道。政府也罷，企業也罷，都是一樣的。對《聯合報》來說，「朝無倖進」也許做得不錯了；但「野無遺賢」，限於一家企業的「最大胃納量」，恐怕是不得不有的遺憾吧！

第 5 部

中壢事件・退報運動・兩蔣日記・蘇聯特務在台灣

在台灣嚴峻的政治環境中，
「同舟共濟」掀起政論風潮，
並在國建會中勇敢挑戰「報禁」，
力求以真相安定社會。

1977年11月，發生中壢事件，聯合報是第一個、且又以整版報導的媒體，圖為編輯部當日討論新聞資訊的情形。左起發行人王必成、總編輯張作錦、採訪主任鍾榮吉、專欄主任陳祖華、編輯胥盛祥及政治新聞小組召集人顏文門。 聯合知識庫／提供

「中壢事件」台灣反抗運動的第一槍

《聯合報》全版報導　薩孟武：「真相出現了，謠言減少了，作用甚大」

國民政府在大陸敗於中共，一九四九年中央政府撤到台灣，當時風聲鶴唳，政府為確保這塊最後的「復興基地」，不僅施行戒嚴，嚴密查緝「匪諜」，而且以警總、新聞局和黨的文工會，監控新聞界，務期「共匪」無滲透顛覆之可能。

雖然政府步步為營，但仍壓不住本土的反抗運動。一九七七年的「中壢事件」，是反對派人士冒險開出的第一槍，而《聯合報》不顧黨政當局的約束，以全版報導事件經過，都對後來的政局發展有深刻影響。

一九七七年底，五項公職人員選舉。十一月十九日上午，桃園縣中壢市正進行投票活動，由於縣長選舉競爭激烈，各種可能引爆選民情緒的耳語到處流竄，其中最嚴重的是傳說設在中壢國小的二一三投票所，發生選務人員故意塗抹選票的糾紛。

台灣省第八屆縣市長選舉，中壢地區選舉引起騷動，警察奉令不得攜帶武器，不得與民衆對抗，徒手勸阻大家散開。 聯合知識庫／提供

群衆包圍並焚燒警局

到了下午，演發成群眾事件，中壢市警察分局被包圍。為避免事態惡化，警方在晚上八時撤退，分局即遭縱火焚毀。當天晚上十時，縣長候選人許信良競選總部宣稱得票數已超過廿二萬票，確定當選縣長。

那次選舉，在二十縣市中，有四位非國民黨籍人士當選縣市長，另有二十一位非國民黨籍人士當選省議員，其中尤以許信良與蘇南成以脫離國民黨籍競選桃園縣長及台南市長獲勝，最受矚目，且各地亦多以「脫黨」為訴求而當選為其他項目的公職人員者，引起頗大的風潮。種種跡象顯示，中壢的選舉糾紛是台灣政治氣候出現重大變化的關鍵性事件，「黨外團體」自此在台灣政治運作中，占據了前所未有的空間。

事件發生後，國民黨有關當局進行「新聞協調」，希望各媒體「淡化」這個消息；而「黨外人士」為規避法律責任，並營造政治耳語的效果，也不願充分顯示真相。因為沒有真相，不免謠言四起，造成整個社會不安，如何收場，各方沒有共識。

讀者要求報導真相

事件後，《聯合報》收到大批讀者來信，要求報館負起媒體的責任，將真相告訴大家。筆者時任總編輯，向董事長王惕吾先生報告，覺得我們不能辜負讀者的期望，應該報導真相。相信這樣可以消除不實傳言，安定社會人心，對國家是有益的。王先生拍板同意，於是編輯部通知桃園縣特派記者吳心白，協同桃縣全體外勤同仁，到台北總社「密商」，然後展開行動，於十一月二十六日在第三版全版刊出我們的調查報導。

今天的多數讀者，可能不了解「第三版全版」是個什麼概念。當時報紙只准印三大張，除了副刊、電影廣告、行情表等等之外，真正的「新聞版面」，只有第一、二、三版。而第三版，又是讀者最多的版面。所以用第三版整版報導一樁事件，是一項大手筆。

《聯合報》記者訪問了選務人員、治安人員、被懷疑「作票」的人、被認為「滋事」

選務糾紛引起騷擾・中壢事件民主蒙污！
雖屬偶發影響治安甚大・懲前毖後痛切記取教訓

警方祥和處置紛爭
治安當局忍辱負重

選情燃熱謠言四起
追根究底惡少滋事

地方人士看騷亂事件
肇禍者觸犯法律
應依法公開處理

二老詳述投票經過
選票未經別人之手

扔石翻車燒房子
萬般忍耐不流血

警察局長談實況
始終未使用武力

一場無名火烈
二老痛哭無家

抽樣訪當地民眾
憤懣滋事者過份

許信良談事件
與他毫無關係

有些人漠視法律
檢察官十分痛心

中壢事件一周後，《聯合報》以第三版整版報導，成為第一家報導的媒體。

的人，證明都是「誤會」，都是「假事件」。桃園地檢署檢察官廖宏明後來開庭驗票，大體上與《聯合報》調查報導的結果相符。《聯合報》的報導，澄清了社會的謠諑，使大家不再為無稽之傳說所困惑，讓海內外人士能繼續支持台灣的民主選舉制度。

王董事長坐守辦公室

當時《聯合報》的報導，使同業們不滿，向黨政當局指控《聯合報》不遵守「新聞協調」的約定，應受處分。而在那種「戒嚴」和「威權」體制下，報館究竟要承受何種後果，實在難料。《聯合報》董事長王惕吾在報導刊出當天整天留在辦公室，等待有關方面的「傳喚」，可見當時的壓力。

據事後了解，蔣經國總統為此曾召見調查局局長沈之岳，詢問此事有何影響？沈回答，《聯合報》報導了真相，使社會人心恢復安定，應有正面意義。

消息傳到《聯合報》，王董事長這才下班。

《聯合報》為讀者盡守望社會的責任，讀者也「回饋」了《聯合報》，我們接到各方人士大批來信，勗勉《聯合報》繼續努力。台灣大學政治系教授薩孟武先生特別撰寫〈採訪真相〉一文，結尾時他這樣說：

中壢事件已經過去了，初時眞相不明，最後尚有謠言。要消滅謠言，沉默是不合算的，必須發表眞相。眞相不可由當事人任何一方發表。因爲當事人任何一方說明眞相，大眾亦認爲歪曲事實，最好是由第三者——民間報紙報告眞相，而後大眾由眞相的報告，自會平息謠言。這是人類的心裡，無法否認。

慶幸得很，《聯合報》十一月二十六日報告眞相出現了。據余所知，作用甚大，謠言減少了。但我還嫌其稍慢數日。

報導中壢事件固然為《聯合報》贏得了聲譽，但在那個年代，也可能鬧出亂子。《經濟日報》於一九六七年創刊，不久即因報導一則政治新聞，被停刊四天。當時的媒體環境，實在不是今日所能想像。

童舟龔濟掀起的政論風潮

台灣的前途端賴朝野「同舟共濟」

對於台灣民主政治發展，《聯合報》自始至今皆採「支持民主發展／期勿走錯方向」的思維與立場。一方面期望執政黨開明，另方面也呼籲在野黨節制。在一九七八年底的「童舟／龔濟」政論風潮，即是一例。

一九七八年十一月，正值中央民意代表增補選；社會上對蓬勃的民主運動與氛圍深抱期待，但亦對其中潛藏的撕裂因素頗具疑慮。

政治理想的促進者

十一月二十五日，《聯合報》發表筆名「童舟」所寫〈一個災禍的中國，必無苟免的台灣——給黨外人士的諍言〉專文；該文是十餘名報社外的青年共同發想創意，由十年後成為《聯合報》總編輯的黃年執筆。主要文義是：一、對政治反對運動的不公平處境深寄同

一個災禍的中國．必無苟免的台灣

——給「黨外人士」的諍言

童舟

這篇文字是十餘位青年聯合發表的。他們的職業、學歷、黨別或籍貫各有不同，但是認為這篇文字可以表達他們共同的信仰、情感與認知。他們說，基於他們都是中華民國的國民，且是擁有選舉權的公民，他們才有這些共同的想法。童舟是他們共同的筆名。（編者）

一個災禍的中國 必無苟免的台灣

問是非不問恩怨 重文化不重機巧

勿以他人之惡彰顯自己 勿以部分之怨分離整體

請領我們走健康的路 請領我們走安全的路

請再以建設者自況 勿僅以破壞者自豪

必須有團結的台灣．始可有統一的中國

——對中國國民黨的諍言

龔濟

不必揄揚成就．不必掩飾缺失

豈可自外於人．難免形成對立

缺乏制衡力量．疏導乖戾之氣

亟應恢宏胸襟．包容不同意見

鼓勵健全輿論．匡正政治風氣

團結才有前途．我們別無選擇

童舟、龔濟當年這兩篇文章，既針鋒相對，也相輔相成，掀起政論風潮。

情；二、對反對運動持肯定立場，也給予明顯的支持與期許；三、但提醒不要走上歧路，不要走偏了；四、指出族群動員及台獨思維是台灣民主政治的危機；五、台灣問題必須在中國問題裡面尋找解決的方法。童舟在文章中說：

「誰又勾起那一場記憶（按，二二八事件），無論本省人或外省人都有淚也有血。如果你我都認爲那是一場噩夢般的罪，讓我們用愛來贖，不要用恨來償。……流血者固然有憾，當不願見子孫再流血；流淚者固然有怨，當不忍見子孫再流淚。」

「在這樣的環境下，想成爲一個沒有黨別標誌的政治人物是十分艱辛的。……因此，此刻你以一個黨外人物的姿態站在台上，我們雖對你仍有奢望，但僅以你舉起黨外的旗幟，已足受到大家的尊重，已可在我們的民主歷史中留下一筆。」

「當你身披紅綵，又鞭炮又鑼鼓地領著選民踏過大街，走過小巷，你可曾想過，你究竟要把這興沖沖意昂昂的一群帶到那裡？……作爲一個政治人物，我知道你不得不是一個政治權力的角逐者，但更希望你是一個政治理想的促進者。」

接著，十一月三十日，我以「龔濟」的筆名於同一版位發表〈必須有團結的台灣，始可有統一的中國──對中國國民黨的諍言〉指出，「我們沒有健全的在野黨，是（政治）緊張無法鬆解的原因」；文中直指政黨政治的禁忌話題，大力呼籲當局以理性對待反對運動，亦應給媒體及議會更大的空間：

「更不幸的是，國民黨若干幹部，爲了確保黨在政治上的基礎，爲了先期扼制競爭對手的成長，不惜劃清界線，視『黨外』的政治人物爲異己。『黨外』一詞正足以標示國民黨推行民主政治方法上的不當。你視別人爲『外』，別人必視你爲『外』，哪裡有一個政黨可自『外』於人的？又哪裡有一個自『外』於人的政黨而不製造對立者的？」

「理性，恐怕是當今治療我們政治上疾病的最重要的一劑藥。這劑藥，不能只開給非國民黨人士，也應該開給國民黨人士。」

「同舟」與「共濟」

童舟龔濟（同舟共濟）的專文立即成為輿論焦點，社會回應熱烈；而這兩篇文章所表達的「支持民主發展，期勿走錯方向」，「在野黨應節制，執政黨應開明」的思維，非但反映了自當年迄今台灣政治辯論的主軸議題，也代表了《聯合報》對台灣民主發展的基本關懷。這個立場，始終未變。

筆者是龔濟，黃年是童舟，外界常以為是同一人，我們兩人的結識和淵源，應有一點說明。我在《聯合報》擔任採訪主任時，黃年從學校畢業到《聯合報》當實習記者。行家一出手，就知有沒有，他寫了一兩篇報導，就讓人知道他是可造之材，我請他留下來做專欄記者。那時報館組織鬆散，很少人指定他採訪題目，他要自己找活幹。而他自己設定議題的專訪，很快就受到大家的注意。

當時擔任中央社副社長的張任飛先生，在政大新聞系教書，是黃年的老師，他辦了兩本雜誌《綜合月刊》和《婦女雜誌》，都很成功。有一天他來找我，希望我「割愛」，讓黃年到《綜合月刊》去當總編輯。他說，《聯合報》升遷有一定制度，黃年哪一天能「爬」到總編輯的位子？《綜合月刊》雖是小門小戶，但黃年去了是「獨當一面」，可以發揮他的才幹。我雖然不情願，但沒有理由阻擋一位年輕同仁的發展。我問黃年的意思，他說願去。臨行時我告訴他，如果《綜合月刊》的工作環境不合適，請他回到《聯合報》來，不要覺得不好意思「去而復返」。但是被我不幸言中，後來他離開「綜合」，沒有回《聯合報》，卻去了我們的「對手報」《中國時報》。他雖然換了新單位，但無損於我們的舊友誼。

針鋒相對．相輔相成

一九七八年十一月下旬，黃年忽然打電話給我說，他有一篇文章，「時報」的董事長余紀忠先生不願發表，他想寄給我看看。我收到，讀了，立刻決定刊出，二十五日就見報了，就是「童舟」的那篇稿。可是我自己也有話要說，三十日又登了「龔濟」的那一篇。兩文有點「針鋒相對」，也有些「相輔相成」，一時倒也受到相當注意。

《聯合報》一向是「總編輯制」，總編輯發稿，幾乎可以全權作主，不必請示報社高層。像童舟那篇文章，我就直接發了，報館負責人和一般讀者一樣，要第二天清晨才看到。這一點，也許讓黃年心中有些感觸。

過了些天，黃年晚上打電話給我，約我下班後到他家吃消夜聊天，我買了幾瓶啤酒和一些滷味到台北縣永和鄉黃家，酒過三巡，黃年說他想回《聯合報》，我張開雙臂歡迎，從此黃年就成了「聯合報人」，他後來創辦《聯合晚報》，接任《聯合報》總編輯，擔任《聯合報》總主筆二十一年，成了《聯合報》「標竿型」、「台柱型」的人物。

至此以後，我常用「龔濟」之名寫稿，黃年則幾十年不用「童舟」之名。直到晚近，才偶一為之。

在「國建會」燃放「解除報禁」的烽火

以具體事實和數字，堵塞政府「報禁」的藉口。

天下沒有不箝制新聞自由的政府。因為當政者或主動貪汙濫權，或無意失察犯錯，都希望這些事不讓民眾知道，以免影響他們的選票，所以無不軟硬兼施對付新聞界，要他們不要報導，或不能報導。

不要報導，用胡蘿蔔；不能報導，用棒子。中華民國政府自大陸遷台後，用的就是棒子。

一九五〇年台灣戒嚴，「黨禁」和「報禁」也同時開始。在「報禁」上，當時政府的理由是：「我國現有報紙三十一家，每天總發行量三百五十萬份以上，就人口及幅員來說，報紙的家數和發行量已到達了飽和點。」

政府主管部門，如行政院和新聞局，應付立委質詢或外界詢問，答詞千篇一律，報紙每天總發行量可以變換，但三十一家報紙這個數字是長遠不變的。

所謂「報禁」，不止是「限證」——不發新報紙的登記證，而且還「限張」——報紙每天不得超過三大張，甚至還有一項限制，連很多新聞界人士都未注意到，就是「限印」——報紙只能在登記所在地印報。譬如《聯合報》在台北市登記，就不能在台中或高雄有印刷廠。

到了一九八〇年代，台灣經濟蓬勃發展，蓄勢起飛，工商業對廣告的需求嗷嗷待哺，報紙卻還限制在三大張；而台南、高雄的讀者還要到下午三四點鐘才能讀到台北的報紙，實在不能配合國家的現實和社會的需要了。

政府為求充分了解海內外人士對建設台灣的各種意見，每年於暑期舉行「國家建設研討會」，邀請國內外學者專家及相關人士在台灣開會，討論國家的建設方向，及具體推行的目標和步驟，供政府參考，是台灣每年一度的盛事。

一報三禁

一九八一年的「國家建設研討會」，我參與七月十三日的新聞組會議。同一天，《聯合報》第二版發表我的署名文章：〈談報紙的「限張」和「限印」〉。

我開宗明義的指出，報紙現在受到「限證」、「限張」和「限印」的三種禁制，是「一報三禁」。不發報紙的登記證已經談了三十年了，似乎並無解禁的跡象，多談也是無益。其實，我原來想到文章的標題就是響叮噹的「一報三禁」，但是當時環境特殊，不要「呷緊弄破碗」，還是先攻「限張」和「限印」這兩個堡壘。

所以我說：國家當前處於極複雜困難的局面，解除報紙「限證」，關係重大，政府也許可以要求大家「相忍為國」；但報紙若繼續「限張」、「限印」，連這些「技術」問題也絕不考慮放寬，恐怕就不合時宜了。

我在文章中指出，報紙限張的理由，是「戰時節約用紙」。但是，照我國海關的統計資料，一九八〇年全年進口新聞用紙為美金一千八百餘萬元，但進口水果是美金五千四百餘萬元，為新聞紙的三倍。連進口洋菸洋酒都達三千一百餘萬元，是新聞紙的一．七二倍

談報紙的「限張」和「限印」
張作錦

1981年國建會第一天，張作錦在二版以大篇幅質疑報禁的合理性。

呢！

筆者根據海關一九八〇年全年進口資料，隨意找出八項個人認為是「非必需消費品」（而且絕大多數本國均可製造，無須舶來），與新聞用紙作一統計比較，情形如下（數字均為美金）：

新聞用紙一千八百三十二萬四千一百二十元。

八項非必需消費品二億四千八百六十萬零七百一十八元。

1.家用電器（冰箱、洗衣機、電扇等）三千七百一十一萬五千四百二十三元。
2.電視機、收音機八千二百一十八萬九千四百五十四元。
3.香水、化妝品二百八十二萬二千四百零三元。
4.轎車等車輛三千七百二十四萬一千五百零四元。
5.洋煙、洋酒三千一百七十八萬二千一百五十六元。
6.家具一百零四萬一千三百零二元。
7.玻璃器皿、陶瓷器、磁磚一百四十六萬五千五百一十八元。
8.水果（梨、蘋果、櫻桃等）五千四百九十四萬二千九百五十八元。

美金一千八百多萬的進口新聞紙，只是二億四千八百餘萬的「非必需消費品」進口的十三分之一而已。

「戰時」有「節約」嗎？

任何人看了這張表都會提出一個疑問：既屬「戰時」，應該「節約」，為什麼不節約水果，不節約洋煙洋酒，不節約轎車，不節約化妝品，卻偏偏要節約新聞紙呢？如無相當的必要性，新聞紙之不應或不宜過度限制，其理由是顯而易見的：

第一、今天是所謂知識爆發的時代，國民的知識就是國家的力量，何況政府還在大力推行「文化建設」，提高國民生活素質，如果連最基本的傳播工具都要嚴加限制，如何能達到上述目標？

第二、當前我們處於一個瞬息萬變、複雜萬端的國際社會，而國家的景況如斯，世界上任何地方發生的事，都可能影響到我們。我們應該多知道一些別人做了些什麼，以便調整我們自己適應的方式，找自己的出路。

如果報紙增張，恐怕有人疑慮，增加的篇幅會不會都被廣告吃去了。事實上，報紙本身會有一種自我約束和調節的功能，因為沒有讀者願意購閱一份廣告過多而新聞過少的報紙。

提到廣告，這是報紙因為篇幅受限制而不能充分服務公眾的又一問題。有些人談到廣告，常常有排斥的意識，但是廣告對於現代工商社會非常重要。

台灣經濟發達，工商活動頻繁，廠商為促進銷售，對廣告的需求日益迫切。報紙自一九六九年七月由每日兩大張半調整為三大張以來，已「釘住」十二年之久。在此期間，我國經濟成長率平均超過百分之十，廣告平均成長率為百分之廿。國民生產毛額從台幣二千二百五十三億增至一兆一千六百四十一億，增加四．一七倍。而廣告投資總額（即廣告量）自一九七〇年起至一九八〇年止，已從每年十四億四千九百萬元增至每年一百億以上，增加六．六倍。但報紙篇幅如故，如何能適應客觀情勢的需要？

工商企業界創造的經建成果，我們大家都有分享，但是我們又忽視、甚至歧視其創造成果重要手段之一——廣告——的需求，孰能謂平？

談過「限張」之後，再談「限印」。除了不合理之外，還要特別注意它的浪費是多麼嚴重。

「限印」浪費太多資源

我以《聯合報》來說，一九八〇年有運報車廿六輛，平均每月消耗汽油約六千公升，每

報禁未開放前，報紙在北部編印完成，用印報車火速送往中南部。這是當年《聯合報》的送報車車隊正要上高速公路。 聯合知識庫／提供

公升廿八元，計支出十六萬八千元；消耗柴油約七萬公升，每公升十四元五角，支出一百零一萬五千元，兩者合計每月支出共為一百十八萬三千元，一年就是一千四百十九萬六千元（其他的相關支出還不算）。台灣現有報紙卅一家，絕大部分在北南兩端，運報車容或有多有少，但每年人力物力之浪費，尤其是汽油的消耗，是十分可觀的。近年「石油危機」一再發生，政府力倡節約能源，並制訂「能源政策」，就報紙發行一端而言，這是與能源政策的有效配合嗎？

自衛星通訊實現以來，千里咫尺，世界已大為縮小。很多先進國家的報紙，都是在一處編輯後，利用衛星傳送到其他各處，同時印刷發行。以美國的《華爾街日報》為例，她有十二個地區性印刷工廠。在美發行的中文《世界日報》，其

國際性、全美性的重要新聞版是在紐約編輯，然後傳至舊金山和洛杉磯兩處分別印刷發行。美國東西兩岸相距四千公里，即傳即至，快速而便捷。在時代進步、科學昌明的今天，我們的出版報紙還限制只能在一個地方印報，那就未免太抱殘守缺了。

國建會新聞組開幕當日，我這篇文章刊在《聯合報》第二版醒目位置，在會中自然引起注意。宋楚瑜當時是新聞局長，是會場的主人，他跑來跟我說：「您文章裡談的問題，我們都在考慮。」

一考慮就是七年。一九八六年九月二十八日民進黨成立，黨禁事實上是開放了，但報禁仍無開放消息。我在一九八七年元月號的《遠見雜誌》上撰文追問：〈黨禁開了，報禁如何？〉

我指出：

開放報禁亦如開放黨禁，是台灣民主革新的大趨勢，是必走之路。開放得愈晚，將來的困難可能愈多。

新聞局長張京育不久前就這問題曾表示，開放報禁可能使很多報紙倒閉，形成少數壟斷的現象。

張局長所言，確有事實上的顧慮。根據聯合國一九七五年的資料，美國報紙有

黨禁開了，報禁如何？

張作錦

愈晚開放困難愈多

壟斷與報禁無關

不忍官報倒閉

阻礙意見管道

1987年，張作錦在《遠見》雜誌上繼續催促政府盡速解除報禁。　天下文化／提供

一千八百十二家，總發行量六千一百二十二萬份。到了一九八○年，據「編輯人及發行人週刊」的統計，五年間報紙減少了五十家，發行量增加了七十四萬份。

Charles W. Dunn在他一九八二年出版的「American Democracy Debated」一書中引用的資料說，美國有一千七百家日報，其中一千一百家爲報團所有；報紙總發行量的七○%以上受一百六十七家報團所控制。美國一城一報的現象已很普遍，說輿論易受壟斷並不爲過。

「報禁」反促成「報團」

儘管如此，張京育的顧慮與台灣的現實並不吻合。台灣卻是在報禁之下，反而使報紙發行逐漸集中，形成了大報團的現象。這與美國的情況相對照，可見是否兼併與有無報禁不相干。若是從另一方面來看，既然怕壟斷，也許正需要開放報禁，使大家可自由辦報，自由競爭呢！其實，朝野上下都清楚，不開放報禁眞正的原因，另有兩點大家不願明說的癥結：

第一、政府當局認爲，把報紙家數限制在一定範圍內，比較容易掌握和影響，使政府和民間在積極上易於溝通，消極上減少意見對立的機會，以維持政局的和諧。

第二、至少從台灣的報業史上來看，官報（包括黨營和政府經營的報紙）在競爭能力上不如民營報紙，如開放報禁（不管是限證還是限張），都會使目前若干已經虧損的官報更無法生存。使這些報紙倒閉，無論在責任上或感情上，都是有關方面所不願見的。

政治雖然不能沒有理想，但也絕少完全不顧現實的政治。執政當局的上述兩項考慮，在國家的特殊情形下，也不能說多麼不應該。問題是，我們要來檢查它的實行效果。

「報禁」並不能安定政局

七〇、八〇年代，「黨外」的擾攘，對立的升高，證明報禁並不能達到安定政局的預定目的。原因至少可以舉出三點：

其一、傳播媒體的態度過分一致和集中，使民間不同的意見無由充分表達，因而導致政府在政策制訂上可能有錯誤的判斷，與社會大眾的溝通也可能有差距。

其二、台灣地區小，消息傳播快，一般人並不以報紙爲得到消息的唯一來源，所以報禁並不能壟斷所有的資訊。

其三、由於意見的反映管道有阻礙，有話要說的人不免把聲音提高一些，說得誇張聳動一些，期能引起注意。這種說話習慣養成的後果，就是今天台灣社會的「語言暴力」。「語言暴力」積聚動能，寖假就有群眾的街頭行動。其對國家政局的安穩和社會的安定，有一定的影響。

當局限制報紙家數以求安定和諧的希望，顯然沒有達到。那麼第二個目標保護官報，結果又如何呢？

台灣因爲沒有報紙發行稽核制度，各報發行數字外人無由確知，但是大體上還是有相當接近的評估。據說，少數民營報紙的發行數，遠超過全體官報的發行總和，有些官報一直在困難中經營，可見報禁也並不能完全保護官報。

雖然官方報禁的目的並沒有達到，但是開放報禁還是牽涉到很多問題，主管當局是不會輕易開放的。不過要求民主權利的人，在得到黨禁開放的「勝利」之後，下一個奮鬥目標必然是報禁，可以預見，這又將是一場長期的纏鬥。

「自由」有了，但「規範」卻沒了

纏鬥相當激烈，執政當局撐不下去，只隔了一年，一九八八年一月一日，報禁開放了。報禁一開，人人可辦報，大家可發言，一時百家爭鳴，每人都提高音量說話，都要搶著說話。而且，話要說得極端，言詞要用得鋒利，就怕別人聽不到，注意不到。

自由有了，但規範沒了，社會亂了。怵目驚心之餘，我寫過一些小文章，像是〈言論自由有無界限〉、〈自由而無秩序，終將失去自由〉。在大家都為我們成為言論自由的民主國家而欣喜的時候，我憂慮的寫道，〈民主並不能保障國家不走向衰亡〉。後來這些文章被輯入一本書裡，書名是《誰說民主不亡國》。

首見由總統發動的「退報運動」

「退報救台灣」的結果救了台灣了嗎？

一九九二年十月下旬，我和同仁到北京參加「亞洲及太平洋地區報刊與科技和社會發展研討會」，不料會後中共政治局常委李瑞環的談話報導，受到總統兼國民黨主席李登輝的嚴詞批判，並發展成後來的「退報救台灣」運動。這是台灣解嚴後，政治力公然走回頭路，開始箝制言論自由的第一聲驚雷，這在台灣的政治法制和新聞言論歷史上有其意義，應該留下一點真實的紀錄。

北京「報刊會議」十月廿六日開始，廿九日結束。閉幕當天下午，李瑞環在人民大會堂會見兩百多位出席人士，合影留念，然後又在「福建廳」和台、港及華僑新聞界代表三十人會談四十分鐘。

李瑞環首先說明中共「十四大」的成就，然後談到兩岸關係。他說，海峽兩邊的現狀是歷史造成的，不能急著解決，如果這一代的人不能解決，下一代的人來解決也許就容易些。這時候，李的意態之間，可謂相當平和。

李瑞環的「開場白」大概說了十多分鐘，隨即請客人發表意見。《中央社》和《聯合報》的記者分別提出有關兩岸交流的問題，然後，高雄《中國晨報》董事長劉恆修提出第三個也是最後一個問題。他問假使「台獨」勢力威脅到「未來統一」，中共將如何反應？李瑞環回答說，「即使犧牲流血，前仆後繼，停止經濟發展，也不能容許分裂國土。」

三十日的台灣報紙，有記者在北京的固然登了這條消息，沒有記者在北京的也多選用了《中央社》的電訊。

各主要綜合性報紙都報導了李瑞環談話

十一月十一日，國民黨中常會討論黨員倡言「一中一台」的處分案，中常委沈昌煥手持十月三十日的《聯合報》發言，認為李瑞環的話代表了中共對台獨的態度，一中一台將給台灣帶來災害，因此主張嚴懲。李登輝主席回應沈昌煥的發言，說了「重話」，並批評了媒體。國民黨文工會事後正式發布的李主席講話全文，其中有幾句話是這樣說的：

中共李瑞環最近的說法，就本人的了解，並非如沈常委所說的，當時在場的記者也聽到了；但是某某報社記者回來之後，寫了一篇可怕的報導，恫嚇了我們的老百姓。事實上那些人在大陸做了什麼事情，本人都非常了解。因爲這關係到國家安全，這個問題非常非常的大。剛才沈常委昌煥同志所提，李瑞環表示要血洗台灣而不要經濟發展的報告，事實上李瑞環不是這麼說的。有人就是故意誤導當時整個氣氛，實在是非常可怕的事情……。

李瑞環的談話，次日台灣各主要綜合性報紙都有刊出，稿源不同，但基本內容並無二致。因此，不能確定李主席口中的「某某報」「寫了一篇可怕的報導」，究竟是指哪報，但後來竟被若干媒體和某些團體「指認」為《聯合報》，並「口徑一致」的說《聯合報》是「中共的傳聲筒」，是「人民日報的台灣版」，又發起「退報救台灣」運動，要大家不看《聯合報》，不在《聯合報》上登廣告。

現在回顧歷史，我要談下面幾個問題：

第一、李瑞環當時究竟是怎麼說的？《聯合報》報導的內容有沒有錯？這是「本案」的關鍵。

第二、這則新聞應不應該登？

第三、刊出這則新聞，能不能解釋為「恫嚇」老百姓？能不能引伸為「中共的傳聲筒」？

聯合報 UNITED DAILY NEWS

李瑞環：大陸不惜中止經建阻止台灣獨立

接待亞太報刊研討會代表指出，大陸將用「任何方法」維護國家領土完整，即使「犧牲流血、前仆後繼」也在所不惜。

執政黨將嚴厲處分涉案立委

者處分停止黨權　將撤銷立委提名　宋楚瑜昨已主持換人預備作業

減稅案　不修法

承銷人先繳十分之一欠稅　其餘慢慢理

兩會協商膠著　明延長會談

中共對台人事換血　辜汪會談可能推遲至十二月底

台灣與中共加入關貿總協　歐洲議會促排除政治干擾

區運特別報導（十八、十九版）

尋人啟事　孟志勳

中國時報 CHINA TIMES

李瑞環：台灣媒體赴大陸可行　設立辦事處　合作辦刊物

昨會見台灣新聞界人士、強調對台獨絕不鬆口　即使「犧牲流血」付出代價也在所不惜

執政黨可能處　吳耀寬　蘇火燈　停權撤銷提名

果菜承銷稅風波　確定不修營業稅法

江澤民將掌中共對台工作領導小組

兩會今再協商可能出現轉機

尋人啟事

李瑞環的談話，台灣主要報紙都有報導，即使是國民黨黨報《中央日報》及官方《台灣新生報》都放在一版，但《聯合報》卻因為這則報導，由總統李登輝主使發動「退報運動」。

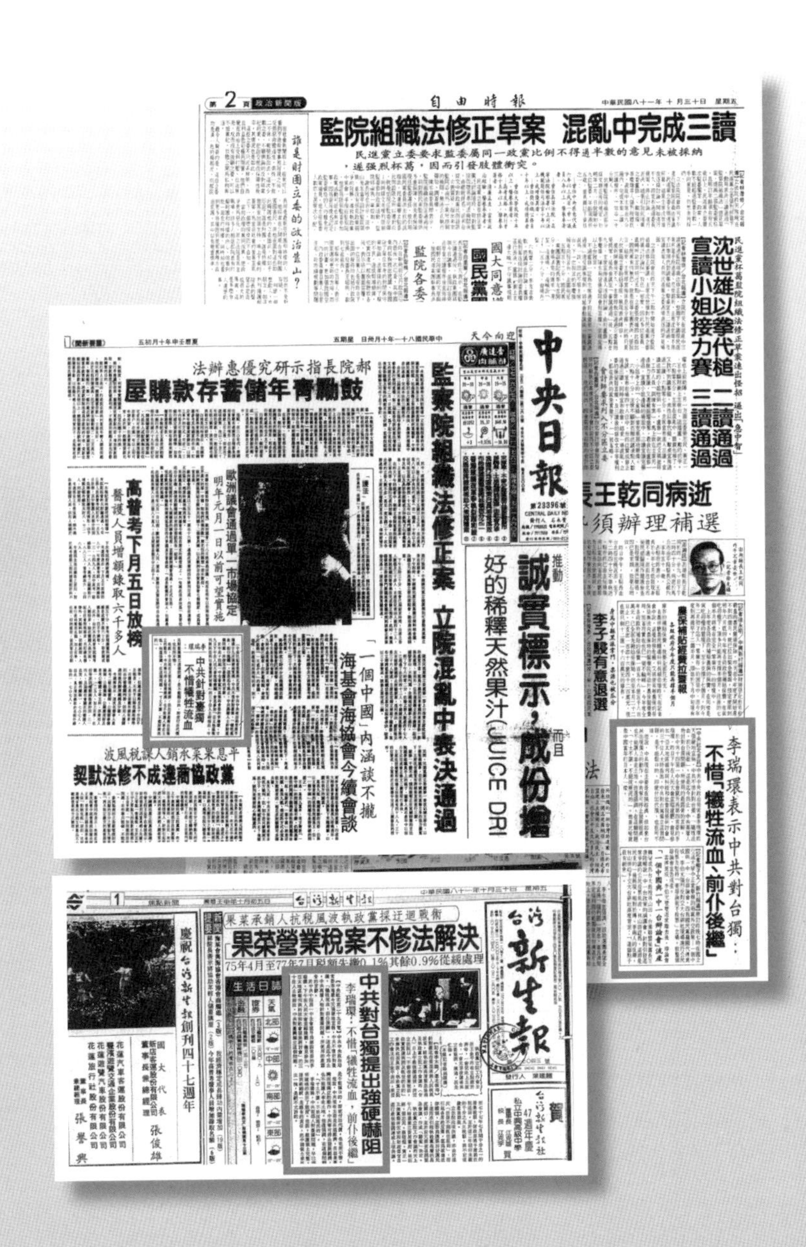

自由時報

監院組織法修正草案 混亂中完成三讀

民進黨立委要求監委同屬一政黨比例不得過半數的意見未被採納，遂強烈杯葛，因而引發肢體衝突。

沈世雄以拳代槌 宣讀小姐接力賽 二讀通過 三讀通過

李子駿有意退選

李瑞環表示中共對台獨：不惜「犧牲流血、前仆後繼」

中央日報

監察院組織法修正案 立院混亂中表決通過

鼓勵青年儲蓄存款購屋 郝院長指示研究優惠辦法

高普考下月五日放榜 醫護人員增額錄取六千多人

歐洲議會通過單一市場協定 明年元月一日以前可望實施

「一個中國」內涵談不攏 海基會海協會今續會談

中共針對臺獨 不惜犧牲流血

台灣新生報

果菜承銷人抗稅風波執政黨採迂迴戰術

果菜營業稅案不修法解決

中共對台獨提出強硬嚇阻

李瑞環：不惜「犧牲流血，前仆後繼」

慶祝台灣新生報創刊四十七週年

第四、是不是退報就能救台灣？

上面四點，第一項是事實問題，有憑有據；第二和第三可經由學理與經驗檢證；第四是筆者個人的意見，人人得而駁之。

第一、李瑞環是怎麼說的？

李瑞環有關應對台獨的說明，有兩個重點，其一，犧牲流血，前仆後繼，在所不惜；其二，不惜中止經濟發展，也要處理台獨問題。十月三十日《聯合報》、《中央社》和《中國時報》的報導內容，並無不同。茲分刊如下：

《中央社》的報導：

【中央社記者張蕙燕北京電】中共中央政治局常委李瑞環廿九日強硬地宣稱，中共不惜針對台獨，「犧牲流血，前仆後繼」。這是迄今爲止，中共高層人士針對台獨問題，所使用的最露骨的言辭。

他說，中共現在主要是在搞經濟，但如果台灣出現獨立的動作，中共寧可停止發展經濟，也不能讓人拿走土地。他還強調，在這個問題，「寸土不讓，不能抹稀泥的」。

《中國時報》的報導：

【本報特派記者張守一北京廿九日專電】中共中央政治局常委李瑞環今天會見台灣媒體時，強硬地提出對台獨的立場。他表示，中共對台獨絕不鬆口，即使「犧牲流血、前仆後繼」，付出代價也在所不惜。

台獨問題是由台灣媒體所提出，李瑞環在答覆之際，語氣顯得堅定，聲調突然提高，變得異常激動。

《聯合報》的報導：

【特派記者易行／北京廿九日電】中共中央政治局常委李瑞環今天明確的指出，中國大陸現在正努力於經濟建設，但是只要台灣有獨立行動，大陸將不惜中止經建，也要處理台獨問題，以維護國家領土的完整。

他斬釘截鐵的表示，中國大陸絕不會坐視台灣獨立，將用「任何方法」來阻止，即使「犧牲流血，前仆後繼」也在所不惜。

大家可以看得出來。《聯合報》、《中國時報》和《中央社》的報導內容，並無不同，非如李主席所說「事實上李瑞環不是這麼說的」。

第一、這則新聞應不應該登？

媒體最重要的功能之一是「告知」。也就是把生活環境裡所發生的較重要的事告訴公眾，使他們都能耳聰目明，趨吉避凶，生活得幸福。台灣的未來，不出三途：統一、獨立、維持現狀。不管是哪一條路，都和中共的態度脫不了關係。無論「歡喜」與否，誰也不能規避這個現實。既然如此，以李瑞環在中共的地位，以他那麼「直截了當」的話，新聞界可以不讓公眾知道嗎？事實上，就我當時接觸到的台灣報紙，都登了這條消息，可見大家衡量的標準是一致的。

第二、刊出這則新聞，能不能解釋為「恫嚇」老百姓？能不能引伸為「中共的傳聲筒」？

報紙是新聞訊息與讀者間的橋梁，因而稱作媒體。媒體對於新聞訊息來源的責任，是應當正確報導訊息，不論媒體本身贊同或反對此一訊息；媒體對於讀者的責任，則是忠實告知訊息，也不論讀者贊同或反對此一訊息。譬如，波斯灣戰爭之前，國內各報均曾報導美國聲言將制裁伊拉克，但不能說是我們藉美國政府以「恫嚇」伊拉克人民；我們既無此

「犯意」，自然就不是去做美國的「傳聲筒」。

儘管台灣主要的綜合性報紙都報導了李瑞環的談話，儘管這項報導未違反新聞道德規範，但李登輝的意旨一出，社會某些團體和個人即如響斯應，歷史罕見的退報運動即鋪天蓋地而來。

先是十五個團體發起「退報救台灣」運動，並組成「退報聯盟」。成員包括台灣基督教長老教會、台灣醫界聯盟、外省人台獨協進會、北基會、公民投票促進會、新大學工作隊、萬佛會、新台灣重建委員會、台灣人權促進會、台大大論社、進步婦聯和天主教修會正義和平組。他們在十一月廿三日舉行記者會，宣布「退報救台灣」的具體做法：

一、印製「為何要退報與如何退報」傳單，分發民眾，並印製「我家不要聯合報」的貼紙，由支持者貼在家裡信箱上。

二、製作傳單，呼籲民眾不訂《聯合報》。

三、勸告廣告業主不在《聯合報》上登大型廣告。勸告一般民眾不在《聯合報》上登分類廣告。

四、寫公開信給媒體，表示退《聯合報》只是一個例子，以後哪個媒體有同樣「惡行」，退報聯盟會立即出來「主持公道」。

五、在全台各地，利用集會向公眾展開宣傳活動，希望擴大退報運動的影響力。

《聯合報》提告訴

「退報聯盟」對《聯合報》的誣蔑和威脅，《聯合報》發行人劉昌平委託律師邱錦添和高理想，向台教會會長林山田、台教會祕書長林逢慶、醫界聯盟會長李鎮源和長老教會牧師楊啟壽，發出「嚴正聲明」，立即停止各項妨害《聯合報》名譽和利益行為，否則將向法院提出告訴。

「退報聯盟」卻回應說，他們的目標除了以「退報運動」來達成外，沒有更好的辦法。到此地步，《聯合報》乃委託葉潛昭和劉興源兩位律師，向台北地方法院狀告「退報運動」負責人「妨害名譽」。經法官鄭麗燕審理，原、被告都出庭申訴理由，民國八十二年七月廿九日宣判，指四人共同散布文字，指謫足以毀損他人名譽之事，林山田處有期徒刑五個月，李鎮源、楊啟壽、林逢慶，各處拘役五十日。如易科罰金，各以三十元折算一日。

林山田等四人不服，上訴高等法院。高院審判長房阿生，法官黃賽月、蔡光治，於八十三年八月卅一日判決，「原判決定撤銷。林山田、李鎮源、楊啟壽、林逢慶均無罪。」歷經兩年的官司，二審定讞，就此結束。

「千古奇文」的判決文

由總統兼執政黨主席發動的「退報運動」，固然是民主自由國家從未有過的事，而高院對《聯合報》自訴案的判決文，更是「千古奇文」，應該記錄下來。

判決理由說：

本件被告等在前開傳單中刊載：《聯合報》爲「中共傳聲筒」、「人民日報的台灣版」、「向中國共產黨靠攏」、「《聯合報》目前已成爲製造對立、破壞台灣安定的亂源」、「恐懼製造者」等言論，均係針對《聯合報》前開報導，認有失眞失實而加以評論，並未對自述人及《聯合報》股份有限公司本身有任何直接毀損其名譽或損害其信用之言詞與行爲。按自訴人係法人，《聯合報》乃其出版品，兩者自非同等人格。且按《聯合報》屬出版品之新聞紙類，係屬具有社會公器性質之商品，既無獨立之人格，亦非商號，如就其報導本身而加以評論，乃係對出版品內容之評述，對於自訴人《聯合報》股份有限公司之法人名譽及信用，自無直接同等之妨害。從而自訴人指訴被告等對「《聯合報》」報導內容之評論，即認係對其誹謗及損害信用，自非可採。

這條判決理由，至少有兩點可以討論：

第一、既然「係針對《聯合報》前開報導，認為有失真失實而加以評論」，那麼《聯合報》與其他十多家媒體同時報導，內容相同，而又有李瑞環的談話錄音呈堂為證，是什麼地方「失真失實」了？判決書並無明示。評論與誹謗的區別主要在於：如果根據事實而表示意見，是評論；如不根據事實，或並非事實，則是無的放矢，故入人罪，那是誹謗。《聯合報》報導李瑞環的談話是否真實，這是本案的誹謗罪能否成立的關鍵，法庭不查不究，輕輕放過，令人費解。

第二、最令人駭異的是，法庭認定，被告等人的言行是針對沒有「獨立人格」的《聯合報》這張報紙，「聯合報股份有限公司」無權提出主張。如果這樣的判決理由可以成立，那麼我們來舉一反三：「飛龍汽車公司」生產一種「飛龍一號」汽車，我散發傳單，公諸於眾，謂「飛龍一號」汽車品質低劣，隨時會拋錨起火，發動消費者「我家不買飛龍車」。「飛龍」如認為商譽受損，只有「汽車」能去法院告我，「公司」無奈我何。若是這樣的理由能夠成立，則《聯合報》社以自身有傳播工具之便，今天可以在報上說「大味牛奶」有毒，明天說「小味麵包」吃了會得癌症，如果「牛奶」和「麵包」不能跑到法院告訴，則「大味」和「小味」兩家公司就只有自認倒楣。天下不合理之事，何過於此？

「法治」國家云乎哉？

儘管如此荒謬而悖理，但法院就是這樣認定了，法官就是這樣判決了。我們是一「法治」國家，你還能怎樣？

平民百姓不能怎樣，但事情一定會被記載下來，後人一定會知道，歷史一定會評斷。主政者以總統兼執政黨主席的高度，發動「退報運動」，是台灣解除戒嚴，開放黨禁報禁，成為「自由和民主國家」後，對民主和自由刺出的第一刀，是政治趨向敗壞的開始。「退報救台灣」多麼諷刺的口號？

雖然「退報聯盟」有計劃、有組織的全面打擊《聯合報》，《聯合報》除了在司法上爭取公道，在內容上精益求精，並力守客觀公正原則外，業務部門也全力動員，那時全省一千兩百多個發行經銷商是聯合報最大的後盾。經過長期、堅持的努力，在發行業務上面，不僅鞏固了報份，還開拓了新的市場。根據當時總經理楊仁烽的說明，經台灣最有公信力的「聯亞公司」的SRT調查（就是現在AC Nielsen的前身），一九九二、一九九三退報運動最凶險的兩年，《聯合報》的閱讀率還是全台灣地區所有報紙的第一名。

和「總統級人物」的「過從」

我對嚴家淦、蔣經國、連戰、陳水扁、馬英九和呂秀蓮的印象。

我跑政治新聞的時候，台灣正值戒嚴，有黨禁和報禁，是「威權時代」的巔峰，記者沒有地位，政府首長「不流行」和記者打交道，不要說院長級的官員，見個部長都很難。

在那樣的環境裡，我有機會與幾位「國家領導人」級的人物，有些許「過從」，得和他們談話，聽取他們的意見，並把自己某些看法反饋他們。

副總統兼行政院長嚴家淦（前）與行政院副院長蔣經國攝於1970年。　聯合知識庫／提供

嚴家淦絕非「嚴推事」

我接觸的第一位政要是嚴家淦。他是副總統兼行政院長，我是跑行政院的新聞記者。曾在很多重要場合見到他，一九六八年他代表蔣總統去泰國訪問，

一九七〇年去日本主持大阪萬國博覽會中國館揭幕，我都隨團採訪，但沒有交談過。只能說見過他，但不認識他。

一九七二年三、四月間，嚴兼院長辦公室忽然打電話來，謂院長想找我談談，問我何時有空？我意外之餘，自然「請院長指定時間」。過了很久沒有消息，接著嚴內閣總辭，副院長蔣經國六月一日組閣。我以為這次約會沒有了，但過些時候，總統府忽然來了電話，副總統有請。

嚴家淦隨政府到台灣，歷任省政府的廳處長，再到中央的部院長，以迄「備位元首」，他一直待人謙和有禮，小心謹慎，不說得罪人的話，不與人爭。比較有禮貌的人說他是「好好先生」，詆之者則謂「嚴推事」——遇事不敢自作主張。

熟悉嚴先生的人，都知道他私下是個很健談的人。那天到了他辦公室，嚴先生肅客入座，略事寒暄之後，就滔滔不絕一口氣說了四十五分鐘，講述他的從政經驗和政治理念，尤其當國庫空虛而軍費浩繁的那些年，他從財政廳長到財政部長任內的巧婦難為。在各方的責難與誤解中，他的委屈可以想見。

他說，台灣這麼小，當年又那麼窮，養活六十萬大軍不說，蔣夫人領導的婦聯會要為軍眷蓋房子，不應該嗎？黨國大老谷正綱領導的「大陸災胞救濟總會」要空飄實物救濟大陸同胞，不應該嗎？但沒有錢啊！我們想辦法在電影票多加五毛錢的捐款，結果被大家罵死了。

「外界對我的批評，我都知道。」一向平和雍容的嚴先生，聲音忽然提高了一些：「我們中國官場有個壞毛病，因為反對一個人，也就反對他做的事。他做的事錯了固然應該反對，他做對了也要反對。我因為不願別人反對我做的正當的事，所以不願得罪人，讓事情辦得順利。在我們這兒，做事是很難的。」這些年來，默察政壇形形色色，益發覺得嚴先生的話有理。我們的官場，的確還沒有建立正常的「反對文化」，在執政黨眼裡，反對黨都是「亂臣賊子」，在反對黨眼裡，執政黨只會弄權貪汙。而同黨之間，也一樣互不相容，對人不對事，日積月累，終於弄出今天國家的憂患局面。

嚴先生是一位謹言慎行的人，不知他那天為什麼會對一個並無深知的記者，說那些當時算是「不合時宜」的話。他從我多年的新聞報導和評論文章中，知道我不是一個輕率魯莽的記者，不會隨便亂寫，還是他本想為自己留一點辯白的紀錄？

嚴家淦也許生不逢辰，生不逢地，如果在太平盛世，如果在民主根基稍微深厚的地方，以他的圓融、純厚和「要把事情辦好」的精神，應該是一個很好的宰相，很好的國家元首。

蔣經國的「獨裁」與「改革」

中央研究院研究員吳乃德二〇〇三年十一月九日發表論文，指蔣經國是「獨裁者」，是

1978年，蔣經國總統在復興崗政治作戰學校，主持陸海空三軍軍官學校及政戰學校聯合畢業典禮。 聯合知識庫／提供

在美國和本土民意壓力下而改革，不值得尊敬。對他的說法，各方有不同的意見。

我第一次見到蔣經國，是一九五四年在政工幹校的孔誕紀念會上，他時任國防部總政戰部主任，親來主持。一位教授作專題演講，對學生們說：「中華文化道統由文武周公孔子一以貫之，孔子傳給孟子，孟子傳給國父孫中山先生，國父傳給蔣（中正）總統，蔣總統傳給蔣（經國）主任，你們是蔣主任的學生，蔣主任當然傳給你們，所以你們肩負了承緒中華道統的責任。」蔣經國坐在台上，面無表情。我心裡想，這位教授簡直放言高論到離譜的程度，文化也能家天下嗎？他大概要倒點楣了。但後來他不僅沒事，反而得到升遷。我那時心中十分困惑，一位負責任、能自省的政治領袖，怎麼能容許或接受這樣的阿諛？

後來蔣經國做了行政院長。那時的國家級領導人向不接見本國記者，我雖跑行政院多年，也沒正式訪談過院長。民國六十二年我訪問了東南亞各國，回來在報紙上寫了系列報導，蔣院長忽然約見。他說：「讀您的文章，知道您很愛國，今天特別請您來，向您當面道謝。」他都用「您」，相當客氣，但我深覺詫異和不解，愛國乃國民正常的行為，愛國並不等同於愛政府，更不必然是愛國家領導人，他何必謝我？當然，從好的方面說，領導人鼓勵國民愛國，或亦為應有之義。兩人談了四十分鐘的話，依賓主之禮而退。

一九七五年，我在美國和歐洲訪問兩個月，回來也寫了若干篇文章，蔣院長再度約談，當時他的祕書是宋楚瑜，安排從上午十一時到十二時，「好有較多的時間談話」。蔣主要問我「還有什麼不便寫出來的沒有」。兩人隔桌對坐，我獨白一小時，他始終不動聲色，不知他是贊成還是反對我的看法。他的深沉，令人莫測高深。

我向他提了若干建議，其中比較具體的一點，是我國駐外使館，除了外交部是主體之外，還有國防部、經濟部、國安局、調查局、新聞局等等單位。各立山頭，館長指揮不動，不僅不能統合，且相互掣肘，力量抵銷，亟應歸於建制，由館長統一負責。蔣氏點頭，表示他有同感，應謀求改進。這是一小時的會談中，他唯一的具體反應。

吳乃德說蔣經國獨裁可能未盡公道，若說有威權傾向，應該不是厚誣賢者。他所處的時代環境，他的權貴家族背景，他在俄國所受的教育，使他未能跨出自我的局限。

但蔣經國真誠關心同胞，想為國家做事。據徐立德先生回憶，他出任財政部長時，蔣交代他說：政府的責任在照顧老百姓，你今後所有的財金政策，都要把百姓照顧好。安民利民，是蔣經國施政的最高準則。所以當「十信案」影響整體金融大環境時，前後任財長徐立德和陸潤康雙雙去職。

蔣經國看準了嚴肅財金紀律始可避免官商勾結腐化政治，他自己率先遵行。老立委王新衡是他在莫斯科的同學，平常一起喝酒聊天，但王委員後來出任一家企業的董事長，雖只是掛名，蔣經國從此即跟他不再來往。那時的政府為企業家創造發財的環境，但不與他們「打成一片」。

有了這種政治和社會的條件，蔣經國開始了他在台灣的大事業——國家十項建設。台灣之能躋身亞洲四小龍，成為高所得國家，又有力量發展新科技產業，都是十項建設打下的基礎。經濟上站起來了，他就更有信心推動民主改革。

蔣經國以發展國力，堅強自己，來對抗國際困難的環境。「莊敬自強」不是口號，蔣經國要別人看得起台灣。至於說他在民意壓力下改革，舉世各國的為政者，施政不依循民意行嗎？治理國家，絕非易事。譬如河中操舟，免不了有灘湍之險，就端賴舟子的嫻純技術。舟子要有好技巧，首先要時時想到這條船。作為一名划船人，蔣經國似乎很在意這條船和船上的乘客——不管他是基於什麼原因。

蔣經國辭世多年後，有民調顯示，在歷任總統中，蔣經國最受民眾愛戴，自非無因。

連戰聽到的「槍聲」與「歌聲」

二〇〇四年連戰與宋楚瑜搭檔競選總統，發生「三一九槍擊案」，使他們敗給對手陳水扁和呂秀蓮。

很多人覺得，如果沒有「槍擊案」，今天的台灣也許會有不同的局面。

連家的人，我先認識連戰的父親連震東。那時我是外勤記者，內政部是我負責的路線，連震東是部長，當時的政風、輿情各不相干，記者與部長只有點頭之交。

等到連戰返國從政，自青輔會、交通部而到行政院長，他和新聞界接觸慢慢多了，我們常為他家中的座上客。兼以他夫人方瑀女士早年即為「聯合副刊」作者，連戰常自稱是「作者眷屬」。他們夫婦均善飲，酒量酒品都好。

連在行政院長任內，致力推動「亞太營運中心」，是國家一九九〇年代最重要的經濟政策，以發展台灣成為亞太地區的經濟樞紐為目標。「營運中心」包括六項「專業中心」，即製造中心、海運轉運中心、航空轉運中心、金融中心、電信中心和媒體中心。惜乎計劃尚未完成，民進黨上台執政，陳水扁將之擱置，改為推動建設台灣成為「綠色矽島」，蔡英文再改為「亞洲・矽谷計劃」。政策五日京兆，台灣經濟也愈來愈差。

敗選後，連戰出任國民黨主席，致力推動兩岸和平發展。早在他主持行政院時，一九九三年四月已有「辜汪會談」，兩岸交往初露曙光。連主席應邀於二〇〇五年四月訪問大陸，與中共總書記胡錦濤會面，是兩黨領導人五十五年來第一次相會。

四月二十九日，連戰到北京大學以「堅持和平，走向雙贏」為題，向學生發表演講。當時筆者正在北大「訪學」，得有機會旁聽。連戰開頭說，他今天到北大，是回到「母校」，台下的人都為之一怔，大家都知道他的母校是台灣大學或芝加哥大學，怎會是北大？連戰解釋，他母親趙蘭坤女士當年在燕京大學就讀，燕大後來與北大合併，所以北大是他的「母校」——母親的學校。全場的學生報以熱烈掌聲。

連戰在北京大學演說的神采。
聯合知識庫／提供

連戰那天演講，沒有看稿，行雲流水，手勢表情無一不佳。我在台灣聽過他多次演講，從來未有如此動人者。他不斷被學生的掌聲打斷，全場還兩次起立鼓掌致意。

演講後的兩天我在上海，見到著名文化學者余秋雨，他說他在電視轉播上聽到了連的演講，「如果連先生今天在大陸選總統，他一定當選」。

連戰從北京轉往西安，他的出生地，學校的孩子們唱歌歡迎他：「連爺爺，您回來了」。童稚的聲音，溫馨動人。

但是，自此之後的兩岸關係，從停滯不前，到江河日下。

連戰聽到的槍聲，改變了他的命運；他聽到的歌聲，未必對他的人生會有多少影響。

陳水扁不讀康有為「慎左右」的上書

一八九八年戊戌變法，到二〇一九年已超過一百二十年了。提起戊戌變法，當然會想到變法的領導人康有為。提起康有為，自然會想到一個歷史名詞——「公車上書」。

其實，康有為給朝廷提過三次建言，「公車上書」是第二次，故又稱「上清帝第二書」，只因這回有眾多舉子聯署，聲勢浩大，特別惹人注意罷了。

早在第一書中，康有為已經對更張朝政提出不少重要而具體的主張，如變成法、通下情、慎左右等等。在「慎左右」這一點上，康有為的態度尤為嚴肅懇切。他認為，當時出現「節頹俗敗，紀綱散亂，人情偷惰」現象的主要原因，就在於「不慎選左右故也」。他說，國家已經危機四伏，大臣們不是毫無警覺，就是粉飾太平，既無人上疏引罪，更無人

陳水扁一度被稱為「台灣之子」，從三級貧戶變成總統，當年各方對他期望甚殷。
聯合知識庫／提供

請自免謝，只知一味迎合慈禧的聲色之好，「徒見萬壽山、昆明湖土木不息」。實則，古往今來，任何領導人要想功成名就，都要有好的「團隊」，都要「慎左右」。我依此意，寫過一篇〈誰應讀康有為慎左右上書〉的文章，刊於聯副，內容是這樣的：

一九九八年十二月二十五日台北市長選舉開票之夜，聚集在陳水扁競選總部的群眾，高呼「選總統」來安慰和鼓舞落選的阿扁。陳水扁第二天向新聞界說：「愛我就不要害我。」阿扁這話大概是自謙，意思是說，他不夠資格選總統，要他參選，就是害他。但是大家都知道，阿扁是想選總統的，否則的話，台北市長選舉謝票謝到全台灣幹嘛？再說，以民進黨的精英而論，談選總統，阿扁雖不能說「捨我其誰」，至少也是「當仁不讓」。

不過，在另一些事情上，大家若愛阿扁，倒眞的不要害他。這次陳水扁在台北市敗選，民進黨總部檢討過原因，阿扁競選總部檢討過原因，社會各界也代陳水扁檢討過原因，大家不是歸咎這，就是抱怨那，很少有人說實話，直截了當地告訴阿扁，他自身的缺點，才是他失敗的最大原因。

早先，當國民黨傳出胡志強、章孝嚴或馬英九可能出馬參選台北市長時，陳水扁總是很有自信地說，國民黨任何人出來他都不怕，他唯一的敵人就是自己。這話也許是不幸言中，這回打敗他的可能就是他自己。

人非聖賢，都有缺點，阿扁也一樣。外界很多人認爲，做爲一位政治人物，阿扁最大的不足是民主修養不夠。從當台北市議員、當立法委員，到當台北市長，阿扁玩的是民主遊戲。玩民主遊戲的人自身不夠民主，這如何可以？

大家應該記得陳水扁委員在立法院質詢部會首長的情形，經常是聲色俱厲、咄咄逼人，沒有對方回嘴的餘地；大家對陳水扁市長在市議會接受質詢的情形，也應記憶猶新，不僅和議員對著幹，也可以退席，可以不去議會，甚至議會的決議也可以不理。兩相對照，不免叫人心裡害怕：阿扁有一天若「更上一層樓」，能接受一個監督制衡的民主制度嗎？

民主政治有一項最重要的內涵與指標，就是言論自由。一位政治人物如果不尊重言論自由，就很難說他對民主政治有眞正的信仰。陳水扁市長上任不久，因不滿《中央日報》的報導，下令不准市府所屬單位訂閱該報。新聞記者惹了陳水扁生氣，因而不准進入市長室採訪的事，已經不算新聞。選舉期間，因爲林瑞圖的「澳門傳聞事件」，阿扁競選總幹事羅文嘉當眾撕毀《聯合報》，電視把那種近乎歇斯底里的畫面傳送到千家萬户，叫人「印象深刻」。馬英九還把這個鏡頭印成宣傳海報，當做「打扁」的工具。

民主必須與法治齊頭並進，否則就是亂政。阿扁在台北市政府「便宜行事」的地方不少。譬如中國國民黨中央委員會新建大樓的案子，先是百般挑剔不發給使用執照，更聲言要予以拆除，後來卻忽焉輕易過關。是則，前後兩種態度、兩種做法，必有一個在法律上是站不住腳的。

民主也講究包容，對政敵、對異己都應心存恕道。陳水扁甫上任，就把總統府前「介壽路」更名爲「凱達格蘭大道」。路名不是不能改，只是太急切了一點。更急切的是忙著拆蔣緯國的「違建」，結果拆錯了，最後還賠了錢。

陳水扁落選了，事後談這些，不免有落井下石之嫌。不過，請大家注意，從當時及民進黨內的情勢以及社會輿情來看，陳水扁競選總統幾乎不可避免。一國元首和一市地方官的條件是不一樣的，前者必須氣度恢宏、目光遠大，不衝動、不矯情，正心誠意地做爲一個民主的領航人；這樣，人民才會「快樂」，國家才有「希望」。

要做到這些，陳水扁一個人是不夠的，他需要一個「團隊」，這就回歸到「慎左右」的問題。回顧陳水扁在台北市四年，幕僚人才似乎不足，尤其缺少不「逢君之惡」這種類型的人。如果有正直穩健之士，時時提醒他、規勸他，他可能就不會犯了上述那些錯誤。

文章刊於一九九八年底陳水扁競選連任台北市長初敗之際。刊出後某日，陳先生辦公室來電話，謂阿扁將來拜訪「請益」。我作東在台北市「銀行家俱樂部」訂一房間，約同《聯合報》與《聯合晚報》編輯部及言論部主管同仁多人，與陳氏喝下午茶。陳偕幕僚李逸洋來，從下午三時談到五時，客人談其理想抱負甚多，並對外界「誤會」有所解釋，終席均未向主人有何「請益」之表示。

二〇〇〇年陳水扁當選總統，中華民國第一次政黨輪替，實為歷史之盛事，陳氏亦本可成為歷史人物之總統，但惜乎廟堂之上正色立朝之士太少，逢君之惡小人太多，阿扁終因失政敗德而鋃鐺入獄。慎左右，豈欺人之言哉！

馬英九的「歷史定位」

馬英九「少年得志」，「青年才俊」時期就在蔣經國身邊工作了。等到他當了部會首長，我已經從報館的行政職務上退休。雖與馬先生在公眾場合見過面，寒暄過，但不能說認識。

二〇〇七馬先生擔任國民黨主席，我因事與《聯合晚報》發行人黃年一起去見他，他到台中公幹，特別趕回來，在國民黨中央黨部辦公室與我們見面，午餐以便當招待，那是我第一次見識「馬氏便當」，菜色中等。

馬英九與我們談話，一邊聽我們發言，一邊在筆記本上做紀錄，這也是在政要中少見的。有人譏諷他「裝模作樣」，但我們見過哪位政治領袖，在做人做事上，這麼勤勤懇懇過？

馬英九二〇〇八年當選中華民國第十二任總統，且又連任，前後做了八年。在這八年間，我與他有些接觸，他請外界人士談問題，幾次約我參加。譬如談課綱，他請了深有研究的台大教授王曉波，也找當時教育部長蔣偉寧來「旁聽」。後來各方認為前朝所訂偏差的課綱沒有被糾正，使年輕人愈來愈「數典忘祖」，是馬英九八年執政最大的敗筆。

馬英九後來解釋，他對課綱內容曾作「微調」，但是做得不夠，他願為此致歉。在蕭旭岑代筆的《八年執政回憶錄》裡，馬英九這樣說明：

馬英九做事認真，記憶力驚人。
聯合知識庫／提供

民進黨政府第一次執政時，就處心積慮修改高中歷史課綱。二〇〇八年馬英九上任後，教育部擋下了高度去中國化的「九八課綱」，改行中國史份量較重、較符合史實的

「一〇一課綱」。二〇一四年進行課綱微調，更修正若干史觀，以符合《中華民國憲法》及《兩岸人民關係條例》的規範。

但是馬英九政府的課綱微調，不僅引發部分學生與團體抗議，不少藍營人士也批評馬英九，「一〇一課綱」仍然延續了陳水扁政府時期強行去中國化的意識形態，屬於「一邊一國」的台獨史觀，不符合《中華民國憲法》。內外夾擊，馬英九兩面不討好，都招致強力批評。

等到蔡英文政府上台，不但廢止馬政府的課綱微調案，更大幅降低高中國文課綱的文言文比例，還不顧學界與社會大眾的反對，粗暴地將高中歷史課綱的「中國史」以「東亞史」取代，被視爲是蔡英文「去中國化」的政治工程之一。馬英九痛批，在大陸、港澳、星馬乃至世界各地，都在重視中華文化史教育的今天，我們卻反其道而行，不是「開時代的倒車」嗎？

馬英九坦言，爲了社會和諧與謀求最大共識，當年他對於修改課綱較爲謹愼、溫和，沒有像民進黨那樣採取蠻橫的手段。部分支持者因此對他感到不滿，認爲他未能完全「撥亂反正」。這點他必須深自檢討，過去處理的方式，確實是有可再加強之處，努力不夠，也該誠摯道歉。

馬英九做事認真，記憶力過人。跟他談問題，多半時刻你會覺得他比你懂得多。各項細節，尤其是數字，他記得比你還清楚，你不知道你還能為他貢獻什麼？

外界常批評馬英九想當一個「全民總統」，結果八方不討好，please everybody，please nobody。這是不是要怪馬英九呢？以台灣地域、族群、統獨、藍綠分歧如此之大，國家前進的步伐如此之艱難，馬英九想以總統的高度，不管自己是否委屈，先求團結全民，用意是良善的。但社會卻以「無能」、「無原則」視之，這應在他的意料之外。

二〇一三年五月，「台獨大老」辜寬敏，批評民進黨「被台灣社會寵壞了」。我對於民間處處與政府為難而又向政府需索無饜的風氣，有感而發寫了一篇文章「台灣人民被政治寵壞了」，刊於五月二十二日《聯合報》上。馬英九讀了打電話給我，甚多感喟。

馬英九當了八年總統，他的「歷史定位」是什麼？現在當然還早，要留給「歷史」評斷。我認為，作為國家元首，馬英九有兩項最好的品質：

第一、不濫權：總統的權力太大了，光是全國的公務職位就有好幾萬個，他若要安插私人，從大法官到北農總經理，都可囊括。但是馬英九沒有這樣做。

第二、不貪汙：總統若想要錢，使個眼色，動一下嘴角，自然會有人在銀行替你設個保險庫，在海外替你開個帳戶，一切都辦得妥妥當當，你只管收錢就是了。但是馬英九沒有這樣做。

要等歷史的定位曠日廢時，馬英九可以先給自己內心找個定位：心裡安嗎？「汝安，則為之」。

呂秀蓮還能「拓荒」嗎？

二〇一九年四月，民進黨為總統候選人提名鬧得熱火朝天時，前副總統呂秀蓮怒斥民進黨「退步太快」，不忍看到台灣在民進黨執政時間內淪亡，決定與民進黨「珍重再見」。

有人形容呂秀蓮是民進黨的「孤鳥」。現在這隻孤鳥要「單飛」了？

呂秀蓮從一個「書生」，變成一個「鬥士」，而又走上政壇，這是早期認識她的人，譬如在下，所沒有想到的。

一九七五年夏天，我應美國國務院的邀請，到美國各地訪問一個月。到加州，留學生在太浩湖舉辦一項討論會，議程之一是邀國內兩位來美訪問的人報告台灣政情，一位是行政院法規委員會專門委員呂秀蓮小姐，一位是在下。呂小姐人如其名，秀若蓮花，大家對她都有很好的印象。

回台後，我因為在報館工作的關係，與呂小姐繼續保持聯絡。她那時正在台灣推展女權運動，出了第一本書《數一數拓荒的腳步》，是她女權運動的第一本成績報告。開頭是這樣寫的：「民國六十年十月間的事，我的一篇題為『傳統的男女社會角色』長文在『聯合副刊』

連載，遂導致一連串的應邀演講與撰稿——以及『新女性主義』在台灣社會的脫穎而出。」

她對女權運動有幾個中心觀點，如先做人後做女人；如女性主義不在對抗男性，而是解決婦女的切身問題。這些論述，既符合兩性平等的原則，也是社會走向民主的必然進程，因而得到一些人的認同與支持——包括我自己。

那幾年，呂秀蓮促成並領導了不少活動，譬如成立「拓荒者出版社」，以鼓動新女性主義的風潮；在高雄設「保護妳」專線，並向各地推廣；舉辦「男士烹飪大會」，倡導兩性分擔家事；舉辦「廚房外的茶話會」，增進各方了解。

正當女權運動有些進展，呂秀蓮卻漸漸走入政治圈，從「社運人士」轉成「政治人物」。一九七九年「美麗島事件」後，呂秀蓮又成了受刑人，後特赦出獄，遠走哈佛進修，那時筆者在紐約《世界日報》任職，我們曾在電話中敘舊。我說：「台灣雅好政治的人車載斗量，不在乎多妳一個人；但是女性主義是一項新興社會運動，少妳一個是很大的損失。」她避重就輕地回答：「政治活動也值得做。凡值得做的事都應該有人去做。」

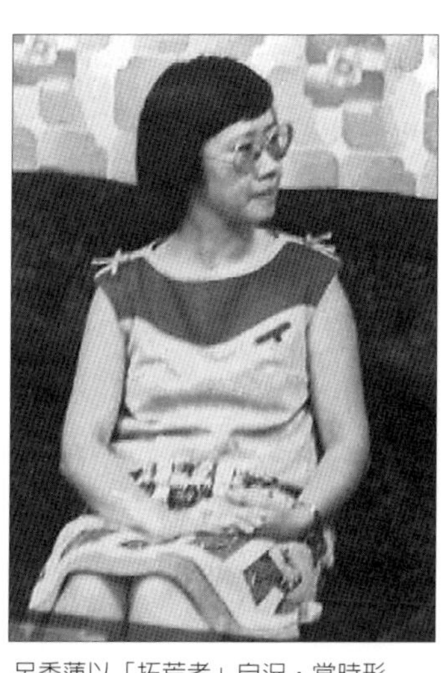
呂秀蓮以「拓荒者」自況，當時形象清純，此照攝於1978年。
聯合知識庫／提供

後來大家都回到台灣。筆者回來仍是一介

記者，呂小姐回來成了副總統。幾年來在媒體上聽她的談話，看她的身影，覺得她變了：穿金戴銀，美容變臉，自稱深宮怨婦，為了代理黨主席的事淚灑中常會，離「新女性」的形象愈走愈遠；

要求大官舍，花大錢裝潢，出入有隨扈群和大車隊，再也找不到社運時期的儉樸與謙抑；在《數一數拓荒的腳步》裡，她讚揚大眾傳播事業的社會功能，強調「它應該避免被無謂地操縱，卻更該主動地發掘採採那值得發掘採採的」，但是，當《新新聞》覺得副總統的一通電話「值得發掘採採」時，卻被呂秀蓮告進官裡；

呂秀蓮是學法的，當然知道聯合國成員的條件必須先是一個「國家」，當「台灣共和國」尚未成立，更別談被國際承認，呂小姐卻率群眾到聯合國門前抗議，要求讓台灣參加。這除了造勢宣傳之外，還有其他任何意義？似乎不是一個法律人的作為。

最令人不能忘懷的，是呂秀蓮兼任總統府「人權委員會」主任委員時，台灣的人權紀錄年年下降，美國國務院公布當時各國人權排名，台灣在一〇五國之後。較為惡名昭彰的項目，包括對婦女施暴及歧視、走私人口和虐待外籍勞工。

台灣的政治環境不僅荒蕪到雜草叢生，而且更是汙泥沒脛，萬方翹首企盼一位「拓荒者」。但是，我們到哪裡找？

「兩蔣日記」絕非一人一家之私

和兩蔣事業「血肉相連」的中國人都有「繼承權」

蔣介石寫日記從一九一五年到一九七二年寫了五十七年。中國這大半個世紀，從苦難到復興，從希望到幻滅，從危疑震撼到平穩發展，大體都可從日記中找出線索，尋得答案。它不僅是中國近代史的寶貴資產，也是世界近代史的重要一環。

這樣有價值的材料，不應該早日向世人公開麼？但是蔣家後人說不行，認其「著作財產權是蔣經國先生全體繼承人公同共有」。這樣一來，不僅蔣介石的日記現在不能刊印，還「禍延」蔣經國的日記也不能公布了。

兩蔣故後，台灣政局丕變，蔣經國幼子蔣孝勇恐其先人遺物有何不測，乃攜兩蔣日記移民加拿大，希望妥為保護，傳與後世。他病亡後，遺孀方智怡經郭岱君博士協助，與美國史坦福大學「胡佛研究院」接洽簽約，由「胡佛」代管，並製成微卷，供學者參讀研究。一時間門庭若市，大陸學者尤為醉心，已發表了不少著作。

毋庸諱言，主宰中國命運數十年的蔣介石，是一個有爭議的人物。很多失敗的責任他固難辭其咎，但加在他身上的也有不少曲解與誤解。譬如：

有說他青年時代放誕失軌的，這是事實，但他皈依基督教後，就決心向善，生活簡樸有如清教徒。

世人每以為他是一介武夫，但他讀書甚勤，雖戎馬倥偬亦手不釋卷。

蔣領導抗日，不容曲解

蔣介石早年所受最嚴重的誤解與批評，是他「不抗日」。但日記每天開頭兩個大字「雪恥」，及所記各種事實，也替他雪了恥。

對於抗日，大陸官方過去只提共產黨，沒國民黨的份。二〇〇五年九月二日，胡錦濤在「紀念中國人民抗日戰爭勝利六十周年」大會上講話：「中國國民黨和中國共產黨領導的抗日軍隊，分別擔負著抗日戰爭中正面戰場和敵後戰場的作戰任務」。這是大陸第一次讓其人民了解國軍在「正面戰場」抗日。胡的這一宣示，與蔣日記的公開不可能無因。

但是到「胡佛研究院」看日記，僅為專業研究者，非一般人，且路途遙遠，閱讀時又僅可摘記，不能照相、複印，在五十七年日記的字海裏，東覓西找，所得一鱗半爪而已。因此很多人主張全套印行，公開發售，以收解釋歷史、見證時代之功。朝此方向努力的，至少有兩方面人士：

所謂繼承權，壞了歷史大事

第一，中研院近史所決定刊印全部日記，且已準備就緒。

第二，蔣領導抗日勝利後，不旋踵即敗退台灣。從勝利的一九四五到撤台的一九四九，這五年的大轉折原因何在？前行政院長郝柏村摘錄了這五年日記中有關軍事、外交之重大事件，並加以註釋、評述，由「天下文化公司」印行，原定於二〇一〇年底面世。

《郝柏村解讀蔣公八年抗戰日記》，本有蔣的日記文，書成只有「解讀」，沒有「日記」，可能是出版界前所未有者。
天下文化／提供

但就在這時，蔣經國的孫女蔣友梅委託律師公開聲明：兩蔣日記的「著作財產權」，為蔣家「全體繼承人公同共有」，於是一切出版計畫都戛然而止。據說遠嫁英國的蔣友梅主要是不滿其家族某些成員「獨斷專行」，故出面干預，但一人之意氣卻壞了整個歷史大事。

據筆者了解，為調停此事，很多人盡過力：

捐款助印全部日記的航運鉅子彭蔭剛，親到倫敦訪蔣友梅，鎩羽而歸。

郝柏村任蔣介石侍衛長六年，任蔣經國國防部長和行政院長，出入蔣家，是「看著蔣友梅長大的」，他曾專函要求蔣友梅同意他摘注出版蔣的日記，得到的回答是一封「鐵面無情」的律師信。於是郝柏村的「解讀蔣公日記」，把「蔣公日記」全部刪除，僅留他自己的「解讀」。就像白話解讀《論語》，結果把《論語》原文刪除，僅剩自語一樣的莫名其妙。

馬英九總統在任時對此事亦頗關切，據說曾委請「蔣經國國際文教交流基金會」執行長朱雲漢「遠征」英倫，亦無功而返。

聲言有「繼承權」的蔣家後代，至少有九人。人多嘴雜，且有心結意氣，統一授權甚少可能。不僅出版遙遙無期，就是胎死腹中也非意外。

中華民國是一法治國家，應該尊重任何人的著作權。但兩蔣日記事關國家與歷史，豈是一人一家之私事？兩蔣事業，與中國億萬人「血肉相連」，那些在辛亥時扛過槍的，抗戰時拉過炮的，徐蚌戰場上拚死肉搏的，古寧頭血灑沙灘的，這些人及他們的後代，對兩蔣日記就無半點「繼承權」？只能任憑一個生於深宮之中、長於外國之境，對中國和台灣可能毫無貢獻之女子，頤指氣使，說三道四？

常言道「富不過三代」，不僅是財產，難道知識、眼界和責任心也一樣？日記是兩蔣寫的，但是由中國人如你我者以及我輩的先人，用心血和眼淚灌注成的。憑什麼要我們不生氣？我為了這件 事，至少寫了十幾篇文章，當然是石沉大海，但至少表示有人還在意。

捐給國家・便利典藏與流通

二〇一一年五月十九日《聯合報》「民意論壇」刊登周靖遠先生投書，指蔣介石日記已有「地下版」。他說，到美國史坦福大學胡佛研究院閱讀蔣的日記，雖然規定只能手抄，不能複印、打字，但是部分讀者早有組織，以螞蟻雄兵的力量分批抄寫，繼而輸成文字。因為地下版已開始流傳，愈來愈多的人能看到日記，再過一年之後，日記能不能出版已不重要了。

筆者就此向美國方面打聽，據了解，日記內容龐大，估計有千萬字以上，個人或小團體不可能抄得完。不過，這不能阻止「偽日記」的出現。

由於一般人對蔣日記的好奇，市場的「供求法則」就發生了作用。遠在二〇〇七年，大陸「團結出版社」就印行了一套《蔣介石日記揭祕》，上下兩大冊，共七八二頁，可謂

「巨著」。

但是大陸學者楊天石很快發現，這本書是古屋奎二《蔣總統祕錄》和毛思誠《蔣介石年譜長編初稿》的「綜合版」，與日記根本無關。楊斥之為「欺世之書」。

只要日記一天不出版，「欺世之書」就必然會繼續生產。而有些人真去胡佛抄了日記，但只抄了十頁，回來卻加了「材料」寫成一百頁的書。當世之人真假難辨，以訛傳訛，使事實失真；後世治史者則要爬梳核校，大費功夫矣！

當然，也有人是「有計畫」抄寫的。據筆者的了解，大陸官方某研究機構，過去若干年，每次輪派一小組人去胡佛，每次停留三到六個月，估計重要部分都抄得差不多了。當然，他們的目的在「內參」，不會外流或刊印。不過看看人家這樣的「認真」，台北各有關方面的袞袞諸公，能不感到慚愧？

存在「胡佛研究院」的《蔣經國日記》，尚未對外開放。據看過的人說，其價值不亞於蔣老先生的日記。蓋蔣經國一生的事業都在台灣，對生活在台灣的中國人來說，意義尤非尋常也。

「兩蔣日記」的「私權」固未必全屬於他們的後代，而「公利」更應惠及國人。他們把日記捐給國家，可能是最好的、最有價值的解決方法。一則可解開他們後人間意氣和糾葛，再則無論是國史館還是中研院，不僅能妥善保存，且更能充分利用。

蘇聯特務在台灣

台北和莫斯科一對宿敵間的一段奇妙遭遇

一九六〇年代底、一九七〇年代初，是國際局勢「危疑震撼」的年代。在錯綜複雜的變局中，中華民國與蘇聯這兩個幾乎不可能接觸的「宿敵」，竟然有過一段以「合作」除去毛澤東為目標的奇妙遭遇。

一九六八年十月二十二至三十一日，任職英國《倫敦晚報》的蘇聯籍記者維克多・路易斯來台訪問，並晤見當時的國防部長蔣經國。此後路易斯「代表」莫斯科與台北展開一連串的會談，雙方接觸不下三十餘次，一九六九年五月十四至十六日及一九七〇年十月底，時任新聞局局長的魏景蒙，也曾兩度銜命赴維也納與路易斯會面，做進一步的「交涉」。

台北與莫斯科的這一段「祕密外交」傳聞已久，並曾引起美國的關切，只是一直無法證實。不過，參與其事的魏景蒙，在其英文日記中為這段交往最重要的部分，留下了完整的紀錄，他稱之為「王平檔案」。

「王平檔案」中譯本的出版，把當年這段祕辛呈現在讀者面前，讓大家了解台北當局

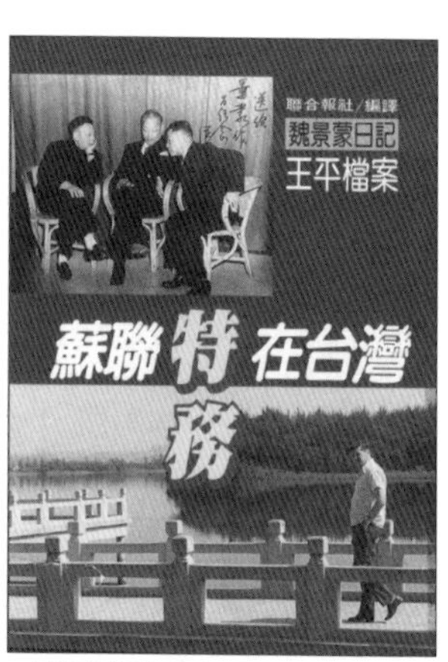

《蘇聯特務在台灣》的封面。左上角是蔣經國（左坐者）題贈給魏景蒙（右坐者）的合照，中為董顯光。下面在迴橋上行走者，即為路易斯。　聯合知識庫／提供

在外表僵硬的反共抗俄政策背後，所採取的若干彈性作法；以及在波譎雲詭的國際政治裡，仍求周旋與發展的一些企圖心。

「王平檔案」出版是我經手的事，在中華民國外交和軍事歷史上，應有一記的價值。

魏景蒙於一九八二年十月逝世，過了十多年，一九九六年五月，他的女兒、英文《中國日報》（*China News*）發行人魏小蒙女士，發現她父親留下來的一本英文日記，詳細記載路易斯來台的經過。她覺得日記很有價值，就送到《聯合報》給她的「王伯伯」王惕吾先生。惕老交給我，我那時是《聯合報》社長，作為一名新聞人，我拿到「日記」，既吃驚又興奮。因為新聞界從來不知道這件事情的真相，而這樁驚人的祕密，現在就在我們手上。我立即和《聯晚》總編輯項國寧兄商量，決定盡快翻譯，並請聯合報系幾位翻譯高手傅依萍、呂理甡和葉映紅分頭合作，十天譯出來，並在《聯合報》上發表，很受各方注意。最後由「聯經出版公司」印行了《蘇聯特務在台灣》這本書，也賣到絕版。

一九六八年九月的一天，路易斯突然在我國駐東京大使館出現，見了新聞處處長虞為，

表示他是《倫敦晚報》代表，自由撰稿作家，他希望訪問台灣，他有管道通蘇聯高層，他想談一點兒「嚴肅的事情」。

經過一番周折，路易斯於一九六八年十月二十二日抵達台灣，在台灣停留十天，三十一日離台。其間，他主要接觸的對象是魏景蒙，還有魏的手下羅啟。羅啟負責具體接待事宜。因為路易斯持的是蘇聯護照，台灣那時的國策是「反共抗俄」，讓一個蘇聯人堂而皇之地進入台灣，太敏感。路易斯入境前，魏景蒙囑咐虞為妥善安排，做到悄悄地來，悄悄地去。

路易斯在台期間，兩度和蔣經國面談，日期是十月二十九日及三十日。綜合路易斯在台灣十天的活動，他要談的「嚴肅的事情」是：

1.他希望由他穿針引線，台灣和蘇聯能建立關係，最後發展成大使對大使級的會議；

2.他建議台灣和蘇聯交換情報，特別是有關中蘇邊境方面的情報；

3.他相信，往後三年，是台灣二十年來最好的反攻大陸的機會，希望台灣好好把握，短期內採取行動。他可以用他的關係，遊說莫斯科在這件事上保持中立。

路易斯提的三件事，說中了蔣介石的心事，特別是「反攻大陸」那四個字。蔣介石當時已經八十一歲，再不反攻，沒機會了。

問題是，路易斯究竟是誰？他在幫誰說話？為什麼這個人會忽然從天而降？

路易斯。

蔣經國第一次會見路易斯時，路易斯直言，他不是莫斯科派的代表，他的立場是國民黨的「蘇聯顧問」。

台灣側面打聽，有說路易斯是蘇聯的KGB，有說他和KGB有某種關係，有說他在莫斯科能通天。無論如何，一九六八年八月二十日，蘇聯入侵捷克，路易斯在前一天獨家報導了這條消息。憑這一點，台灣方面想，路易斯在俄國官員面前顯然很吃得開，才會事先得知。

不過，魏景蒙還是不放心，乾脆明白告訴路易斯，他的真實身分很難核實，希望路易斯提供更多的身分證明。路易斯無可奈何地說，這的確是個難題，他也沒辦法提供更多的身分證明。不過，路易斯說，他可以提供一條情報，證明他有通莫斯科上層的管道。他說，短期之內，蘇聯和中共會發生一場邊界衝突。

果然，四個月後，一九六九年三月初，中蘇邊界發生了珍寶島事件。台灣方面開始相信路易斯「有點本事」。

路易斯和台灣持續交往，前後三年。頭兩年，來來回回，不下三十次。第三年就少了。最後，無疾而終。

三年之中，台灣失去了在聯合國的席位，接著是美國和大陸關係正常化，中日建交。

一九九二年，路易斯病逝，也結束了「王平檔案」這段歷史。台灣方面本來就不能肯定路易斯的身分，而且美國也十分注意，台灣自不願作無謂的冒險，終使這件「奇遇」變成「幻影」。

第 6 部

紐約・香港・大陸

紐約《世界日報》總編輯的「見習」與「實任」

在天安門廣場問道：長安大街的那一頭有民主嗎？

香港地下總督許家屯何以出走？他的回憶錄值三十五萬美金嗎？

北京青年學生聚集「天安門廣場」英雄紀念碑前，追悼胡耀邦，最後演變成「六四事件」。這是張作錦在「六四」前一個月拍攝的照片。

在紐約的八年歲月

出任《世界日報》總編輯的波折

在台北《聯合報》做了六年總編輯，身心俱疲，蒙報館給假一年，到美國遊歷兼進修，準備一年後回來繼續坐編輯檯。

一九八二年冬天到紐約，先到哥倫比亞大學社會進修班「進修」了半年英文，下半年到洛杉磯克萊蒙學院選修了政治學和國際關係兩門課。

一九八三年底，假期已滿，正準備束裝返國，忽接到台北指示，留在美國擔任《世界日報》總編輯。那時台灣的《中國時報》在美國辦了《美洲中國時報》，香港的兩家報紙也發行了美國版，華文報紙在美國忽然「熱」了，競爭也自然激烈起來。《世界日報》面臨不小的壓力，需要增加人手，於是我就留了下來。

《世界日報》於一九七六年創刊，我參加工作時，它已經七歲了，最艱苦的創業時段雖然已過，但海外資源匱乏，工作條件仍然不足。就以編輯部來說，就全靠社長馬克任先生一人「打拚」。社長兼總主筆，也兼總編輯，事實上也做了採訪主任、編輯主任和編譯主任的工作。

我雖然在台北《聯合報》編輯部服務多年，但到美國的中文報紙上班還是頭一遭。我跟馬社長請求，希望他為我引路，讓我在他旁邊見習幾天，免得將來出錯。馬先生是我的老長官，自然首肯。但這一「見習」就是三個月，我成了「陪席總編輯」，同仁固然不解，我也覺得「尷尬」。這時忽然接到台北通知，要我「返國述職」。

到台北見了董事長王惕吾先生，他是位極爽快俐落的人，他告訴我，紐約方面認為我英文不夠，「那就不必留在《世界日報》了」。王先生給我兩個選擇，一個是在美國為報館做點別的事，另一是回台北。我立即選擇回台北。事情已解決，再說幾句閒話之後，本來準備告退了。但當時我年方五十，「壯年氣盛」，忽覺心有不平，就跟王先生講了一個故事。

我在紐約時，每逢星期天買一份《紐約時報》周日版。紐時周日版內容特別豐富，附有一本「雜誌」（New York Times Magazine）和一本書評（Book Review）。根據《紐約時報》自己的說法，他們一九八七年九月十四日這個星期天的報紙，重十二磅，共一六一二頁，一直保持金氏世界紀錄。

一九八二年四月十八日，星期天，我向例買了一份《紐約時報》，這一期的「雜誌」上刊載一篇時報記者包德甫（Fox Butterfield）的文章，標題是「How the Chinese Police Themselves」，報導中國大陸如何控制人民。那時大陸尚未開放，外界對這塊廣土眾民的地方所知甚少。而中共對外國記者的報導管制極嚴，凡不合己意者，就吊銷其居留許可，不准再入境，所以外國報章上也找不到多少中國大陸的消息。包德甫一九七九年到一九八一年為《紐約時報》駐北京辦事處主任，現任滿返國，也不準備重回大陸，於是放膽抖露大陸的實情，系列文章的總標題是「中國大陸在苦海中」（China：Alive in the Bitter Sea），後來輯成專書，台灣有好多家書店出版中文版，書名叫《苦海餘生》，是當年的暢銷書。

話說一九八二年四月十八日那天，我看到包德甫中國大陸系列報導的第一篇，非常震撼，認為《聯合報》應當盡快譯載。但那個年代通訊方式還非常簡陋，連傳真機（fax machine）都沒有。我立即打電話給《聯合報》駐華府特派員王景弘兄，請他趕快買這本雜誌，把這篇文章送到「合眾國際社」總部，請他們用「電傳打字機」（telex），傳給台北《聯合報》。那時我們與「合眾國際社」有合作的關係，他們也真幫忙做到了。

第二天《聯合報》以第二版轉第四版的版面，一口氣把文章登完，很受讀者的注意。在紐約，所有的華文報紙都摘要刊載了這條新聞，唯一漏掉的是《世界日報》。

我講完了這個故事向王董事長說，《世界日報》是一份中文報紙，主要表達的工具是中文，使用英文的地方是閱讀外電和英文報紙，把人家重要的內容選來譯載。如果是這樣，我的英文應勉可應付。再深一層次，自然就不行了。

惕老聽了我的說明，表情肅然，半晌無語，最後說：「作錦，你回去，我寫一封信你帶給克任。」

我回到紐約，先去報館，編輯部同仁頗為驚訝，因為他們聽說，我調台北不回來了。我把董事長的信面陳馬社長，我剛回到家，馬先生就打電話來，明天把總編輯的工作交給我。第二天，我就不是「見習」了。

中共如何控制人民

包德甫作
本報特譯

本文摘自美國記者包德甫（國內前譯巴特菲爾德，新書預定下月在美出版）所著新書「中國大陸在苦海中」(China: Alive in the Bitter Sea) 的一部份，主題着重「中共如何控制大陸人民」，由紐約時報刊出。包德甫從一九七九年至一九八一年擔任紐約時報駐北平辦事處主任。

搭乘火車也受監視

控制的手無所不在

生兒育女沒有自由

人人都怕洩漏消息

保密措施如網密佈

高牆林立警戒森嚴

（下轉第四版）

《聯合報》獨家譯刊包德甫有關中國大陸的報導。

張作錦在紐約《世界日報》工作時，在家中下廚作菜，招待同仁。

既然扛起了擔子，就要負起責任。沒人手難辦事，首先我請求台北派人支援，於是來了應小端、黃秀媛夫妻檔的翻譯好手，資深記者馬安一帶著他擅長資料管理的太太趙莉麗也來了，不久台北編輯能手郭俊良和他的記者新娘王保玲也到了，原《聯合報》經濟記者盧世祥，完成柏克萊加大進修學業後，也被我要求留下助陣。

人手夠了，我就開始「組織改造」，成立採訪組、編輯組和編譯組，使事有專責，分工而合作。後來為服務「偏遠地區」的讀者，又成立了地方新聞組，希望對華人讀者能全面照顧。

在美國的華人移民，當年以來自台灣的為主，其次是香港，再次為大陸，我們乃增加了台灣新聞版、香港新聞版和大陸新聞版。

美國是工商業社會，華裔移民經商者不少，他們自然應該了解當地商業活動情形，我們又增加了經濟版。

原來的影視新聞不多，且多來自台港澳。於是我們增加了美國影視娛樂版。

美國是一「體育王國」，我們讀者不能自外於美國的生活圈，於是有了體育新聞版。

新聞版面畢竟有限，很多評論性、深度報導和特寫的稿件就沒處可去，於是創辦《世界周刊》，獨立作業，內容多元，容納各方的來稿，甚受歡迎。

我到紐約參加《世界日報》工作時，報紙於午間出版。而他報多於晨間出版。等到《世界日報》午後上市時，重要新聞讀者都已從他報上讀到了，對《世界日報》自屬不利，經過商量同意，乃改為晨間出版，這樣同仁都必須在深夜甚至凌晨下班，紐約冬季甚長，冰天雪地，自是十分辛苦。

《世界日報》經過這一番整理與加強，應該說是有些進步，更具備了競爭力。

一九八四年十一月十一日，《世界日報》最有力的對手《美洲中國時報》，忽然無預警的結束。當天下午我邀集編輯部同仁開會，我說：「請大家不要高興，《美洲中時》結束之日，可能就是《世界日報》退步之始。」多年之後，仍有當時在場的老同事記得這句話。這句話當然不是我「發明」的，古人早就告訴我們：「無敵國外患，國恆亡。」我們要常懷警惕之心。

《美洲中國時報》停刊，發布「敬告讀者」傳單。

《美洲中時》停刊的原因，眾說紛紜，有指報紙處理某些政治新聞，為台灣黨政當局所不喜，影響時報匯美辦報資金。當時筆者正因事回台，詢及黨政主管人士，他們否認有這等事，並謂時報不久前才匯出數百萬元美金。

《美洲中時》停刊當天，在報上刊出「敬告讀者」啟事，有云「報紙成本提高，市場發展受限，彌補虧負款項，難於長期維繫」。事實上，《世界日報》自一九七六年創刊，虧損將近十年才見好轉。

一九八〇年代，台灣移民美國者日眾，洛杉磯的蒙特利公園市（Monterey Park）有「小台北」之稱，且選出一位台裔的女市長。因台人不斷增加，隨之出現不少中文報紙，成功失敗者都有，潮起潮落，各有說詞。

紐約人少事繁，工作辛苦，我個人每天上班的時間比同仁還長，日子久了，血壓升高，視力減低，不得已於一九八九年向台北總社請求調換工作。創辦人王惕吾先生來紐約，宣布由《世界日報》駐華府同仁項國寧兄接替我的總編輯職務。

創辦人本來要我升任舊金山《世界日報》社長，我跟他報告，以我當時的年齡，還可以在第一線再做點事。紐約是美國政治、經濟和文化的重鎮，若在此設一「新聞中心」，應該對台北報紙有些幫助。創辦人欣然同意，於是我自七月一日起擔任「美加新聞中心」主任，孟玄兄從台北調來，傅依傑兄從紐約編譯組轉來，又延攬了香港年輕的「老記者」曾慧燕小姐，我們四個人同心協力，倒也做出些事來。

附錄

手創美加中心，挹注理想使命

傅依傑

很多人知道作老當過總編輯、社長，但知道他曾在紐約手創《聯合報》「美加新聞中心」，並有一段輝煌戰史的人，可能不多。

作老於一九八七年夏，卸下報系美國紐約《世界日報》總編輯，故創辦人升他為美世副總社長，但作老「不甘寂寞」，向創辦人建議在紐約設立一個「美加新聞中心」，作為報系在北美的新聞供應站。創辦人照准。美加中心於是在一九八七年十二月誕生，設在紐約美世大樓裡，作老為美加中心首任主任。

美加中心名稱很宏壯，顧名思義包括美國、加拿大，企圖心很大，但成立之初，成員卻很少，只有作老、孟玄兄與剛加入報系的我三人。隨後有薛曉光（駐波士頓）、曾慧燕二位小姐加入。作老於一九九〇年九月卸下美加中主任，返台任聯晚社長後，項國寧兄、盧世祥兄自紐約美世返台更上一層樓之前，也都在美加中心當過主任，但「過水」幾個月即回國了。

美加中心雖小，但在作老兩年九個月任內指揮下，動能不小。這同時與時勢有關。美加中心成立後一個多月，經國先生於一九八八年一月去世，開啓台灣與兩岸關係新局。一年後有驚天動地的天安門事件，美加中心適逢其會。

十五年前的兩岸交流，遠比現在敏感，當時在紐約能接觸到的大陸人士與大陸新聞線索，比台北更多，空間更大些，而作老一直對大陸新聞情有獨鍾，曾說，他最大的願望，就是到北京當特派員。在作老主導下，美加中心在紐約舉辦過好幾次足爲新聞史留下篇章的座談會。記憶所及，包括匯集當時在美深造的大陸留學生菁英，如丁學良、楊小凱、裴敏欣、陳平、于大海、李少民、胡平等多人，與台灣留學生代表共聚一堂，就政治、經濟、社會、文化各層面，討論兩岸關係及中國的未來，這次座談被視爲兩岸留學生學術交流的新猷。

作老尊重中國知識分子傳統，曾對我們細述在《聯合報》總編輯任內，如何與台灣自由派知識分子交往，請他們寫文章，建立《聯合報》刊登學術性評論的特殊風格。作老在美加中心任內，也多次聚集海外學者重鎮如余英時、許倬雲、金耀基、錢純、丘宏達、胡佛、劉遵義、林毓生等，在紐約座談，或與大陸學生對談，討論兩岸前途與情勢。這些座談與對話紀錄，當時都作成報導，在《聯合報》整版刊載，很受矚目。

此外，一九九〇年前後，台塑董事長王永慶因投資大陸海滄石化案，與台北當局意見不和，到新澤西家中待了一年多，作老帶著我們到王永慶家中訪問好幾次，並針對眾所矚目的海滄案，在王家召開一次座談會，請他與經濟學家費景漢、鄭竹園、大陸學者陳一諮、孫滌等對談，討論台灣石化前途與海滄案的可行性。座談紀錄在《聯合報》刊出，轟動一時。

作老在美加中心任內也早與大陸「三通」了。曾帶著我們與當時「新華社」駐聯合國分社社長錢文榮、《人民日報》劉開城、《文匯報》張治平等餐敘交流，辯論大陸的民主自由，談話也有面紅耳赤的時候。也曾與當時大陸最具爭議的《世界經濟導報》總編輯欽本立除夕在紐約長談，並邀請他訪台。也帶著我們共赴當時中共常駐聯合國代表李鹿野的「鴻門宴」，席間討論甚至爭論新聞自由的問題。這些在十五年前，算是開風氣之先了。

美加中心「小國寡民」，成立之初一間辦公室只有作老、玄之與我，天天朝夕相處，別有情味。作老來得最早，早上七點不到就進辦公室；中午三人就在辦室邊吃便當邊聊天，有時作老帶著我們到附近飯館小吃，海闊天空閒聊。作老望之儼然，即之也溫；玄之則是望之已溫，即之更溫；作老嚴謹，玄之瀟灑，兩人都有濃郁中國知識分子情懷，常迸放火花，這是美加中心動能的泉源。

作老創立美加中心時，找我加入，成爲我進《聯合報》第一位長官，從作老身上，我看到什麼是新聞記者應有的格局。他將草創而資源貧乏的美加中心，挹注新的動力與特色，策畫一系列可爲歷史註腳的對話與座談，從宏觀角度審視新聞，提升新聞的意義與層次，反映知識分子對國家社會的深切關懷。

作老愛書，在美加中心時，作老只要在辦公室，不是看報、剪報，就是捧著一本書唸，這是他最大的嗜好。一九八九年底我在紐約買的房子還未交屋，租屋的房東則要收回房間，一時無處可棲，作老就收容我在他房子地下室住了一、二個月。第一次走進作老家的地下室，嚇了一跳，滿坑滿谷的書，堆得到處都是，有一次挪一個大紙箱，發現裡面全是作老剪下的報紙剪報，每份剪報都有註記，報紙早泛黃了，這種大紙箱也不知有多少，堆在一角。作老現在台北的家，也是滿滿的書。

美加中心可能是作老在報系唯一首創的單位，有作老的理想與使命注入其中。作老領導美加中心二年九個月，創造了歷史性戰果，也是美加中心最輝煌的歲月。我至今感念在美加中心跟隨作老的時光。從他的身上，我知道什麼是好記者。作老不僅是報系的資產，也是中國新聞界共同的資產。（編按：本文是傅依傑先生為張作錦先生退休時寫的，二〇〇三年五月登在社內刊物上。他原為美加中心記者，現已自聯合報系退休）

長安大街的那一頭有民主嗎？

我在北京天安門廣場目睹「六四事件」的前前後後

北京「八九民運」所導致的「天安門事件」，將是中國近代史上重要的一頁。不管大陸未來的走向如何，兩岸是合是分，由哪個政黨執政，一九八九年六月四日這一天，將不會為後人忘記。

一九八九年我在紐約「聯合報系美加新聞中心」任職，自從一九四九年「逃難」到台灣，已離鄉四十年矣！「人情同於懷土兮，豈窮達而異心」。雖然父母廬墓都已無法找到，但姊姊和弟弟都仍有聯絡，而且政府於一九八七年已開放老兵「返鄉探親」，我也決定少小離家老大回，去大陸探親、旅遊和採訪。

大陸雖於一九七八年開始經濟建設，採取「對內改革，對外開放」的政策。對內改革不談，但一九八九年前後，對外實在不怎麼開放，譬如外人到大陸觀光、旅行，還是受到很多限制，你沒有單位的介紹信，連火車票都不能買。由於在紐約工作的關係，與「新華社」駐聯合國分社社長錢文榮先生熟悉，我與他情商，到了大陸，可否「掛單」在「新華社」，請「新華社」協助我解決交通、旅館和接洽訪問等問題。但我特別說明，所有的費用都由我自行負責，婉謝「新華社」的任何接待。主人同意，於是我於一九八九年四月起程去大陸，乘中國民航，自上海入境。

一九八九年代，大陸正面臨對內對外的變局，知識分子開始受到注意，他們也比過去勇於發言。我很想趁這次去大陸，與那邊的學者有些接觸，聽聽他們對中國、對台灣、甚至對世局的意見。我在紐約認識不少大陸留學生，請他們提供可以採訪的學者名單。我第一站是上海，他們幾乎異口同聲地說：王元化。

王元化是一位學者，文藝理論家，曾任中共上海市宣傳部長，但思想開明，因不洽上意，而受到整肅，四人幫倒台，才得自由。

和王元化長談

我住進旅館就給他打電話，問他能不能讓我作個小東，請他出來便餐一敘。不料他說：「就到我家來吃晚飯吧！沒什麼好東西招待，我太太會包水餃。」他的夫人張可女士是一位翻譯家和戲劇理論家，文化名人余秋雨的老師。

王府整潔雅致。餐桌上幾道菜，一盤水餃，恰到「好」處。王夫人梳妝舉止，大家閨範，但寡言語，後來才知她健康欠佳。

餐罷與王先生到書房聊天，他談到大陸思想的「啟蒙」，中國未來的前途，以及怎樣適應世界的潮流走向。他思想的深度與廣度，以及看待問題態度的中和，使我驚訝。我試探著問：「您的談話我可以錄音嗎？」他說「當然可以！」我就打開隨身攜帶的小錄音機，錄了將近兩小時。內容之開放、無隱與精闢，顛覆一般人對大陸之想像。我心中高興，將來回美國整理後，在美、台兩地刊出，一定一新讀者耳目。可惜我還未離開大陸，就開始了「天安門事件」，那時若刊出，也許會使王先生再進牢獄，自然是留中不發了。那次在大陸除了訪問王元化，還訪問了其他著名學者如許良英、方勵之、嚴家其等人，也有錄音或紀錄，因為要保護這些知識分子，都沒有發表。那些錄音紀錄等等資料，因職務調動、遷居等因素，都已散失。如保存至今，應是

王元化（左）和林毓生在台北對談「五四」，會後在林間散步聊天。
聯合知識庫／提供

頗有價值的史料。

王元化先生後來出版很多書，主要是一整套的《清園近思錄》，每次都寄贈給我。我每次去上海，也去拜訪他。一九九八年，我在「聯合報文化基金會」工作，曾經舉辦「跨世紀文化反省及展望系列論壇」，請他到台北與旅美中央研究院院士林毓生對談「五四運動」。他們兩位都對「五四」深有研究。主持這場論壇的是中研院另一院士、當時擔任副院長的楊國樞。

王元化於二〇〇八年病故，楊國樞二〇一八年謝世，林毓生近年也較少回台灣了。

「外人」對大陸了解太少

在大陸，走到各地，都有「新華社」當地分社的同仁接待照顧。上海分社的朋友陪我遊覽蘇州和杭州。從小就知「上有天堂，下有蘇杭」的句子，至今始一償宿願。這兩處是風景名勝區，遊人不少，隨處可見照相攤位，都註名「國立」字樣，我不明就裡，主人解釋，因為私人不能經營商業，商店都是「國立」。在西湖，包了一隻小船遊湖。船中有一小方桌，桌上鋪一張白布，但破舊骯髒，幾乎變成黑布了。我問搖船的大哥，為何不換一張乾淨的桌布，這樣客人也許會多一點，你就可以多賺一點錢。他說他只搖船拿工資，船和船上的設備都是公家的，「我哪有錢買白布」？我這才知道，我們「外人」對大陸了解得多麼不夠。

我在大陸的行程，離開滬杭，到了南京，此時忽染重感冒，發高燒，南京新華分社的朋友把我送進「南京人民醫院」，住「高幹病房」，兩張病床，只我一人，設備陳舊，洗臉盆沒有塞子，廁所沒有擦手紙。

南京大學教授郭羅基，原為北大教授，因言論「反動」，被下放到南京大學，免得在「首善之區」的北京興風作浪。因為我事先與他取得聯絡，住院期間私下跑出去與他見面。事為我的「新華社」友人聞悉，頗受他的責難。

在院期間，聯繫到我在蚌埠的七姊張靜和弟弟作振，都到醫院「團聚」，一別四十年矣！淚眼對淚眼。

下一站到了雲南大理。我六姊張榮一九四九年在蘇北老家被「掃地出門」後，嫁到雲南，姊夫是白族人，不幸早逝。當地「新華社」和台辦的朋友，來機場接我，要把我安置在賓館裡，我說和姊姊分別四十年，回來看她不住她家裡怎麼行？他們先已了解我姊姊家是貧下中農，認為我這位「從美國紐約回來的台灣同胞」，一定在姊姊家住不慣。我說不管怎樣，也不能住賓館。

與姊姊抱頭痛哭，細數別情之後，天黑了，姊姊帶我到一間儲藏乾草的屋子，在草堆上鋪了一條毯子，再加一床被，就是我的臥室，與我在紐約的席夢思自是不能相比，但是有什麼能與故國與親情比呢？

真正讓我難以適應的，是浴室與廁所的問題。一個貧下中農的家，自然沒有這些設備。她家附近有一口井，白天人來人往取水，晚上鄰居都休息了，我就在井邊掏水「淋浴」。大理氣候好，不熱不冷，在星光下，只穿一條短褲洗澡，倒也別致。

廁所則比較麻煩，在路旁用幾塊泥磚堆成一垛「小城牆」，裡面可蹲兩人。但「城牆」太矮，路人只要一側頭，即可一覽無遺。我都在鄉鄰入睡、或尚未起床之際，匆忙去一趟廁所。

電晶體收音機傳來天安門消息

那個年代的大陸，還是相對落後的地方，為了怕「與世隔絕」，我隨身帶了個小型的電晶體收音機，還真是有用。四月初的一天，我聽到廣播說，北京學生為了追悼胡耀邦，在天安門廣場集合，且發表「打倒官倒」的口號。所謂「官倒」，就是官商勾結倒買倒賣的貪污行為也。一個新聞記者的敏感，使我警覺這不是小事，於是立即自昆明趕往北京。

我大概是四月十日到天安門，學生已擠滿了整個廣場，聲勢非常驚人。官方曾出動官員、學者和家人，向學生勸說、遊說，希望他們適可而止，甚至總理趙紫陽都親自到場，但沒有效果，四月二十七日的那天，學生發動了大遊行。我寫了一篇報導，題目是〈長安大街的那一頭有民主嗎？〉從我下榻的北京飯店，利用傳真機傳到台北。當中可能被大陸當局截收檢查，四月三十日才在《聯合報》第三版的頭條地位刊出。這篇文章，既能說明當時的情況，也能代表一名記者的觀察與感想，或不無史料意義，就把重要章節刊在下面：

【記者張作錦／北京傳眞】

北京四十八所大專院校的十多萬學生，廿七日在北京市遊行。中心訴求是爭民主、反貪汙。人數之多，聲勢之壯，理念之明確，爲中共執政四十年來所僅見。很多參加的學生，事前都寫好了遺書，準備在另一個「五四」的前夕，爲民主獻出生命。

據說，廿五日鄧小平指示黨政部門，不能讓學生們胡來，要「快刀斬亂麻」的處理。廿六日，「人民日報」發表了社論「必須旗幟鮮明地反對動亂」！它呼籲「全黨同志，全國人民」，要「積極行動起來，爲堅決、迅速地制止這場動亂而鬥爭！」

在大陸，人人知道，人民日報的話就是黨的意思。這篇社論就差一點沒有明說，要武裝鎭壓了。不少人爲學生擔心，不知道廿七日會發生什麼事，但最後沒有發生衝突。

北京知識界人士說，要鎭壓學生活動，如果沒有鄧小平的指示，人民日報不會發表那

長安大街的那一頭有民主嗎？

——北京學生大遊行的觀察與感思

記者張作錦 北京傳眞

北京四十八所大專院校的十多萬學生，廿七日在北京市遊行。中心訴求是爭民主、反貪汙。人數之多，聲勢之壯，理念之明確，為中共執政四十年來所僅見。

沒有流血 更有意義

很多參加的學生，事前都寫好了遺書，準備在另一個「五四」的前夕，為民主獻出生命。但是當天並未發生流血事件。

「四·二七」的學生活動，是一件大事；但是沒有流血，可能是一件更大、更有意義的事。

據說，廿五日鄧小平指示黨政部門，不能讓學生們胡來，要「快刀斬亂麻」的處理。廿六日，「人民日報」發表了社論——「必須旗幟鮮明地反對動亂」！它呼籲「全黨同志，全國人民」，要「積極行動起來，為堅決、迅速地制止這場動亂而鬥爭！」

在大陸，人人知道，人民日報的話就是黨的意思。這篇社論就差一點沒有明說，要武裝鎮壓了。不少人為學生擔心，不知道廿七日會發生什麼事。

廿七日大遊行之沒有發生衝突，大體說來，原因有四：

第一，學生們自律，除遊行外沒做越軌的事，證明不是「動亂」，讓官方無所藉口。

第二，民眾支持學生，他們送茶、送飯、捐款、歡呼鼓掌，成了北京市民「共同參與」的活動，官方不能沒有顧忌。

第三、警察和解放軍對學生同情，沒有用強制手段。

第四、最重要的是，黨政部門沒有照著鄧小平的話做，避免了武力鎮壓的愚劣行為。

悼胡輓聯 指桑罵槐

北京知識界人士對第四點普遍注意，認為「意義深長」。自「打倒四人幫」以來，鄧小平領導改革開放，人民生活得到適度改善，使他的聲望如日中天，即使他後來只擔任軍委會主席，但還是中國大陸事實上的「最高領導人」，像當年毛澤東一樣，說話就是命令，無人能不遵從。但是鄧也像毛，或者其他任何專權者一樣，獨享權力久了，就慢慢脫離了群眾，變得剛愎自用，而且愛聽好聽的話。自從他以不正常的程序罷黜了胡耀邦，他的威望即急速下降，再加上經濟改革受挫，以及他一再聲言退休而不退，民間批評日多，認為他也走不出「迷戀權力老人」的歷史循環。廿二日北京學生追悼胡耀邦，有一輓聯曰：「光明磊落，官可做可不做，公僕永垂不朽；老謀深算，休可退不退，老爺萬壽無疆。」指桑罵槐，呼之欲出矣！

北京知識界人士說，要鎮壓學生活動，如果沒有鄧小平的指示，人民日報不會發表那樣的社論；但是一鎮壓，必然流血，黨政當局知道後果嚴重，所以沒有照鄧小平的話做，這在過去是絕不會有的事。「一言堂」權威的逐漸消褪，也許是中國大陸民主萌芽的契機。

穩健態度 教授贊同

這次學生罷課遊行，他們自己也有不同的主張。有人認為應徹底大鬧一場，官方最好抓人、開槍，把事態升高，以激化民主政治的發展，但是多數人則持穩健態度；幾位平常爭取民主最力的教授說，他們贊成穩健，因為民主的進程本不可一蹴而就，青年學生不宜作無謂的犧牲。再說，當局一旦翻臉，像他們這一類人，雖然與學生這次遊行無關，但必然要受牽連。他們很坦白的說，如果缺少了他們的聲音，中國大陸的民主前途將更加黯淡。

學生訴求 兩大主題

這次學生活動，兩大訴求主題：爭民主、反貪汙。就肅清貪汙這一點來說，黨政當局也曾一再作各種政策性聲明，要認真做。無奈高級官員生活腐化的不少，風行草偃，一普遍化、制度化，就扶不起來了。但經學生這麼一嚷，當局臉上掛不住，總要做出一點結果，好向人民有所交代。

媒體受制 難滙浪潮

至於民主，是否能爭得到，主客觀因素太多，就很難說。下面幾點分析，或可幫助瞭解：

一、大陸對傳播媒體控制極嚴，沒有任何一家報紙、電台或電視台，能自由報導。像這次北京學生的活動，震驚了全世界，但是在大陸，除了北京市，其他地區的人可能都不知道，甚至若干北京市的人也不知道，因為新聞媒體不傳播這樣的事。僅在「四·二七」大遊行後，報紙登了官方所發一則含有批判性的不長的消息。生活在大陸的人，對大陸的事情很隔膜，要靠海外親友的轉述，他們叫做「出口轉內銷」。

所以，平常知識分子爭取民主的言論、文字，無法傳播，只能在自己人的小圈子裡轉。學生們的大遊行，影響也不出京城，無法擴展成有力的浪潮。爭取民主，可說沒有必要的武器。

二、當前大陸黨政當局的策略，是圍堵學生，把學生活動侷限於學生群中，絕不讓他們和其他各業人士——尤其是工人，有任何連繫。最近工廠對工人控制極嚴，除非核准，不得擅離職守。當局也一再警告學生，不得串連。學生活動在實質上得不到社會人士的支援和接力，恐怕難以持久。

（文轉第九版）

樣的社論；但是一鎮壓，必然流血，後果嚴重。大學教授們大體上贊同這次學生罷課遊行，但他們自己也有不同的主張。有人認爲應徹底大鬧一場，官方最好抓人、開槍，把事態升高，以激化民主政治的發展。但是多數人則持穩健態度，幾位平常爭取民主最力的教授說，他們贊成穩健，因爲民主的進程本不可一蹴而就，青年學生不宜作無謂的犧牲。再說，當局一旦翻臉，像他們教授這類人，雖然與學生遊行無關，但必然要受牽連。他們很坦白的說，如果缺少了他們的聲音，中國大陸的民主前途將更加黯淡。

這次學生活動，兩大訴求主題：爭民主、反貪汙。就肅清貪汙這一點來說，黨政當局也曾一再作各種政策性聲明，要認眞做。無奈高級官員生活腐化的不少，風行草偃，普遍化、制度化，就扶不起來了。但經學生這麼一嚷，當局臉上掛不住，總要做出一點結果好向人民有所交代。

當然，最根本和最重要的問題，還是大陸政體的本質。它要「堅持共產黨領導」，哪有一黨獨霸而能實行民主的？前些時，國務院發言人曾昭告世人，「四個堅持」絕對不許討論。對其他民主黨派，是發展「由共產黨領導的多黨合作」。凡此種種，都說明中共無意讓任何人分享政權，也就是無意實行民主政治。

當年國民黨在大陸領導的政府，貪汙腐化，老百姓乃選擇了共產黨。現在大陸有人說，共產黨領導的政府，貪汙腐化比當年的國民黨毫不遜色，但是老百姓沒有選擇。中共是何等厲害的角色，他們一定會記取這項「歷史的教訓」，絕不給老百姓選擇的機會。

天安門、中南海和人民大會堂，都在長安大街上。學生們早上從學校出發，和一道一道攔截的軍警掙扎，下午才到長安大街。他們邁著雄赳赳的步子，高呼爭民主、維護憲法、打倒「官倒」等口號，這些只不過是做一個人和做一個國民的卑微願望而已！望著他們年輕、熱情、勇敢而又充滿憧憬的臉，路旁的人，包括記者個人，眼眶都溼了。

一九一九年的「五四」，也有成千上萬的青年在北京遊行，振臂高呼要民主。那些人，如今或墓木已拱，或垂垂老矣！今天另有一批青年，又遊行爭民主，而時間已過了七十年。當他們綿延的隊伍走過去，長安大街的那一頭會有民主等著他們嗎？

回首中國一世紀的災難歷史，誰能肯定的答覆這個問題？（四月廿八日於北京）

戈巴契夫的催化作用

我在天安門現場親眼目睹了學生的活動，我認為，最後釀成慘劇，戈巴契夫這個「俄酋」應發揮了催化作用。

中蘇齟齬，雙方對罵。你說我「走資」，我指你「修正」。自一九五九年開始，即互無往來，這自然為「西方帝國主義國家」所歡迎。但戈巴契夫上台後，提出「新思維」，對內要改革制度，發展經濟，對外要修好盟邦，第一個對象當然是中國大陸。

當戈巴契夫一九八九年五月十五日專機抵達北京之前，全球各地重要新聞媒體的記者，早已蜂擁而至。世界兩個最大最強的社會主義國家，在決裂三十年之後，現在要握手言好，這對世局關係多大啊？哪個國家的記者敢不來，尤其是新聞事業最發達、而且又有極強烈自由主義色彩的美國新聞界，可以「傾巢而去」形容之。

這些自由世界的媒體人，到了天安門廣場，簡直嚇呆了，想不出世界上哪個國家的首都有這麼大的廣場，更想不到一個集權的社會主義國家的青年，會集合數萬或數十萬人向政府示威抗議。要說新聞，這才是新聞呀！戈巴契夫和鄧小平算老幾？於是所有的攝影機，所有的麥克風，都對準了學生，尤其他們的「領袖」。這些年輕人，在一個封閉的社會長大，什麼時候見過這樣的場面？知道自己的形象，自己的意見，可透過這些中介工具，向全世界放送，於是他們更精神，更激昂，更把話愈說愈重，也更刺激了官方。

另一方面，鄧小平原定中方在天安門廣場以軍禮歡迎戈巴契夫，莫斯科雖有著名的「紅場」，但較天安門廣場不如遠甚，要藉機一展「天朝威儀」。但這些計劃都被廣場學生的抗議、靜坐和絕食行動破壞了。官方認為這些學生太不識大體、太不愛國家了。

但不是所有官方人士都對學生持反面的看法，也有同情甚至認可的，第一個當然是總理趙紫陽，他親自到廣場慰問學生，並表示「來晚了」，結果遭鄧小平罷黜，由李鵬取代。另一個對學生比較寬容的，應是當時的統戰部長閻明復。

我到北京時，「新華社」總社是我的「東道主」，他們很客氣，給我安排住在北京飯店，是當時北京最好的旅館。陪同照顧我的是「新華社」外事局副局長陳伯良和聯絡處處長申繼偉，還有一部「紅旗」轎車「隨侍在側」。「紅旗」汽車聞名已久，但第一次坐，我說「諸位太客氣了」！司機同志說「『紅旗』並不稀奇，稀奇的是這個。」他指著車子裡的一部無線電話。在那個年代，汽車裡有無線電話的設備，的確並不多見。

後悔未訪問鄧小平

陳、申兩位問我，想訪問他們政府哪位官員嗎？我說，我此行主要是回鄉探親和遊歷，沒有特定的訪問任務，主人安排我見誰就見誰。

事後想想，實在後悔，我為什麼要那樣的「客氣」？我可要求訪問鄧小平啊！大陸正處於一個動盪多變的時期，也許鄧大人正有話要向全世界人說明。以我台灣《聯合報》和美國《世界日報》的背景，哪一點不夠資格跟鄧大人談一談？我所認識、二〇一九年八月辭世的美國「西東大學」華裔教授楊力宇，一九八三年六月二十六日就在北京訪問了鄧小平。當然，我提出要求也未必能訪問到鄧，但記者不是應該有這種「進取心」嗎？

因為我的「謙虛」，他們安排我與統戰部長閻明復見面，這也算是「大官」了。而且，我是一名台灣記者，他們希望我與大陸「統一戰線」，自屬順理成章。

閻明復是遼寧人，哈爾濱外語學院畢業，父親閻寶航是張學良的重要幹部，閻家算得上是世家。閻寶航於一九三七年經周恩來介紹入共產黨，潛伏國民黨軍政單位，替共產黨取得很多重要情報。中共建國後，在外交部等處任職，後因案死於秦城監獄。

我和閻明復在人民大會堂見面時，外面正被人山人海的學生包圍。那時《人民日報》已發表「四．二六社論」——〈要旗幟鮮明的反對動亂〉，已把學生活動定性為「動亂」，否定學生自稱的「愛國」。

有識之士頗以「動亂」這兩個字為憂，因為它背後可能有重要的含義。我問閻明復，他認為學生的行動，是「愛國」還是「動亂」？他目視人民大會堂外邊熱情奔放的學生群眾，回答：「我認為他們是愛國的。」他的答覆與黨不同調，使我有些意外，當時心想，回紐約後寫「大陸紀行」的文章，不要寫閻明復的這段話，別替他招麻煩。但是用不著我操心，「六四」之後，一九九〇年的十一月，他就從統戰部長調任民政部副部長，「降一級改敘」，顯然他在黨裡已表達了同情學生的態度，所以才有「秋後算帳」。

在紐約下淚

那天隨同閻明復「會見」的，還有「新華社」女記者范麗青。我跟他們兩位說，我這次到大陸來，主要在探親、遊歷，沒有特定的採訪任務，所以「也請范小姐別採訪我了」，那次范麗青就沒有發稿。

後來范麗青被「新華社」派為駐台記者，也曾任國台辦發言人，與台灣記者很熟。

到了五月下旬，天安門廣場似乎平靜了一些，學生們也沒有太多的激烈活動，我到大陸已兩個月，也累了，於是就飛回紐約。

回去不久，六月四日，廣場槍響，震驚世界。由於美國新聞報導較早，老朋友高希均教授從台北打電話問我情形，我當時正在看電視轉播，看到坦克車，聽到槍聲，想想前些天還跟那些青年在一起，我還沒回答高教授的話，先哭出聲來。

我在紐約「統和」大陸留學生

辦兩岸留學生座談會，請五位大陸學生訪台

天安門事件發生後，很多「學運領袖」和「民運人士」逃到美國，「美加新聞中心」的同仁孟玄、傅依傑、曾慧燕，和在波士頓的薛曉光，大家很忙碌了一陣子。

在《世界日報》總編輯任內，我就和大陸新聞界派駐紐約的同業有所來往，我們一起郊遊野餐，甚至家庭互訪。有人向台北打小報告，指我「通匪」，王惕吾董事長問我有這件事否？我回答有。但我解釋說，兩岸不能永遠不相往來，新聞同業時相過從，可增加了解，相信也能增進兩岸民間的認識。這些活動，都不涉政治領域。王董事長沒有吭聲，我認為這是他「默許」，就更得寸進「尺」了。

這一「尺」邁得很大。一九八八年三月十九日和二十日，美加中心在紐約舉辦「台灣、大陸留學生座談會」，討論「中國前途」，具體題目是「台海兩岸關係現狀之檢討及未來互動之影響」，藉以增加青年一代接觸和交流的機會，並把他們的意見提供給兩邊的同胞

參考。由增進了解而化解對立，是兩岸和平融合的必要途徑。

兩岸留學生「集體見面」

應邀出席的十四位留學生，都是留學生界的菁英分子，他們或在攻讀博士，或在作博士後研究。由於台灣留學生向國內表達意見的機會較多，所以我們請了四位台灣同學，請了十位大陸同學。我們也注意到了學校和各人研習專長的平衡。這十四人是：

台灣留學生：

高永光（紐約大學・政治學）、王克文（史坦福大學・歷史學）、周陽山（哥倫比亞大學・政治學）、吳嘉隆（哥倫比亞大學・經濟學）

大陸留學生：

李少民（普林斯頓大學・社會學）、徐邦泰（柏克萊加州大學・政治學）、于大海（普林斯頓大學・社會學）、喬依德（哈佛大學・公共管理學）、胡平（哈佛大學・政治學）、程鐵軍（紐約州大・社會學）楊小凱（耶魯大學・經濟學）、丁學良（哈佛大學・社會學）、吳牟人（紐約市大・哲學）陳平（奧斯汀德州大學・經濟學）

台灣與大陸交流及合作，政治與經濟問題最居關鍵地位，所以我們請了一位政治學教授和一位經濟學教授列席指導和講評，期待討論更能深入具體。當時，台大政治系教授胡佛正在哥倫比亞大學擔任訪問教授，還有美國博爾大學經濟學教授鄭竹園，一起請了來。

兩天的座談會，同學們共同的觀點是，大陸應袪除中原心態，台灣應避免地域心態，雙方在文化、社會層面上多接觸，才能在精神上逐漸融合。座談紀錄約五萬字，有一萬多字在台北《聯合報》上分兩天刊出，全文則刊於美國《世界日報》和聯合報系在台灣發行的《中國論壇》半月刊上。

兩岸留學生面對面的談未來中國的問題，當時是前所未有的大事，大陸駐美單位十分注意，官方保持沉默，但新聞界朋友則笑稱我們學習大陸的作法，對他們留學生進行「統戰」。我說絕非「統戰」，最多是「統合」。台灣方面，民間有很好的反應，官方沒有反對。我在得寸進「尺」之後，現在要得尺進「丈」了。

孤懸海外的台灣，一塊小地方，兩千多萬人，居然幹得轟轟烈烈，經濟上成為亞洲四小龍，政治上有民主選舉。這些都使大陸民眾普遍好奇，尤其是知識界，而行動相對自由的大陸在美留學生，更是想一窺究竟。美加新聞中心舉辦了兩岸留學生座談會之後，我建議報館，請幾位大陸留學生到台灣訪問，讓他們「眼見為真」，替全體中國人作個見證。報館同意了，政府主管部門也核准了。為了減少政治上的敏感，除了旅費由「美加新聞中心」全額支付外，行程則由民間團體「中華民國團結自強協會」安排。從北到南，全程十天。

五位大陸留學生訪台

接受邀請的五位大陸留學生是：

吳牟人：紐約市立大學語言分析哲學系博士候選人

許成鋼：哈佛大學經濟系博士候選人

裴敏欣：哈佛大學政治系博士候選人

錢穎一：哈佛大學經濟系博士候選人

徐邦泰：加大柏克萊分校東亞系研究生

知識分子在中國近代史上常扮演鼓動風潮、造成時勢的角色。五位留學生訪台，在海峽兩岸的關係上是突破性的一大步。他們對此行的看法如何？有哪些期望？「美加中心」特在行前舉行座談會，聽聽他們的意見。

徐邦泰：國民黨所領導的政府開放大陸海外留學生訪台，是很有建設性、前瞻性的作法，也是政策轉折性正確的標誌。

首批訪台的五位大陸留學生抵達中正機場。由左至右是裴敏欣、吳牟人、錢穎一、徐邦泰、許成鋼。
聯合知識庫／提供

裴敏欣：我們五個人代表的不是官方，不是任何團體，代表的是自己，代表的是中國新一代的知識分子。我相信訪台可以促進兩岸年輕人的了解，也可以促進大陸年輕一代與台灣執政者及前輩知識分子彼此間的了解。我預測這個好的開端會達到一個好的結果——逐漸打消台灣官方對大陸年輕一代因不了解而產生的顧慮，因而進一步擴大交流的途徑和形式。

錢穎一：我們都是三十幾歲在海外學習的大陸知識分子，獨立於任何政府或政治團體，以這個基礎進行交流，有其特殊的意義。

許成鋼：大家對留學生訪台相當注目，其實我們五個人不重要，重要的是這件事開始了。以後兩岸的人員、資訊交流愈頻繁，大家就愈習以為常，覺得不是什麼大事。這樣，就真正是一件大事了。所以，我們訪台的意義在將來，不在現在。

吳牟人：我認為這項訪問有其政治意義在，我也希望大陸留學生也能夠逐漸形成一種完全獨立於共產黨之外的政治力量。

徐邦泰：台灣一般老百姓對於統一、獨立的看法，我非常感興趣，希望知道他們真正的想法、要求、考慮與傾向。

裴敏欣：我希望台灣各界把這件事看成是長期性交流的開始，第一批後陸續有大陸留學生訪台。也希望各界對我們能有全面、公正的看待，我們一不是反共義士，二不是被國民黨收買的人，三不是政治投機分子。但我們在大陸上飽嘗過任何事情都「政治化」的苦頭，不免談「政治性」而色變。

五位大陸留學生在美加新聞中心記者薛曉光的陪同下，一九八八年十二月二十日飛抵台北，一下飛機立即被大批記者所包圍。徐邦泰說，「我們從一個水深火熱的地方，來到另一個水深火熱的地方。」大家哄堂大笑。原來「冷戰」期間，兩岸都打宣傳戰，互指對方百姓「生活在水深火熱中」。

徐邦泰的「解頤」，使他們的訪問有一個輕鬆歡樂的開始。團結自強協會為他們安排的行程非常「多元化」，包括台北地區五花八門的夜市；喧鬧的狄斯可舞廳；現代化的百貨公司；大清早吆喝叫價的果菜批發市場；中南部的農村；以及擠滿選民的民意代表服務處。另外，還有佛光山靜謐的一夕。

在大陸也成重要新聞

大陸留美學生將訪問台灣，在大陸同樣成了重要新聞。「中央人民廣播電台」在早兩天的晚上聯播節目中就播出這條消息，以後又播出多次。

新華社也發了這則新聞，且報導了一位學生接到家中打來電話，詢問詳情，並向他「恭喜」。

來自大陸的消息說，對台灣當局允許大陸留美學生訪台，普遍有正面反映。

五位大陸留美學生，二十九日下午搭機離台，結束他們歷史性的台灣之行。二十八日下午，他們舉行離台記者會，錢穎一代表總結發言表示，他們此行看到了真實的台灣，聽到了各種不同的聲音。最後，他高聲說：「我們會想念你們的！」在他旁邊的裴敏欣頗有同感，加了一句：「明天我就會覺得寂寞了！」

他們一致肯定此行的意義，希望將來看到更多，五十、五百，甚至五萬個大陸海外留學生陸續來台，加深兩岸的交流與了解。

裴敏欣說，台灣給他的感覺，是「生命力旺盛」。這裡的民眾生活節奏快，生機處處，使他印象深刻。

對於親眼所見的台灣各項發展實況，五位留學生認為，確有促使中國大陸經濟進步的作用，希望台灣透過貿易、直接投資等積極行動，對大陸展開長期和深遠性的影響。

三十年來，愈走愈遠？

專攻政治的吳牟人指出，大陸與台灣密不可分，且大陸未來發展好壞攸關中國人的長遠利益。如果台灣在以後大陸朝好方向發展上起不了作用，將來台灣就不可能再在大陸上建立政治經濟的影響；而如果日後大陸朝壞的方向發展，台灣也將蒙其害。他特別指出共產制度已存在大陸的事實，即使身在台灣的中國人也無法規避，參與改變此一政治現狀，才對大家最有利。

筆者寫這篇回憶時，已是二〇一九年，距離五位大陸留學生訪台已經三十一年了。三十年來，台灣與大陸的變化，真是十年河東轉河西。現在台灣居民到大陸旅遊，青年去大陸讀書、工作。我們已退出「四小龍」行列，大陸已成世界第二大經濟體了。

悵望千秋，蕭條異代。

三十五萬美金買《許家屯回憶錄》全球版權

港媒「割喉削價」使《香港聯合報》壯志難酬

《許家屯回憶錄》出版，很受海內外注意。
聯經出版公司／提供

一九九二年三月十六日，聯合報系董事長王惕吾在報系常董會上宣布，要創辦《香港聯合報》，同年五月四日聯合報系的第八分報紙就在香港上市了，前後不過四十八天。

其所以會這麼「十萬火急」，說起來無甚出奇，第一、王惕吾先生是一個劍及履及的人，做事不拖泥帶水，當年辦《經濟日報》、《民生報》和《聯合晚報》時，也是一聲令下，報紙就辦出來了。第二、聯合報系人力資源豐富，且都訓練有素，而動員能力強，平常已經「深挖洞，廣積糧」了。

當時外界有人揣測，《聯合報》是不是想進軍大陸，先拿香港做橋頭堡。我不敢妄臆王惕吾先生的心理，但是他在那次常董會的談話，第一句就說，「報系決定在香港發行《香港聯合報》，以服務香港數百萬僑胞」。這話是不錯的，聯合報系在美國、加拿大、法國和泰國，都為僑胞辦了中文報紙，香港數百萬人口都是華人，雖然當地已有不少華文報紙，他們應該也有權利閱讀一份「不一樣風格」的中文報。

所以王董事長告訴同仁：「我們不是為政黨宣傳，也不是去鼓動風潮，我們是為全中國人服務而辦報，以現代化開發國家的經驗，為中國的和平、統一、繁榮盡一份心力。

《港聯》重要人事安排是這樣的：報系總管理處總經理王必立兼《港聯》管理委員會主任委員，《聯合晚報》社長張作錦兼《港聯》社長，《民生報》社長黃年兼總督導，徐榮華任《港聯》台灣辦事處主任兼總編輯。

先有「香港經驗」

因為「九七大限」的關係，香港的事常使世人注目，《聯合報》早在兩年前，先成立了

「香港新聞中心」，在香港設辦公室，派駐記者，為《聯合報》提供新聞，所以在《港聯》創辦之前，報系已經取得若干「香港經驗」。

迎接報系第八份報紙，台北「集思廣益」，為《港聯》訂下若干條規範和守則：

——我們的政治態度廣受「中港台」三方注意，要格外小心。我們不會代表任何黨派去做政治宣傳，更不刻意討好任何政權。

——兩岸三邊經濟問題，應以香港為主軸，不能失之輕重。

——我們不是《聯合報》的香港航空版，不是聯合報系各報紙的精華版，而是在地的《香港聯合報》。

——工作同仁應有「香港觀念」，用字遣詞要適合香港語法習慣。

最後一條，可能非常技術性，但影響可能很大。《港聯》五月四日創刊，同日在香港舉行茶會，招待香港各界人士，並在會場展示和贈送報紙。一位來賓就很好意的告訴我，《港聯》新聞中有「公寓」這樣的字眼，「公寓」在台灣是很正常的民宅，但在香港卻是並不很正經的地方。

瑕不掩瑜，《港聯》的工作火熱展開，人手增加，大部分編採轉移到香港製作，後來更在土瓜灣購地新建了自己的大樓。台北也派遣業務高手遠征香港，希望能克服報紙某些

「水土不服」的困難。

時間到了一九八九年六月，天安門廣場的學生事件，舉世注意，香港也自不例外。但是一九九〇年四月，有一件事，更使港人震動。那就是「新華社」香港分社社長許家屯的出走美國。按理說，區區一個「新華社」分社社長，似無多大分量，但許家屯不同，他是大陸派來準備九七年接收香港回歸的大員，是香港「地下總督」，他曾任中共江蘇省委書記，是省長級的人物，也是大陸建政後「不辭而別」的最高級官員。

三十五萬美金，「不要講價」

一九九二年歲尾，有人在台北跟我接洽，表示許家屯要寫回憶錄，想交給聯合報系發表，稿費美金三十五萬元。我與對方談話後，向王惕吾董事長報告，建議接受，理由有三：第一、許家屯事件充滿懸疑性和內幕性，有甚大的「新聞膨脹力」；第二、香港居民切盼知道他「出走」的原因和經過，現在由他自己解說，在《港聯》刊出，相信會為我們爭取很多讀者；第三、除了《港聯》之外，報系海內外所有報紙都可刊用，延展性極強。

王董事長聽了我的陳述，簡明扼要的回答我：「那就這樣辦吧！」我轉身要走，他又加上一句話：「不要跟人家講價！」這就是王先生做人厚道、做事明快的地方。

協議書

茲協議許家屯香港回憶錄（新華社分社社長六年）之刊布與出版由聯合報系全權處理，聯合報系同意分期致付稿費卅五萬美元並派專人協助整理稿件……有關版權讓受之權利與事務由雙方委任律師在四月廿[illegible]日前於香港簽訂[illegible]

立協議書人 許家屯

聯合報系代表 [illegible]

一九九三年四月[illegible]日

許家屯和《聯合報》簽下協議書，出版回憶錄。

現在的三十五萬美金，也許大家不覺得怎麼樣，但是在二十七年前，根據行政院主計處的統計，台灣國民所得平均只有美金七〇九七元，三十五萬就是一筆很不小的數字了。

許家屯在洛杉磯，先是在星雲大師的「西來寺」掛單，後來有了自己的房子。他本人不執筆寫，要《聯合報》派記者去住在他家，他口述，記者筆錄整理後發表。

《聯合報》選派李瑟小姐

擔任這項任務，她住在許家，與許家屯和他的「女伴」都處得很好。李瑟寫的稿，在聯合報系海內外八家報紙一齊連載，自然是造成轟動，廣受各方注意和談論。最後由「聯經出版公司」於一九九三年底出版了兩大冊的《許家屯香港回憶錄》，海內外銷售情況都不錯。

回憶錄內容有保留嗎？

據傳聞，許在回憶錄中，保留了一些「精華內容」，原因有二，其一、許在洛杉磯與某些華文記者有來往，他們慫恿他留些好材料，將來好出版續集；其二、許本人希望有一天還能回大陸，不要與中共當局撕破臉，要緊的話沒有說。二〇一九年，李瑟時任《康健雜誌》社長，我們曾有機會敘舊，她也回憶了在許家屯處撰稿的一些往事。

許家屯為什麼「出走」？有傳言說，北京認為他有「賣國」嫌疑，所以要把他調職回去。但許家屯二〇〇七年七月曾接受「香港有線新聞」和《明報月刊》訪問，反駁中共「保守派」對其「賣國」的指控。他承認，「六四」發生後，有香港富商向他主動提交一個十多位港人連署的建議書，願意以一百億港元租借香港十年，由港人治理。他當時只是如實向中央反映這項建議書，並得到當時中共總書記江澤民點頭默許，並非如官方後來所指的「賣國」。

許家屯為何「出走」，迄今也沒有人說出大家都能認可的「真相」。而他本人於二〇一六年六月二十九日辭世，享壽一百歲。對他來說，「真相」應該不是多麼重要了。

港媒「割喉削價」的惡果

我是以《聯合晚報》社長的身分兼任《香港聯合報》社長，我台北有工作，只能偶爾來香港「蹲點」，自覺非長久之計，乃於一九九四年請辭《港聯》兼職，後繼同仁長駐香港，大家協力奮進，本已前景看好，但香港報業為了競爭市場，開始「割喉式削價戰」，原來報紙價格每份五元，忽然有甲報降為二元，乙報再降為一元，還附贈品，實際收入不到一毛錢。《港聯》既不願隨波逐流，也無其他退路，遂於一九九五年十二月十六日宣布停刊。

聯合報系海內外八份報紙，我參與工作的有《聯合報》、《聯合晚報》、《世界日報》三份報紙，都是前人創下業基，唯有《香港聯合報》是我參與創業的，而且居社長的職務，有領導的責任，卻半途「出走」，報紙終於壯志未酬，實在是我四十年記者生涯中的一樁憾事。

第 7 部

報紙的養分在「學術」和「文化」

在報館服務四十年，與很多學術、文化界的師友來往，公私兩方面都得到他們的啟迪與幫助。

張作錦退休，學術界餞別。前排坐者，右起沈君山、張作錦、許倬雲，後排立者，右起朱雲漢、項國寧、高希均、楊國樞、胡佛、李亦園、黃年。

報紙向「學術」求高，向「文化」求深

向我那些學術和文化界的師友們致意

報紙有兩項功能，一是「告知」，告訴讀者世上發生了什麼事；另一是「解釋」，向讀者說明這些事為什麼會發生，發生後對我們會有什麼影響。譬如美國華爾街金融風暴，它的振幅會不會遠及台灣等等。

「解釋」本來是記者自己應該做的，但很多專門性的事物，就不是記者一般的訓練所能承擔。譬如二〇一九年開始的「中美貿易戰爭」，內容複雜，那就要有請財經金融學者，甚至政治、外交和軍事專家來解說才行。

廣邀天下英雄豪俊之士為報紙寫稿，本是總編輯的責任。當年我擔任採訪主任時，總編輯是王繼樸先生，王先生是燕京大學新聞系高材生，又曾去美國深造，中英文俱佳，不過他是一個「好學深思」型的人，似乎不慣與人交往；我早年失學，渴望求知，常向學界人士請益，於是就作為「總編輯助理」，幫他向學界約稿。

2010年，報社宴請《聯合報》老作者。
前排左起：
曹俊漢、楊國樞、胡佛、袁頌西、劉昌平、呂亞力。
後排左起：
黃年、張作錦、胡立台、周陽山、邵玉銘、朱雲漢、黃光國、楊仁烽、項國寧。

我自己擔任了總編輯之後，不僅有使用版面和處理稿件的方便，而且設立了「專欄組」，專責與學者專家聯絡約稿，以及舉辦座談、演講等活動。日積月累，就建構成《聯合報》頗具規模的「學者作家網絡」。在那個戒嚴的年代，報紙也藉學界人士的盛名和卓見，擴張了言論尺度的範圍。而且，我和他們也不僅是純粹的編者與作者的關係，我視他們亦師亦友，得到他們很多的啟迪與幫助。

四十年的記者生涯，這部分工作使我個人和報館都受益良多，謹藉此寫回憶文的機會，向我那些學術文化界作者朋友致敬和致謝。不過我所記載敘述的內容，是我和他們交往間個人之事，不在寫他們學術的功業，那些既為我力所不逮，也不能盡述。

另外，在報館服務四十年，認識和請益過的學術文化界人士，自不在少數，限於時間、精力和記憶，我沒法向他們每一位表達我的謝意，掛一漏萬，是不得已的遺憾。

天下文化／提供

高希均
天下沒有白吃的午餐

一九七七年四月間，我在當時的《大華晚報》上，看到兩篇署名「高希均」的文章，字數不多，但觀點新穎，說理動人。《大華》雖是一份好品質的報紙，但是晚報「能見度」有其限制，這樣的好文章刊在《大華》，未免「大材小用」了。經打聽，作者是美國威斯康辛大學的經濟學教授，受當時行政院經建會的邀請，暑假回國幫政府作些專題研究。我請他吃飯聊天，當然意在約稿。當時台灣雖不富裕，《聯合報》請作者下個小館還是不成問題的，但高先生卻隨意走進一家快餐店，每人一杯咖啡一個漢堡，吃得簡單，談得深入。

沒有兩天，稿子來了，是評述「當前經濟觀念」的系列文章，篇篇都有與眾不同的觀點。到了第五篇〈天下那有白吃的午餐？〉更叫每個人眼睛為之一亮，腦袋像猛然被鑿開了。那個時代的台灣，還沒有「國際化」，對新知識、新觀念了解不夠，而當時的蔣經國政府，處處以人民生計為念，不僅稅賦要低，公用事業如水電瓦斯等等費用，都不准漲價，以安定百姓的生活。但高希均教授警告國人，不能靠政府開支票過日子，羊毛一定出在羊身上。他呼籲政府和社會大眾在觀念和行動上要懂得「付出」和「創新」，才能過渡到一個真正有尊嚴的富裕社會。

高教授的文章，直如暮鼓晨鐘，社會大眾都聽進去了，人人都能琅琅上口他那句話。高先生因感冒去診所求診，醫生一看表上是高教授大名，堅不收診察費，以感謝他為我們國家所做的「診察」。高先生坐計程車，司機在報上看過他的照片，認出他來，一定要免費送他一程，表示升斗小民的尊敬。

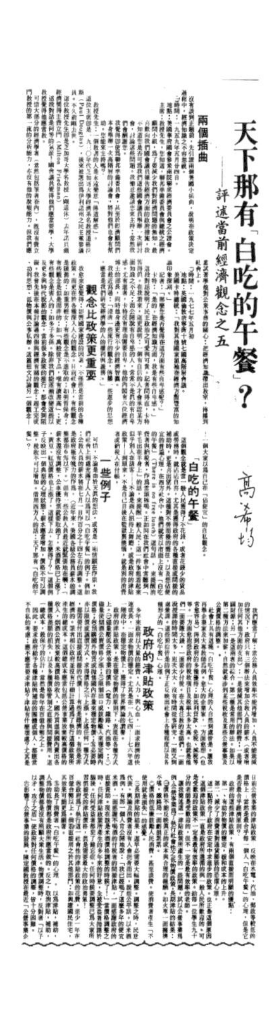
天下那有「白吃的午餐」？

——評述當前經濟觀念之五

高希均

兩個插曲

觀念比政策更重要

「白吃的午餐」

一些例子

政府的津貼政策

「白吃午餐」不僅激勵了廣大讀者，也激勵了作者自己，高教授在以後短短幾個月內，接連寫了很多漂亮精闢的文章，提出的都是言人所未言的主張，譬如：

低物價政策是有害的；

公立大學的學費應該調整；

在政府機構裡，公事不可私辦。

決策錯誤比貪汙更可怕

當然，不會忘記他另一宏文〈決策錯誤比貪汙更可怕〉，等於再給政府一記重拳。而當時的政府雖被人形容為「專權」，倒是有容言的雅量，也有改進的勇氣。中華民國能逐漸走向現代化，發展經濟，增強國力，靠各方面的努力，輿論界是其中的一環。而在媒體上發揮導引作用的學者，高希均教授無疑是先鋒隊中的主力。

高教授的每一篇文章，都引起社會極大的回響。我雖然沒有跟他詳細談過，但我想他那時一定有兩點感受：

第一、台灣需要輸入更多新觀念，以促進國家社會的整體進步；

第二、媒體的影響力很大，但報紙是一種大眾讀物，雜誌才能深入而細緻地討論問題。

「遠見・天下文化事業群」創辦人高希均教授（左）和王力行女士，與張作錦合影。

天下文化／提供

在台灣辦一本雜誌，那時大概在他心裡已經埋下了一顆種籽。

一九七九年中美斷交，一時人心惶惶。大家多認為，台灣應該發展經濟，充實自己的力量，才能渡過難關。如果一般人都有這樣的認識，在美國大學教經濟學的高希均教授，自然更了解這一點。於是他從美國請了一年假回來，邀請殷允芃、王力行兩位女士，又拉上我，在一九八一年共同創辦了以討論經濟問題為核心的《天下雜誌》。在那個「要害一個人就勸他辦雜誌」的年代，為了增加大家的信心，高教授承擔了最大股份。

當時台灣還有《出版法》，依規定出版刊物要有一位本國籍的人任發行人，負法律責任。高教授在美國任教，尚未返國常住，還沒有恢復戶籍，所以由我擔任發行人，高教授自任社長，殷小姐負責編輯部門，王小姐負責業務部門。但因為人手少，其實都是「共管」。因為當時我是《聯合報》總編輯，報館負責人覺得我兼任雜誌發行人多有不便，沒多久我就辭謝發行人，由殷小姐擔任發行人兼總編輯，王小姐擔任副總編輯，他們幾位為我保留「共同創辦人」的頭銜。

台灣前進的動力：天下．遠見．天下文化

雖然《天下雜誌》一創刊就轟動，發行、廣告、讀者、聲譽都直線上升，但高教授在美國大學有專任教職，只能短期回來，雜誌的「領導中心」不免有些扞格。我一九八二年去美國休假一年，隨後即留在聯合報系美國《世界日報》任職，其間曾回來與高教授和殷、王兩位小姐共商雜誌的「分合大計」，以求長久發展之道。最後協議，《天下雜誌》由殷小姐負責主持，高教授和王小姐負責「天下文化出版公司」，並另行創辦了《遠見雜誌》。

高教授也許覺得台灣經濟已經站穩了腳步，《遠見雜誌》就比較是一本綜合性的刊物。目標在「傳播新觀念，開拓新視野」。就是希望國人站得更高，看得更遠，所以叫《遠見》。

沒有知識的人怎會有「遠見」？除了兩本雜誌，加上「天下文化出版公司」，高教授以「豐富閱讀世界」來服務社會。而推廣讀書，更是他長期的努力目標，他提出「新讀書主

義」，有四點倡議：自己再忙，也要讀書；收入再少，也要買書；住處再擠，也要藏書；交情再淺，也要送書。」「天下文化」選書嚴謹，高教授堅信：「好書正如好人一樣，有時寂寞，但不會孤獨。」

為了使《遠見》成為「台灣前進的動力」，高教授在他的「出版集團」裡增加好幾本給「青少年」和「家庭」閱讀的刊物；又經常舉辦大型的文化和社會性活動，帶動台灣超越前進。

外人常感覺奇怪，「天下文化」出版了這麼多好書，都是從哪裡找來的？祕密藏在「天下文化」附設「人文空間」裡。這是台北有名的「文化沙龍」，精力充沛的高教授，幾乎早、午、晚三餐都在這裡和文化、學術、政經等各界人士喝咖啡、吃簡餐聊天。很多有內容有分量的好書，都是從「聊天」裡出來的。

「天下文化」去年售書高約四十座「一〇一」

台北的「人文空間」現在有了上海「分店」，在上海金山區假日酒店的底層，頂尖建築設計大師姚仁祿，為「遠見人文生活」創造了極致的空間美學，這個新的「人文空間」適合展覽、藝文講座、音樂演奏、時尚發表，當然還有新書和咖啡。兩岸交流，「商貿」之外，還有「人文」。

如果以文字述說「遠見・天下文化」的成就比較抽象，那就說一點具體數字：事業群二〇一八年總銷售書刊是一百七十萬冊。以一冊書平均厚度一・二公分估算，二〇一八年總銷售書刊約當四十座台北「一〇一大樓」。

高教授在台灣為文化出版事業努力奮戰幾十年，作為他一位長期的朋友，我確知，他的貢獻，他的影響力，就像他形容好書一樣，不僅不孤獨，也將不寂寞。

「四碗肉」和「五條魚」

經濟學雖然是高教授的專業，但大家多是因為他的文章而認知他、欽佩他。高教授文章的最大特色是論點喜用一、二、三、四、五的條列式，綱舉目張，條理清楚，明白易懂，常使人忍不住「一氣呵成」讀完。

當高教授和我們這班朋友都還「年輕」的時候，常常「揪團」出國旅行，跑了世界很多地方。有一年到了印尼，在一家華人餐館吃飯，餐桌上放有紙筆，要客人自己寫上要點的菜，高教授自告奮勇，為大家代勞。

菜上來了，首先是一盤炒白菜，很可口。跟著來了兩盤番茄炒蛋。我們問同樣的菜怎麼上兩盤？服務小姐說沒錯，是你們點的。我們說不可能吧！她把單子拿給我們看，一、炒白菜；二、番茄炒蛋；三、紅燒豆腐……」。幸虧我們發現得早，否則我們除了要吃三盤豆腐，還有四碗燉肉和五條魚。

有一年我們遊南非，當時中華民國和南非還有邦交，陸以正大使駐節開普敦。陸大使出身美國哥倫比亞大學新聞學院，在大陸和台灣的報紙都待過，是「老記者」了。他對我們這個以媒體為主的訪問團非常客氣，在官邸設宴招待我們，飯後請新聞處長陪我們上街逛逛。車子開到一個博物館門口，處長要我們進去參觀，消磨時間，他到銀行替我們去換南非幣。博物館的入口處有一玻璃櫃，出售紀念品，多為當地原住民設計製作者，古樸可愛，了無匠氣，充分體現了當地人的智慧，叫人不忍釋手，而且價格不貴。我們八位團員，幾乎把一櫃子的紀念品都買光了，卻還沒有進去參觀。等處長回來，問我們對博物館的印象如何？我們笑著回答：「物美價廉」。

遊南非當然要住進格魯克國家公園。當天是中國的農曆除夕，夜間驅車訪花豹。我們在無垠的大草原上，萬里星空之下，拿出高粱酒，舉杯慶賀中國農曆新年。

很多年過去了，大家年歲都有增長，往日豪情今在否？

聯合知識庫／提供

許倬雲
「家國天下情懷」的中國文人

許倬雲教授是中央研究院院士，歷史學大家，著作等身，若非我在報館服務，工作上向他請益，邀他寫文章，否則怎麼會有機會認識他？

我結識許院士的時間可能是在「陳文成命案」發生的時候。一九八一年五月返國渡假的美國卡內基美隆大學教授陳文成，七月三日被發現在台灣大學校園內離奇身亡，驚動海內外，朝野都希望有一可孚眾望的人士協助處理，當時仍在匹茲堡大學任教的許院士，就義不容辭的參與了這件事，把他的意見，交給《聯合報》發表。

那個年代，通訊設備極簡陋，連傳真機都沒有。大家知道，許院士自幼就手腳不便，用手掌握著筆，一筆一劃的刻出字來，然後用越洋電話報到台北。接聽傳報新聞的電話，本是記者同仁的工作，但感於許院士的慷慨與熱心，多半由我自己接聽記錄。以後許院士常回國講學，後又返國常住一陣子。他不以學問傲人，使我得有親近、認識他的機會。

萬古江河日夜流

許院士最近幾年出版了好幾本不是「老生常談」的好書，如二〇〇六年的《萬古江河：中國歷史文化的開展與轉折》，二〇一七年《中國人的精神生活》。凡讀過這兩本書的人，都可看得出，許先生念念不忘中國，中國人，中國文化，以及大格局的世界文明。他的同儕和他的讀者普遍認為，他是一位有「家國天下情懷」的中國文人。

這可能與許先生的身世有關。他幼小即在國家外侮內亂中顛沛流離，來台後才稍能安穩讀書，後來又離鄉背井去美深造，回國後在台大任教，在中研院研究。以後雖然較長時期在美國教書，但他念念不忘台灣，常回台灣講學，也去大陸客座。他倡議成立「蔣經國基金會」向全世界推展漢學研究，他幫助政大進行一個大型的「形塑中國」的研究計畫，目標在「界定自己，走向現代，融入世界。」

他和沈君山教授在殷之浩「浩然基金會」的贊助下，共同開辦「浩然營」，選拔兩岸三地青年菁英，在世界各地「設營紮寨」，每次講習四星期，希望經過這些青年領袖的思想融合，進而能融合整個中國。一九九〇年第一屆浩然營在美國加州開課，兩岸三地學員共三十人，台灣方面包括馬英九和陳定南。

當「二二八事件」還是一項禁忌的話題時，一九八七年二月二十六日許先生在《聯合報》發表〈化解二二八的悲劇〉一文，直指政府應特設查證委員會，釐清責任，並釋放在繫人犯，結束歷史悲劇。第二年，一九八八年的二月二十七日，許院士在《聯合報》再發表文章〈又是二二八了〉，提醒執政當局要盡快善後。終於，政府在一九九五年二月

化解「二二八」的悲劇
許倬雲
面對禁忌思考化解之道
解開錯誤與悲劇的情結
可設查證委員會釐清責任
與民更始釋放在繫人犯
結束歷史悲劇此其時矣

又是二二八了
許倬雲

二十八日發表調查報告，正式向不幸受難者道歉，並立碑紀念，希望能撫平不幸的歷史傷痕。

許院士出生時身體就不方便，但他毅力驚人，一一克服，不僅進入學術殿堂，著作等身，更幾乎是全神貫注的關懷國家社會問題。這樣的人，性格當然是很堅強的。但許院士雖有「冷靜的腦」，卻更有「溫暖的

心」。在與他四十多年編者與作者的交往中，我至少看到他流過三次眼淚。

為家和國流淚

許先生二〇〇一年回國定居，在中研院附近購置公寓之前，先在台北市忠孝東路四段租屋居住，樓下有一日式餐店，有一次我們在那裡小聚，他歡喜講歷史故事，我歡喜聽。抗戰時，許先生一家住在長江口岸沙市。川軍出川，趕赴抗日前線，有運兵船沿江東下，在沙市上岸。許院士令堂把他放在門前石獅子上坐著，她自己忙進忙出的燒開水、提開水給那些年輕的軍人解渴。「母親心疼又著急的樣子，我現在還記得。她提著一大壺開水，忽然跟我說，『這些孩子，從此一去就可能回不來了。』說完她就哭了。」我眼前已過中年的許院士，也毫不掩飾的淚流滿臉。

為了紀念二〇〇五年抗日勝利六十年，大陸中央電視台早兩年就開始籌拍大型文獻紀錄片《抗戰》。一位參與製作的朋友從北京打電話問我，怎樣可以聯繫上許倬雲教授。我說巧得很，他正在北大講學。朋友後來告訴我，他們錄影訪談時，許院士回想抗戰期間，多少將士的捐軀，多少百姓的流離，泣不成聲。許院士回到台灣，在萬芳醫院休養，我去看他，他跟我談到紀錄片的事。八年國殤，重上心頭，他一面說一面飲泣。丈夫有淚不輕彈，只因未到傷心處。

許倬雲教授（左）和張作錦。
聯合知識庫／提供

我因為報館工作上的關係，有幸與很多學者來往，包括台大歷史系的張忠棟教授。他一九九〇年因肝癌在台大醫院開刀的第二天，我就去探望他。他後來因為政治理念的關係，與朋友有些疏離，但我們仍然維持往來。一九九九年盛夏六月，與許院士共同參加一項餐會。餐後我要開車送他回家，他說，「我們一起先去醫院看看忠棟吧！」到了台大醫院一間單人病房，張教授躺在床上，蓋上被子，腹部生水，肚子挺得很大，臉上戴著氧氣罩，已不能言語，他的公子一旁侍立。許院士問張教授「還認得我們嗎？」他點點頭。我們說了一些不著邊際的安慰話，黯然而退。

離開病房，走到走廊上，許先生哇的一聲哭了出來。他們有師兄弟的情誼。「是我在台大歷史系主任時，送忠棟出國深造的。」幾天之後，張教授走了。

國家、親人和朋友的情愛，永遠擱在許先生心裡最重要的位置。而且，不僅表現在他與學術界同行的身上，也惠及我這一介記者。

二〇〇三年我自《聯合晚報》退休，事聞於許院士，賜文「以壯行色」，題曰：〈將軍辭營志未消——送新聞老兵張作錦退守後防〉。這樣的榮幸，真受寵若驚。但因當時仍受聘為報館顧問，且依然每天上班，恐招「利用職權」或藉史學大家以自炫之譏，故取得許院士諒解後，暫未發表，後經許院士納入他自己《倚杖聽江聲》散文集中。二〇一五年「天下文化」為我編輯自選集《誰說民主不亡國》和《江山勿留後人愁》兩書，特央請許院士同意，將此文移作選集的序言，一以為拙著增色，一以稍稍彌補多年來的歉仄與遺憾。

學者和記者關懷台灣

在這篇文章中，許院士曾敘述與我有兩次「長談」，以及談話的經過與內容，可看出一位學者和一名記者共同的關切，並展現出台灣社會轉變的軌跡。

「我們第一次長談，正是在台灣風雨如晦之時，我們二人都投身沈君山兄發動的革新保台運動。有一次，我返台參加君山兄主持的會議，討論中華民國何去何從。散會後，作錦兄送我從麗水街走回永康街。我步履遲緩，在小公園中休息一次，抵家後又續談未了的話題。記憶中，為時兩小時的談話範圍，由國際大勢、國內情形，以至提出『經濟大國』、『文化大國』、『民主化秧田』諸項觀念，也討論到改造國會、族群關係……諸項課題。

其時中華民國處境艱難，民心驚慌，海外華人的心，也大多被保釣運動席捲而去。然而，我們仍覺背水之戰，未嘗不能置之死地而後生。」

「此後又有一次長談，則是在紐約一家旅館。那時，美東國建會同仁有大型集會，餘興節目正在進行；我們都是不喜歡熱鬧的人，遂離開會場，借大廳一角，再次傾談國內國外情勢。台灣已走向富足，民主化過程已發軔，但是內部不和諧的隱憂也已漸漸露頭。我們也因此談到民主的定義、政體與國體之間的兩難，及國際情勢與大陸發展的轉變方向。這次長談，也是二小時。」

許倬雲（左）和中風後的沈君山，在電視上對談殘疾人生，兩人同時仰天大笑，如同赤子。
聯合知識庫／提供

「這兩次長談，長留記憶之中。一方面是談得深入，所見略同；另一方面，更因為當日估計的大局趨向，半個世紀以來，雖未能全部中的，也相差不遠。我們當日的預估未能全中，主要因為失估了一項因素：我們未能料到台灣的老皇民們仇視中國之深，及輕視中國人與誤解中國文化之甚！今日回想，只是失估了一角棋勢，全盤棋局遂有如此不同！」

許院士還憶及一些小事：「在海外投稿台灣，今日有傳真（fax）之便；但在數十年前，為了趕時效，唯有用國際電話口授筆錄。我的口述稿，勞累了台北新聞界的同仁。作錦兄其時已主持《聯合報》編政，有時還是親自執筆，記錄我的口述稿；其敬業精神，令人欽佩。我尤其感激者，口述之前，他提供的資訊，啟沃我的思路；筆錄之時，他隨手修飾潤色，遂點凡鐵為可讀的文章。投稿者與編輯之間，能有這番緣分，實為奇遇；求之今日的fax或e-mail，恐已不易再現了。」

不知何時回台灣

許院士因為研究和講學的關係，常常來往於匹茲堡和台北之間。二〇一〇年，他忽然惹上官司，從那時起就沒有回台灣。去年三月原告病故，官司應可結案，我問許院士「可以回來了吧？」他表示官司早已和解，但長期不回台灣的緣故，乃是因為在兩度脊椎大手術後，健康迅速退步，涉訟不久已經不能回來；現在他起坐都不方便，醫生嚴令不准他坐飛機，回台灣不知要何年何月了。

許倬雲院士是一位歷史學家，眼觀十萬八千里，耳聽上下五千年；但是他的心，一定是放在台灣，現在及未來的台灣；放在中國，現在及未來的中國。

聯合知識庫／提供

孫震
優遊於孔子和亞當・史密斯之間

一九七二年初，我在一本雜誌上，讀到孫震先生的一篇文章，言近而旨遠，印象深刻。惟自己見聞不廣，不知作者是何許人。經打聽，是台灣大學經濟系一位年輕的教授，剛從美國留學回來，我就跑到台北市舟山路台大教職員宿舍拜會孫先生，請他寫稿。孫教授是山東人，真有「孔孟家風」，待人和氣，講話懇切，誠「恂恂儒者」也。

他給《聯合報》的第一篇文章是〈國際新形勢和我們應有的努力〉，刊於一九七二年三月六日。那時尼克森才剛訪問大陸，國際形勢對台灣相當不利。孫教授認為，台灣未來的前途，固然會受國際強權互動的影響，但主要端在我們自己努力。我們身強力壯，才能擋得住外來的風雨。

四十七年・言猶在耳

現在到了二〇一九年歲尾，時間過了四十七年，怎麼孫先生的話彷彿「猶在昨日」，仍然妥貼有用？這固然是孫先生的遠見，也是台灣朝野不知警惕、逸豫自安的結果。

我在編輯部服務期間，也正是孫教授文章創作的旺盛期，幾乎對我的約稿有求必應，寫了很多影響深遠的文章。那時台灣的經濟正蓄勢待飛，政治也面臨轉型，《聯合報》基於社會責任，討論經濟和政治問題的文章就相當「豐富」。有一天我跟孫教授說，大家能不能寫一點「不政經」的文章，讓作者和讀者都有一點調劑？孫先生立表同意，於是我們在聯副刊開一專欄「塔裡塔外」，讓象牙「塔裡」的學者，走到「塔外」來，與眾生互動溝通。

「塔裡塔外」於一九七六年四月二十二日開篇，孫先生跑第一棒，寫〈春蠶到死絲方盡〉，他說：「蠶的一生使我們想到，世界上很多生物其生存的意義只有兩個，一是維持本身的生命，一是延續種族的生命，而後者才是最終的目的，前者不過是一種手段而已。」

他又說：「這樣的事情，使我們不能不慨歎造物之無情。不過，我們也不能不慶幸，在眾多的生物之中，人確是得天獨厚。儘管人和其他萬物一樣，其終極的目的在於『創造宇宙繼起的生命』，然而人在維持生命和創造生命的過程中，建立了社會，作為一個工具，因而使人生在生物層面的意義之外，又有社會層面的意義。」

「塔裡塔外」的作者都用筆名，但對讀者仍有號召力，閱讀率也很高，惟供稿的學者們都很忙碌，時有「拖欠」，常賴孫教授「慨施援手」，最終還是「完成階段性任務」後結束。

其實孫教授比誰都忙，他討論經濟問題的文章，頗受政府當局的重視，也許覺得他「坐而言不如起而行」，於是徵召他進入政府，先後擔任行政院經設會和改組後的經建會副主委，後來又出任台灣大學校長，以及入閣任國防部長。

孫教授雖然擔任過很多重要公職，但在我與他幾十年的交往中，我覺得，他在推動文化、社會建設方面的貢獻，尤其應該受到國人的重視。

台灣需要「第六倫」

台灣「經濟奇蹟」主要推手李國鼎，一九八一年三月十五日以行政院政務委員的身分，在「中國社會學社」發表演講，首次提出我們應建設「第六倫」。

他指出，中國人重視和我們有特定關係的對象之間的倫理，也就是五倫，包括父子、兄弟、夫妻、朋友和君臣，而不重視與無特定關係的陌生對象之間的倫理，他稱之為第六倫。李先生說，經濟發展，生產力提高，產業結構改變，人口都市化，人際關係改變，個人追求自己的利益，對陌生大眾的影響日愈重大。如不節制自己的行為，可能造成重大社會成本，不但妨礙經濟成長，而且導致社會不安。因此他呼籲，經濟發展不僅是一個經濟建設運動，也是一個社會建設運動，必須加強第六倫，才能從傳統社會進入現代社會。

李國鼎的演講引起社會熱烈的迴響，他又於三月二十八日在《聯合報》發表專文，提出完整的論述。並將第六倫具體化為下面幾個項目：

- 對公共財物應節儉廉潔，以消除浪費與貪汙；
- 對公共環境應維護，以消除汙染；
- 對公共秩序應遵守，以消除混亂；
- 對不確定第三者的權益應維護與尊重；
- 對素昧平生的陌生人也應給予公平的機會，不加以歧視。

孫震（左）和張作錦相談甚歡。

我個人對李先生的見解與倡議，非常欽佩與贊成，《聯合報》用一整版的版面編一「專刊」，更深入討論這個問題，希望給「第六倫運動」增加些助力。誰知在付梓前夕，忽接李政務委員的電話，表示專刊請暫勿發表。

當時執政的國民黨，正在陽明山中山樓舉行全代會，黨政要員雲集，總統府資政陳立夫在會場遞給李國鼎一張便條紙，略謂第六倫已包括在儒家倫理之中了。其他還說些什麼，外人雖不太清楚，但從李國鼎自己打電話給《聯合報》要求暫勿發表「專刊」，可見陳立夫的話應該是頗「鄭重其事」的。

不過有學者認為，陳所言是儒家的思想，李所說是台灣當時的現象，經濟發展初期法規制度不健全，缺少規範，社會行為未照理想模式做，是故陳、李二氏所指涉者並無根本的歧異。所以，民間還是持續推動「第六倫」，由李國鼎出面組成的「群我倫理促進會」，是推動的主力。李先生生病、退出政府主管職位及辭世之後，孫震教授接棒續跑，他辦活動、演講、著書，真是到了摩頂放踵的程度。有人感嘆當下台灣社會倫理消亡，如果沒有孫先生這些人多年來的持續努力，倫理秩序恐怕還沒有今天的水準。

倫理是傳統中華文化的主要部分，也是孔子大力倡導的，孫教授由於參與「群我倫理促進會」的關係，更進一步的深入了「儒學」。這些年來，他浸淫在中國古代典籍中，每有重要的心得，且進入「家事、國事、天下事」的範疇。他指出：「我國傳統的儒家思想重視倫理，要求善盡自己的責任和義務，在自我節制和自我實現中追求人生的幸福。現代西方文化重視自利，主張自己的權利和自由，在名利和物欲的追逐中，享受生活的歡樂。個人膨脹自己的權利和自由，不斷挑戰規範與秩序。典範被推翻，權威被打倒。我們無所敬畏，導致社會秩序混亂，最後大家一起沉淪。唯一的拯救就是重建我國儒家文化，以濟現代西方文化的不足。」

重建儒家文化．以濟西方不足

「重建我國儒家文化，以濟現代西方文化的不足」，這不僅顯示了孫先生的胸懷，也透露了他的慈悲。

作為在美國研究過經濟學的學者，又想以中國的儒家和西方溝通，孫先生自然不會忘記經濟學鼻祖亞當・史密斯。他指出，「史密斯認為，人的自利之心雖然強烈，但常受『理性、原則、良心』的節制。他並認為，人性有利己的成分也有利他的成分。我們關心自己的幸福，所以產生審慎的美德（the virtue of prudence）。我們也關心別人的幸福，所以產生公平的美德（the virtue of justice）。和仁慈的美德（the virtue of benevolence）。審慎

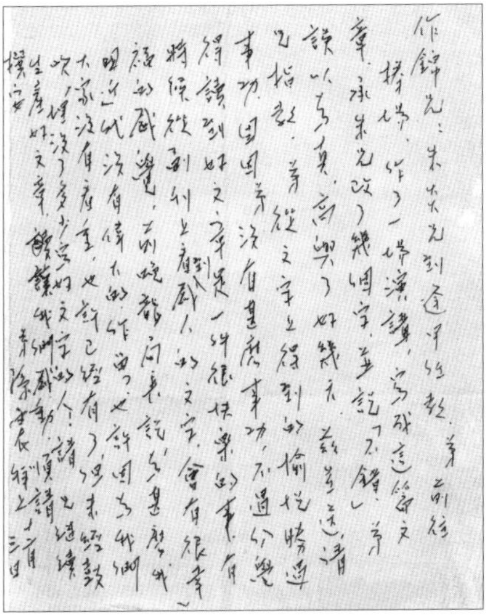

孫震寫信給張作錦說，每逢讀到好文章，就覺得「很幸福」。

讓我們追求財富與地位，公平是不減少別人的利益，仁慈是增加別人的利益。」

而孔子也認為義和利不是對立的。《論語》「里仁」篇：子曰：「富與貴是人之所欲也，不以其道，得之不處也。貧與賤是人之所惡也，不以其道，得之不去也。」孔子認為，無論追求富貴或排除貧賤，都要用正當的方法，否則寧願不要富貴，或寧願處於貧賤。在儒家的價值系統中，「正當」比財富和地位更重要。

兩大聖哲．學術接軌

這樣一來，東方的孔子和西方的亞當•史密斯，兩大聖哲是所見相同，孫震先生也就完成他「融會東西」的學術接軌。

孫先生為了使儒家能更深入社會人心，二〇一八年出版《半部論語治天下》，著我寫一篇序，我誠惶誠恐的寫了一篇「讀書心得報告」，我說：「無論從世界發展情勢、整體中國、尤其台灣的內在需要來看，大家認識和發揚中國文化，此其時矣！而儒學最重要的代表性典籍《論語》，我們如何能不重視？」

我最後說，「『半部論語治天下』這句話，典出宋朝宰相趙普。趙普是山東人，孫先生也是，孔子也是。這是一段佳話。但孫先生的這本書，絕對不僅是佳話而已。」

聯合知識庫／提供

沈君山
家國舊情迷紙上

沈君山博士和我同年，他生性灑脫，講話風趣，我們相處久了，成了朋友，遠遠超越了編者與作者的關係。

一九七七年七月八日，強烈颱風薇拉襲台，時任清華大學理學院院長的沈君山，從新竹到台北，住在忠孝東路四段「龍門大廈」父母家裡，離《聯合報》步行只有十分鐘的路程。晚上他打電話給我說，他們大樓停電，知道報館有自備發電機，可不可以到我這裡來看書。我說，歡迎過來，但不能看書，你還欠我一篇稿，來了就要「還債」。

沈君山來了，我在報館餐廳買了四盤小菜，兩瓶啤酒，把他關在總編輯辦公室裡，「沒寫完就別想出來」。

我凌晨兩點半鐘下班時，他居然也完稿了。但覺得趕稿辛苦，要我請他吃消夜慰勞。我說這麼晚了，哪裡還有消夜好吃？他說「中泰賓館」有。我開車，一起去「中泰」。外面大雨滂沱，路上淹水甚深，且視線不清，車子撞上安全島，咔嚓嘩啦一陣響，知道受創不輕。車子掙扎出來，開到「中泰」，居然真吃到消夜。

我告訴沈君山，你這篇稿子，給特級稿費三千元，而修車子，估計至少也要一萬元。等於你這篇文章的稿費是一萬三千元。他哈哈大笑，「這都是你『逼債』的報應」。

但是，別人欠沈君山的「債」，他也「逼」著跟人家要啊！

沈君山（左）與張作錦言笑晏晏。

聯合知識庫／提供

一九八六年清華大學建校八十五年校慶，有很多活動。五月五日有「清華之友晚宴」，時任校長的沈君山，請我參加，在座的有中研院院長李遠哲、企業家曹興誠等人。沈君山請我來，是要我替他「見證」一件事，而且替他寫了一條新聞稿，經他潤改，登在五月六日《聯合報》第三版頭條：

沈君山賭博興學

【新竹訊】清華大學校長沈君山玩了一場「金錢遊戲」，下一盤圍棋，贏了新台幣一千五百萬元。

「輸家」聯華電子公司董事長曹興誠昨天與沈君山簽約，承認了這筆「賭債」。

不過，沈君山沒有把一千五百萬裝進自己的口袋，他是替清華大學贏得這筆捐款。

去年十月，以企業界人士爲主要成員的「清華之友」，有一天在清大聚會，談話主題之一是替學校募款。聚談告一段落，愛好圍棋的曹興誠向沈君山挑戰下棋。沈君山是圍棋六段，去年在大陸贏了「堯舜杯」，成了業餘世界冠軍，自然覺得曹興誠不是對手。但曹興誠說：「你不是要募款嗎？你贏了我我就捐款。一個子一萬元。」沈君山起先以爲一萬元是台幣，後來才弄清楚「一子一萬」是美金計價。

沈君山授曹興誠三子，知道有錢可贏，下得十分賣力，不

沈君山（左）與曹興誠對弈，贏了他台幣1500萬元，捐給清大。智原科技公司總經理石克強觀戰作證。

清華大學／提供

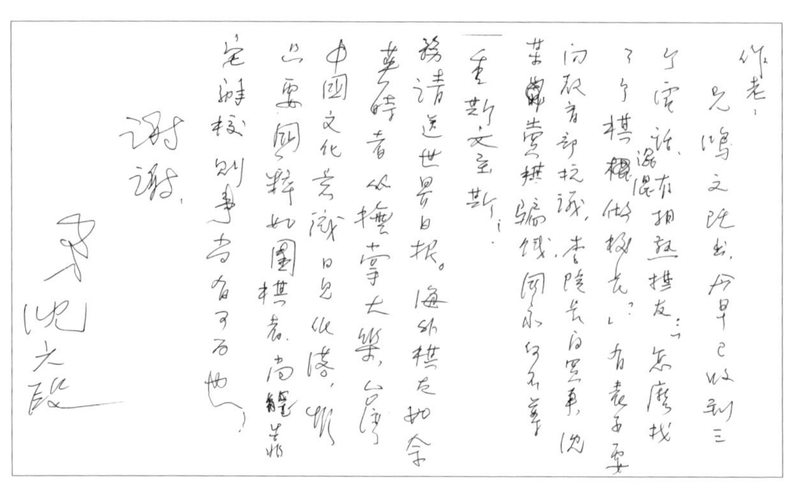

作老：
兄鳴文既出，今早已收到三
十通電話，海內外相熟棋友「怎麼找
了个棋棍做校長？」有表示要
向教育部抗議，李院長自要東沙
某些常棋騙錢，周末你不希
重斯文至斯！
務請送世界日報。海外棋友如余
英時者必擊掌大樂，台灣
中國文化意識日見低落，惟
只要國粹如圍棋者，尚能苦撐
定綁校則事尚有可為也！
謝謝，
弟
沈六段

沈君山「賭棋興學」的消息，由《聯合報》報導後，沈公子非常得意，寫信給張作錦，希望美國《世界日報》轉載，讓海外棋友余英時等「撫掌大樂」，信末洋洋得意署名「沈六段」。

久就將「曹軍」包圍住，本可一舉殲滅，但那時斬獲無多，所以故意讓敵軍突圍，引來援兵，再予斬盡殺絕。一盤棋最多可贏一八〇子，終局後兩人討價還價，最後以五十子成交。一子一萬，五十子就是五十萬美元。

這半年，沈君山常提醒曹興誠「還債」，因爲台幣不斷升值，會使他這位「債權人」吃虧。曹興誠很爽快，把「匯率」訂爲三十比一，乾脆捐新台幣一千五百萬元。昨天清華有多項校慶活動，在「清華之友晚宴」上，曹、沈兩人爲聯華和清華一項合作正式簽約，把「賭債」變成捐款。

現在教育部規定國立大學也要爭取「民間支援」，募款成了校長的責任之一。沈君山說，他學術界的朋友不少，企業界的朋友不多，所幸他橋牌和圍棋都有兩手，希望以後能多贏錢。他計畫還要仿「圍棋模式」，和人打橋牌。沈君山是橋牌國手，曾參加中華隊南征北討，並於一九六九年使中華隊贏得世界亞軍。沈君山說，他年輕時，父親沈宗瀚博士不准他打橋牌、下圍棋，怕耽誤學業，「想不到現在這兩樁本領對我當校長還幫助不少呢！」

第二天，沈君山以傳真寫信給我：

作老：

兄鴻文既出，今早已收到三個電話，有相熟棋友：「怎麼找了個棋混混做校長？」有表示要向教育部抗議，沈某賣棋騙錢，國家何不尊重斯文至斯！務請送《世界日報》。海外棋友如余英時者，必撫掌大樂，台灣中國文化意識日漸低落，惟只有國粹如圍棋者，尚能靠它辦校，則事尚有可爲也。

謝謝。

弟 沈六段

我立即回他信：

君山兄：

柯林頓陪打高爾夫十八個洞，才賺美金七萬六千元，較之閣下一盤棋所得，實不啻成龍對賈霸。同爲President，何相去之遠也！閣下此事，實應列入「金氏世界紀錄」。

謝謝昨天的晚宴，並祝

早安

弟 作錦 一九九六年五月六日

第二天沈君山緊急來信：

作老：

糟了！兩年前開個國際會議，被人告爲「通匪」，今天賭棋興學（媲美武訓行乞興學），被人告爲「賭博」，校長被告者甚多，因此等事連續被告，還沒有啦！

君山

而打算告他的新聞，也見了報，但新竹地檢署沒有受理，我立即寫信安慰他。沈君山每以「圍棋六段」自鳴得意，我常以「六段」稱之而不名。

六段吾兄：

今日民權大張，公理淪亡，有些人什麼事都幹得出來。不過此事由《聯合報》所刊布，吾兄一旦繫獄，弟必每週攜水果一籃探視。且消息已見《世界日報》、《歐洲日報》和曼谷之報紙，海內外必將一致聲援，兄其寬心焉。

弟 作錦 一九九六年五月七日

讀了以上兩事，大家若以為沈君山只是玩橋牌、下圍棋的公子哥兒，那可就錯了。沈君山一九三二年出生於浙江餘姚，少年來台，從建中、台大到留美讀書和教書。他可以像其他很多人一樣，終老他鄉。但他基本上是個知識分子，中國文化給知識分子下的定義、課的責任，是「先天下之憂而憂」，是「聲聲入耳、事事關心」。

一九七〇年日本侵占釣魚台，引發台灣留美學生的保釣愛國運動，也改變了沈君山的人生觀和人生歷程。他在四十初度之年，值台灣退出聯合國之際，毅然辭去普渡大學的終身教職，返台效力，入清華大學，擔任理學院教授，並決定以「兩岸關係和族群融合」為政治上的努力方向，並提出「革新保台，志願統一」的主張。台灣不革新，就難以自保；兩岸若統一，須出於志願。在將近五十年前，以兩岸關係和台灣的內部情況，說這樣的話，不僅要智慧，也要勇氣。

我與沈君山相交，是在他回國不久的時候。沈先生是一個非常風趣、熱情的人，很容易與人交朋友。我邀他寫文章，他有求必應，但常常「忘記」交稿。不過若他文思來了，則可立馬千言，尤其關於內政和兩岸的事務，他最有興趣，最有研究，也最有使命感。

革新首在民主；保台必須團結。當時「黨外」勢力漸起，與執政者針鋒相對。稍有不慎，易生意外。沈君山的學養、性格和立場，被各方屬意為溝通協調的橋梁人選。他處理了「海外黑名單」問題，並全力協助「美麗島家屬」；台灣三大政治血案——林宅案、陳文成案和江南案，沈君山參與了前兩個的善後，而且受到信賴。台灣後來的解嚴與開放黨禁，沈君山的努力應記上一筆。

至於兩岸關係，沈君山一向主張，既要顧及大陸的立場，尤應維護台灣的利益。本著這樣的原則，他協助主管當局，負責與大陸談判，奇蹟性的創造了「中華—台北」的奧會模式。以後台灣參加各種國際活動，也都循此方式進行。後人沿用它或覺無甚出奇，但一讀沈君山的回憶錄《浮生後記》，就知他在折衝過程中花費了多少心力，克服了多少困難。

沈君山不以在外圍與大陸游擊式接觸為滿足，他要尋找兩岸制度的和解之道。除了早期的「革新保台，志願統一」，以及後來參與制訂「國家統一綱領」，他還陸續提出「和平統一，一國兩治」、「一屋兩室，各持門匙」、「一個國家，兩個政府」等各種嘗試方案，比鄧小平的「一國兩制」早了很多年。

為了兩岸事．三晤江澤民

沈君山最重要的「兩岸事業」，是一九九〇年後的兩年內，以個人身分，到大陸三晤當時主政的江澤民，每次都談數小時。他反覆說明台灣目前不能接受統一的原因，及台灣必須要有自主空間的理由。他還為雙方提出各種設計構想，如「一而後統」、「統一『中』」——先求一個中國，其他問題留待以後解決。

江澤民指責台灣的國統綱領要以三民主義統一中國，沈君山駁正他，是「以自由、民主、均富統一中國」。顯而易見，沈君山希望台灣人民生活在這樣的標準下，也希望大陸人民生活在同樣的標準下。沈君山甚愛台灣，但並非不愛大陸。他正因愛台灣，所以也要愛大陸。兩岸之間，如果此岸之人不愛彼岸之人，甚至憎恨他們，則兩岸如何可望和平融合？某些「台籍同胞」，往往以是否「愛台灣」檢驗「外省同胞」，沈君山是一個最好的答案。

沈君山(左)為了兩岸事，前往中南海，三晤江澤民。
天下文化／提供

沈君山一九九九年第一次中風，影響不大，可以行走和書寫。二〇〇一年「九歌」為他出版散文集《浮生三記》，仍然為兩岸事多所著墨。我在「聯合副刊」上發表一篇讀書心得：〈尚思為國戍輪台？——沈君山的新書與舊夢〉，認為台灣的政治環境已經變了，以他的出身背景，恐不宜也不能再為兩岸操心。他應該珍惜自己的健康，轉變生活重心——發揮另一長才天賦，多寫寫文章。

我在這篇小文中指述，陸游六十七歲致仕，蟄居紹興鄉下，身在田野，心存社稷，某夜風雨大作，他賦詩曰：「僵臥孤村不自哀，尚思為國戍輪台；夜闌臥聽風吹雨，鐵馬冰河入夢來。」他最後雖未能迎回二帝，更未能阻金兵南下，但留下九千三百首詩，一百三十首詞，亦足以不朽。沈君山有彩筆如魔杖，可點石成金，除了兩岸問題，難道就沒有別的事值得努力？我認為，在出此「新書」之際，他的「舊夢」也該醒了。

沈君山讀到文章，給我寫了一封信，其中有一段話：「中國老知識分子最大的毛病就是好『聲聲入耳，事事關心』，總以天下興亡為己任，才算男兒本色。兩岸的事，身老力衰，去春赴京兩次，要管也管不動，何況人家不要你管。但都放手了，活著有什麼意思？」他還把我所引陸游的詩，改了幾個字以自況：「僵臥清華不自哀，尚思為國戍輪台；夜闌臥聽風吹雨，中南海事入夢來。」聽聽這話，這口氣，似乎下定決心「拒絕悔改」了。

二○○五年，沈君山第二次中風，雖然思考力未減，但行動能力已大為衰退，寫字、走路都很艱難。但二○○八年到了，馬英九參選總統，台灣政壇狂飆再起，而台灣的前途與大陸不可分，兩岸問題再受重視，於是沈君山的「舊病」復發了——也許不是復發，而是根本從未痊癒過。

二〇〇七年四月二十八日沈君山給我一封信，透露正在「為他人作嫁衣裳」，當時馬英九競選總統，他是馬的「兩岸關係議題主筆兼顧問」，隨信附給我的兩篇「大塊文章」，是他兩岸意見的說帖。

尚能為國戍輪台

對兩岸間事，沈君山這幾十年來未嘗須臾離。他深知，兩岸問題如不能和平解決，一旦訴諸武力，不僅大陸將受創傷，台灣更將生靈塗炭。解此困局而登斯民於衽席，是他平生最大心願，現在有人要用他的兩岸政策，他立即興高采烈起來，寫信還擊我，「對在下還是小看了些」，他雖然「僵臥清華」，但「不致只能不自哀」，也不是「尚思為國

從來政道如棋道

沈君山在擺棋譜，牆上掛著他的棋友、中研院院士余英時寫給他的一首詩：

名士風流說沈郎，行棋議政亦堂堂。
從來政道如棋道，祇為安危計短長。

時為民國七十三年，甲子年。

曾麗華／提供
（原照典藏於清華大學圖書館特藏組）

戍輪台」，而是「尚能為國戍輪台」——意謂自己的主張將來有可能實現的一天，那不等於在輪台最前線打了勝仗了嗎？

作過國立大學校長和「不管部大臣」的沈君山，會在乎什麼「主筆兼顧問」？「幕主」馬英九雖然是他的好友，但以沈君山的人品與學養，他會只在乎一人一家之興衰？這位兩岸議題沙場上本應解甲歸田的老兵，一聽到號角響起，立即拖著「剩體殘軀」，跛著腿，拄著拐杖，飛奔衝鋒前去。原因無他，他對華族有情，對中國有情，對台灣有情。如是而已。

大選尚未開始，他的兩岸政策尚未啟用，沈君山二〇〇七年第三次中風，隨即臥床不省人事十一年，他的理想，他的主張，甚至他的人生，都隨之結束了。

他期望台灣民主化，等到的卻是民粹化；他也祝望大陸自由化，等到的卻是更嚴密的控制化。至於兩岸關係，尤見漸行漸遠；一方是「獨立公投」，一方是《反分裂國家法》。甚至他對台灣最具體、也很重要的貢獻，「中華—台北」奧會模式，都被他當年一同奮鬥的夥伴和這個莫名其妙的政府，拿去公投「作廢」呢！病中的沈君山，若仍有意識，其心情惆悵可知，意興蕭索可知。

沈君山二〇一八年九月十二日，「終於」辭世。面對這樣的台灣，這樣的兩岸局面，他走了，也算是解脫吧！

但是我們留下來的人能解脫嗎？環顧世局，回望台灣，想到陳寅恪《讀清史后妃傳》詩，其中有兩句說：「家國舊情迷紙上，興亡遺恨照燈前」。

家國舊情是沈君山個人的宿命，而台灣要興要亡，則是兩千三百萬人必須的選擇。

追念沈君山

懷念沈君山的文章〈家國舊情迷紙上〉寫完後，我手頭還有很多材料，包括與沈君山的通訊等等，都非常有紀念性，特別再加寫數則，以懷念這位此生「可遇而不可求」的朋友。

二〇一六年春節初六，與高希均、李誠兩位教授，去清華大學探望沈君山。春雨中的清華園，草木蒼鬱，生意盎然，惟住在原校長宿舍的沈君山，依然沉睡未醒。舊友重聚，不能言笑晏晏，不能縱論古今，黯然神傷之中，我回來寫了一篇小文〈霸才無語始憐君〉登在報上，那是仿溫庭筠〈過陳琳墓〉文中「霸才無主始憐君」的句子。人時不同，但千古同悲。

沈君山七十華誕壽宴

沈君山一九九九年第一次中風，雖然妨礙不大，但對外活動總是少了。「天下文化」董

沈君山70華誕，朋友為他祝壽。右起王力行、沈夫人曾麗華、沈君山、高希均、張作錦。
天下文化／提供

事長高希均教授、發行人王力行女士，聯合台積電董事長張忠謀先生及筆者四人，出面作東，以君山七十大壽之名，請朋友們與他餐敘。時間為二〇〇二年八月三十日晚上，地點在亞都飯店天香樓。除了沈君山和曾麗華伉儷外，來賓有以下諸位先生和女士：朱國瑞、李家維、吳茂昆、胡佛、陳信雄、黃一農、黃光輝、葉幼青、楊牧。

祝壽總該有分壽禮，我請報館同仁把歷年沈君山在聯合報發表的文章，影印剪貼，集成一冊，送給他留作紀念。

那天的客人，都是沈君山指定邀請的，科學、文學、藝術各擅勝場，賓主盡東南之美，大家談笑風生，盡歡而散。

三天後沈君山寫信給我（信中的Morris是指

張忠謀董事長，Sophia指他夫人張淑芬女士）

作老：

非常謝謝您籌劃的典雅有緻的生日宴。至於您送的鴻文剪貼，睹物思情，想起當年被智取強奪的經過，那是當之無愧了！

在宴席上因談寫作，說起世界盃時我在《聯合報》的專欄，Sophia和Morris想看（大概是禮貌），我已將貴報林君替我剪貼的複印了寄去。當時也講了台積電第一廠初建時，Morris開車和我從嘉義回來的種種情況。心中興起一個念頭，用「張忠謀開車上中山高」爲題寫段故事，尤其屢屢被插隊車趕過之事，以昔喻今，以之爲文，惟此可略謝今日主人之情。後來想想，覺得不甚appropriate，就循往例，常被您諷刺的「光想不說，光說不練」，到此爲止了。

大禮不言謝，本來只是一短簡，但下筆不能自休。謝謝沒有說，別的該不說的話卻多說了。抱歉！祝

好

弟　君山（沈老）上　　二〇〇二年九月三日

沈君山是台北有名「四大公子」之一，英俊瀟灑，詩酒風流。忽焉七十，可能有人稱

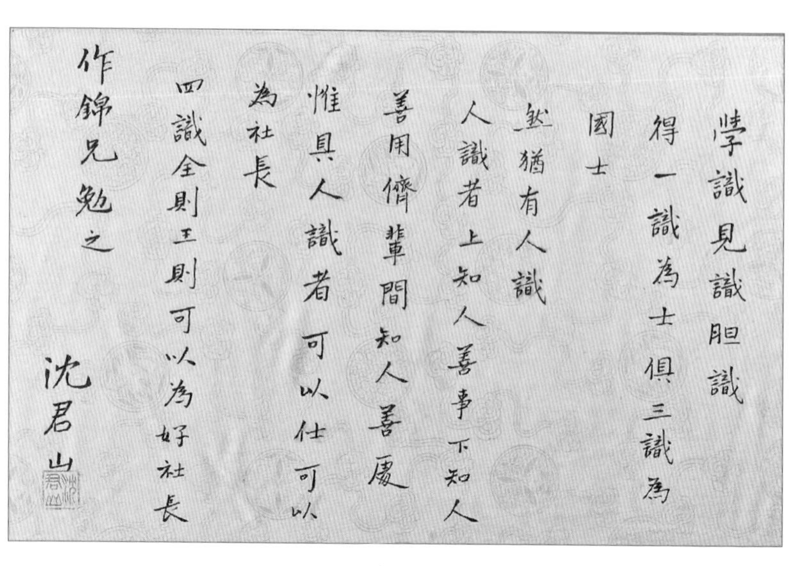
學識見識胆識
得一識為士俱三識為
國士
然猶有人識
人識者上知人善事下知人
善用儕輩間知人善處
惟具人識者可以仕可以
為社長
四識全則王則可以為好社長
作錦兄勉之
沈君山

沈君山書贈張作錦，勉勵他做個好社長。

他「沈老」了，他心裡怏怏，所以在信末署名「弟君山」之外，又以括號加「沈老」二字，藉以「澆愁」。

君山教我做「好社長」

我在紐約《世界日報》待了八年，一九九〇年十月被報館調回台北擔任《聯合晚報》社長。我回來，向報館報到，也向老朋友們報到，自然包括沈君山。君山立即約我見面，說要給我一件禮物，祝我「升官」，現放在他太太那裡。沈太太曾麗華女士在中央銀行上班，我和君山一同到了台北市羅斯福路一段央行大樓，沈太太拿著禮物出來，是一幅已裱好了也裝了框的條幅。上面是沈君山寫的字：

學識　見識　膽識
得一識爲士　俱三識爲國士
然猶有人識
人識者　上知人善事　下知人善用
儕輩間知人善處
惟具人識者可以仕
可以爲社長
四識全則王　則可以爲好社長
作錦兄勉之
沈君山

我人還在紐約，君山已寫好條幅等我回來，文字語多祝勉，俱見老友盛情。但是他懸的標準太高了，某何人也，能坦然受之？我若掛出來，朋友、同事看到了，必然笑我，一個小小社長耳，用得著這麼吆喝？所以我不敢讓它見人。但是沈君山從前還送過我另一幅字，這樣寫的：

廬山煙雨浙江潮

未到千般恨不消
及至到來無一物
起腳再尋浙江潮

蘇軾的這首詩，末句原為重複首句，仍為「廬山煙雨浙江潮」，全詩極富哲理，且饒禪趣，但畢竟太虛無了一些。沈君山略動數字，則充注了入世精神，尤其那個「尋」字，真如當頭棒喝，使我們面對眾生，無從迴避。

我在辦公室裡先掛出這一幅來，賀「升官」的那一幅就暫時收起來了。

沈君山字如其人，挺拔俊秀，兩幅字我都歡喜，但另一幅一直「封存」，不見天日，心實歉然。二〇〇九年報館自台北市忠孝東路遷到新北市汐止區新廈，我已退休，已非社長，轉任顧問，我就把它懸掛在辦公室，用以懷念君山。這時，他已不省人事好幾年了。

沈君山歡喜做官

沈君山於一九八八年七月二十日到一九八九年五月三十一日擔任行政院政務委員。他常常遺憾的說，他只當了一年的政務官，我就損他：沒有一年，只有十一個月。

「沈公子」不知自己何以當上政務委員，也不知何故又「辭職照准」。筆者於役新聞界，採訪政治新聞多年，對官場上下去來略有閱歷。卸任之人，或曰居官已久，或曰不勝繁劇，或曰不願同流合污，概做不屑一顧狀。只有沈君山公開坦白承認，自己很歡喜政府的工作，廟堂十月，抱負未展，一旦言去，未免有點兒遺憾，「唯大英雄能本色」，這就是沈君山可愛的地方。

解職不久，沈君山旅行南非，寫信到紐約給筆者：「十月京官，一朝解任，來此逍遙，至克魯格國家動物園（Kruger National Park）等處，忘卻人間事。『猿啼鶴唳皆無意，不知下有行人行。』年來出仕、罷官，中間還結了個婚，給新聞界朋友很好的資料，而世間事又翻了個滾，或皆如此耳！」

可能沈君山某天黃昏從曠野中散步回來寫的這封信，他說：「憶及希臘先哲泰利斯（Thales）的故事，他喜在晚間散步，一夕望著蒼穹星辰，想著宇宙真理，念天地之悠悠，而忽然一腳踏了空，掉進井裡。慧黠的女奴把溼淋淋的哲人從井中撈出來時，對他說：『您想太多天上的事，卻忘了腳下事了。』君山在政壇，庶幾近之。見微知著，謀思遠，或有一日之長，但這些在更大世界的長處，卻往往是更小世界的短處也！」

君山自美國「保釣戰役」回台後，一心一意獻身兩岸溝通事業，希望登雙方斯民於衽席之上。但是在行政院一年，卻從未與聞大陸事務。其間原因何在？外人不知。君山在內閣若不能用其所長，甚或淪為「打雜」，離開也沒有什麼可惜的。

沈君山橫眉冷對新聞界

沈君山為人溫文儒雅，尤與新聞界相處甚得。但是他對某些媒體沒有禮貌、不尊重知識分子，則不假辭色，勇於「反擊」。

一九九八年十月，他連連給我兩份文件，一是給公視董事長吳豐山的「抗議信」，一是對飛碟電台的「批示」，希望我「斟酌處理」。我把他給公視的信，隱去公視和吳豐山的名字，改寫成一份「讀者投書」：

媒體應認清知識尊嚴
為拒絕上節目致某電視台函

沈君山

貴台自開播以來，大部分節目，風格新穎，觀眾耳目一新。開播之日，君山曾受邀參加論談節目，獲酬一千元，勉強可付新竹台北來回車費油錢。

近日貴台又來邀請上論談節目，通知上是「7:15pm準時到達……，7:45pm進棚準備，服裝請勿著黑白兩色……」要求甚嚴。君山已予嚴詞拒絕。

知識與見識有其一定尊嚴。但今日絕大部分傳播界，可說不予尊重。歌星影星綜藝主持人等可以開天價，學者等則以給小費的方式打發過去，其心態是「給你版面時段，讓你知名曝光，已經可以了。」並且利用傳統士人自持清高、口不言阿堵物的心理，更易予取予求。

君山的看法，對於新出道的歌星，或有競選壓力的政治人物，上媒體當然是必要的，對於知識分子，則與媒體應是互動的。知識分子當然樂於把他的知識見解與大眾共享，媒體亦應對知識本身予以尊重。雙方敬業互敬，才能把節目做好。

投書稿寫成後，我致函沈君山：

君山兄：

吾兄的態度，可為學術爭尊嚴，可供媒體為炯戒，故擬刪節在文化版刊出。刪節的原因，在使讀者不知主角為誰，不致令公視難堪。尊意如何？請見示。

弟 作錦 拜上　一九九八年十月十二日

投書刊出時，吳豐山董事長人在國外，回來後於十月二十四日回信給他，摘要如下：

沈校長君山兄惠鑒：

所指二事，經詢問工作主管，關於車馬費，實因限於經費短絀；關於衣飾要求，實係基於畫面考量，並無不良思慮。其中，車馬費一節，公視皆發兩千，想應係作業有誤。

內附支票一千元乙紙，敬請同意補齊。關於此事，弟已要求檢討。無論如何，兄之感受，當非一人之見，公視需要大家支持，只有隨時虛心檢討各項缺失，才能日臻理想境地。

弟 吳豐山 敬覆

飛碟電台「李艷秋合眾國」致函沈君山，邀請他每周定時上節目，沈君山把原函和他的「批示」都寄給我。批示有四點：

1.因為常出國，不能固定前來。

2.每次兩仟元，還要去電台，還要去討論題材，知識和智慧的價值何在？

3.當然不接受。

4.但李小姐過去曾在電視上合作多次，印象良好，不必誤會。

以沈君山的收入，他豈會在意一兩千元的車馬費，他在意的是學術的尊嚴，而我把他的信刊布出來，也是在提醒我們新聞界對知識的尊重。

不過話說回來了，沈君山學養風度都好，是電台爭取的對象，沒有他這樣的條件，恐怕就很難維持這種「風骨」，所以學術界也要「進修」才行。

聯合知識庫／提供

龍應台
她的「大江大海」在哪裡？

二〇一九年六月十一日下午八點五十一分我給龍應台教授發了一封信：

應台：

妳寫《大江大海一九四九》時，要我也講述一點幼年往事，我說記憶實在太苦了，而且我不是一個會講故事的人，就請妳豁免了。

現在我卻「自作孽」了，好多位朋友（也有妳）認爲我那一代人，歷經戰亂、流亡、從軍、失學，但不願放棄自己，刻苦自學，努力自立，多少有點代表性，也有點「時代意義」，勸我寫回憶錄。我當然不敢做這樣的事，但打算寫一點「生平回憶記事」。

我的「生平」大部分時間在《聯合報》，所以我的記事多半圍著報館打轉。四十年記者生涯，我最歡喜也是受益最多的，是結識了一些文化人。和他們交往間的「故事」，將在「回憶文」中作一些回顧。

我在報館服務時，和作家們的函電來往，值得保留的，就分別放在一個大信封袋裡，妳和沈君山同一個袋子。君山的很多，妳的較少，幾乎都是在妳從政前後來往的「簡訊」，另傳兩則給妳看看，如果妳同意我一試，我寫完後會先送妳「審批」。若是妳覺得朋友間的通訊，非常「個人化」，不宜公開，我也完全能理解。

作錦

龍應台以作家從政，是標準的「名人」，這些年在我的印象裡，她頗在意自己的隱私，我本以為她不會同意我公開與她的個人通訊，雖然都很普通，很簡略；但出乎意料，她當天晚上九點十一分就回信同意，相隔僅二十分鐘。

作錦：

你終於願意寫了。

我的部分，你怎麼寫都可以。

所蒐藏的舊紙，難道就沒有當我們還不算認識時，我主動去讚美你文章的「粉絲」信？

記得是在局長任上，忙得暈頭轉向的，還要給張作錦寫個信。應該是傳眞過去的。若是傳眞碳粉，即使紙還在，字，大概已經被時光抹掉了。

至於寫回憶，如果容許我建議，那就是，作錦太謙遜抑己，太爲他人著想，也太矜持，既然已過八十，就放鬆一下吧？我沒說「放縱」，因爲作錦做不到，但放鬆可以；人放鬆，文字就更自由可愛……對吧？

龍應台教授於2018年4月13日，以祝賀張作錦生日之名，在台北「永福樓」設宴招待聯合報同仁，並以從屏東帶來的文心蘭一束送給張作錦。 龍應台／提供

應台

我立即給她覆信。

妳這麼快的回信，這麼多鼓勵，都使我感動。江山易改，本性難移，我大概做不到妳所期望的「放鬆」，但會朝妳期望的方向努力。

有「粉絲」如龍應台者

龍應台的信裡有一個「典故」，就是她說是我「粉絲」的事。一九九九年十一月，她被當時台北市長馬英九從德國請回來，擔任首任文化局局長。文化局既是新設單位，一切都從零開始，龍應台「一面蓋工廠一面生產」，當然是忙得不得了，卻還注意到《聯合報》上有一個寫文章的張作錦，寄封信給他表示自己的欣賞。有文名如龍應台這樣的人作為「粉絲」，自然是可得意好一陣子的事。

龍應台成名早，年紀輕，富正義感，看不慣的人和事，往往不假辭色，有時給人某種「高傲」的感覺。但在我的印象裡，她做人做事，有分寸，而且都很正面。現舉兩個例子：

一九八四年，她在《中國時報》寫「野火集」專欄，以熱情而通俗的文字批判台灣社會各方面不正常的現象，激起巨大的回響，隨即出單行本，二十日加印四次，賣了十萬冊以上。

當時總政戰部主任許歷農將軍約龍應台餐敘，與她交換意見。晚年的「許老爹」曾告訴我，他與很多「黨外人士」和「不同意見者」溝通過，以龍應台小姐態度最溫文、最講理、最有文化涵養——「雖然我的某些意見她並不同意」。

龍應台後來自己說：「寫野火的時代，我只看孤立的現象，四十歲以後，我感覺自己的不足，我的興趣不再是直接的批評。」

龍應台接長台北市文化局不久，當時《聯合報》董事長王必成在家宴客，主賓還有中研院院士許倬雲教授。龍應台當然不會放過這麼一位歷史、文化的大學者，餐後請我陪她回到許院士的住處，請教他「史無前例」的文化局，應該做些什麼？怎樣做？慷慨的許院士幾乎「傾囊以授」，應台像一位小學生一樣，一邊迅速筆記，一邊追加、補充一些問題。你看到這麼一位「成名作家局長」，如此「求知若渴」，大概不會相信她是一個「高傲」的人吧！

停了《冰點》，要講文明

但是碰到人權、自由這類大是大非的問題，龍應台可就不是那麼「溫良恭儉」，更不「讓」。

二〇〇六年一月二十四日，大陸共青團所屬北京《中國青年報》的《冰點》周刊，被勒令停刊。原因是廣州大學教授袁偉時在《冰點》上發表文章，談歷史和教科書，被認為「和主流意識形態相對，攻擊社會主義，攻擊黨的領導」。

兩天後，一月二十六日，龍應台在台灣、香港、北美和馬來西亞重要華文報紙上，發表〈請用文明說服我──給胡錦濤先生的公開信〉。她告訴這位中共總書記兼國家主席，

「教科書不能罔顧史實，不能讚美暴力，不能教下一代中國人對自己狂熱，對外人仇視。這樣的認知，在我們這裡，叫做『常識』；在北京，竟然是違反『主流意識形態』的入罪之論。那麼能不能請您告訴我這個台灣人民，您的主流意識形態是什麼？」

龍應台自白：「我對中國大陸有著深切厚重的情感，來自命運血緣，歷史傳統，更來自語言文化。在台灣生長，我同時發展出與這一條『家國認同』情感線平行並重的執著，那就是對生命的尊重，對人道的堅持，而從這種尊重和堅持衍生出其她的基本價值：譬如主張獨立的人格、自由的精神，譬如對貧富不均的不能接受，對國家暴力的絕不容忍，對統治者的絕不信任，譬如對知識的敬重，對庶民的體恤，對異議的寬容，對謊言的鄙視……。」

她進一步說：「這一條我稱之為『價值認同』的理性線。當『家國認同』的情感線和『價值認同』的理性線相互衝突時，我如何取捨？毫無猶豫，我選擇後者。」

那時大陸要送熊貓「團團」和「圓圓」來台灣，社會各界滿懷期待，但龍應台告訴胡錦濤：「重點不在團團和圓圓，您知道嗎？重點也從來就不在民進黨，您明白嗎？重點就在『冰點』這樣具體而微的事情上，因為，說穿了，錦濤先生，您容不容許媒體獨立，您尊不尊重知識分子，您用什麼態度面對自己的歷史，以什麼手段去對待人民，每一個最細小的決定，都繫在『文明』這兩個字上頭。請用文明來說服我。我願意誠懇傾聽。」

龍應台當然沒有得到胡錦濤的答覆。胡錦濤換了習近平，他更答不出來了。龍應台〈請以文明說服我〉這篇文章，是她對中共政權的「檄文」，也是嚴格解剖她自己的「意識形態」。這多少年來，她對大陸政治制度、民主自由、言論尺度的「緊迫觀察」，是她對自己思想的忠誠。

龍小姐不光是要求對岸「以文明說服我」，她也在台灣努力「創造」文明來說服自己。在台北市文化局長任內，她做了很多「文明」的建設工作，我印象最深刻的是錢穆和林語堂故居之設。

政府遷台後，大陸搞「文化大革命」，國府相對的推行「中華文化復興運動」，老蔣總統把錢穆從香港請回來，把林語堂從美國請回來，把張大千從巴西請回來，這樣，文化復興才有個著力點。

錢穆和林語堂兩故居

錢穆被台北市議員陳水扁趕出建在東吳大學校園裡住了幾十年的「素書樓」，「客死」台北市一間公寓，是一位文化大儒的莫大悲劇。台北市長馬英九為他平反，文化局長龍應台將嚴重地層下陷的「素書樓」全面整修、保存，然後以「錢穆故居」的面貌展出錢氏的著述、手跡和相關文物，供民眾憑弔懷念。

林語堂的故居在陽明山麓，墓地也在園內，是林語堂親手的設計，很多外國人了解或想了解中國，都是因為讀了林語堂的那本名著《吾土吾民》。龍應台第一次視察時，發現它變成一個少人聞問、白蟻蛀蝕的地方。她將房舍徹底整修，然後將林語堂的生活起居、文房用品、全部著述都照原樣擺設在屋裡，規模因而完整，成為「林語堂故居」。

兩處故居揭幕聚會，應台都邀我參加。「林語堂故居」啟用那天，應台還要我在現場講幾句話。我講了一個故事：普林斯頓大學請愛因斯坦去當教授，愛氏婉謝說，他只會做研究，不會教課。校長解釋：請您來不是要您到課堂給學生講課，天氣好的時候，您走出研究室，在校園散散步，學生一看到您，那就是「教育」了。

我認為民眾到錢穆和林語堂兩氏的故居參觀，受到薰陶感染，那就是「不言之教」。每有大陸朋友來台訪問，若由我陪同，則必去這兩處故居，也的確能收到「文明教化」的效果。

龍應台帶著「野火」到世界跑了一圈，完全未經「馴化」，一頭闖進台北市政治圈，尤其那個野蠻無禮的議會，連她穿什麼樣的鞋子都挑剔，雖然她百般「自律」，但終究無法磨合，二〇〇二年年底，馬英九當選連任，希望她繼續留任，她堅辭，二〇〇三年三月，到香港教書去了。

時間到了二〇〇八年，馬英九當選總統，他競選時的「文化白皮書」是龍應台寫的。他當台北市長時，把龍應台專程從德國請回來擔任首任文化局長，現在他當選總統，外界幾一致認定文化部長是龍應台。

敢惜浮名空高歌？

我三月二十三日傳簡訊給她：

英九當選，應台入閣，乃國家之幸。但應台文章八成會減少，在大陸刊出恐有困難，而基金會仍否能掛應台之名，像目前生龍活虎般的運作，尤叫人懸念。但事難兩全，值得做的，就去做了。明天去北京，四月底回來，五月賀妳新職。

作錦

龍應台同日自香港回覆，語帶自嘲：

作錦：

一、他不一定找我，想做官的人多著呢。

二、我不一定答應。想到「壞人」那麼多，「爲國捐軀」讓我害怕。

四月二十七日我致應台：

應台：

妳入閣否，我心情很矛盾，但贊成的成分多，老派想法，讀書人有能力又有機會，應該爲更多的人做點事，再加上妳在文化局的政績，更覺得胡適的「好人政府」有道理。

首批名單公布前，我寫了舊體詩準備寄給妳，不是祝賀，而是一種心情。我不懂對仗、平仄，生平第一次的「嘗試集」，知道妳會覺得「好笑」，不是「可笑」。現在妳確定不入閣了，就將詩附給妳當明日黃花看。

我寫了一文，〈沒有好政府，就沒有好民主——瞻望馬英九「新政」，擔心國民黨「舊習」〉，下週四聯副刊出。

三天前，在此（北京）有一個文化界聚會，第一次見到（北大教授）賀衛方，大家談到台灣政情，談到女性閣員，談到妳，我就告訴他們，妳將長文化部，希望妳不會介意。

29日回台。

作錦

聞龍應台入閣

曾言政治壞人多，如今縱身入虎穴
只緣家國頻入夢，敢惜浮名空高歌
他鄉故鄉本難分，一樣用情一樣深
孤島崢嶸猶未足，神州億兆文明人
大國百年坎坷盡，磨劍十載待如何
破水淩江西奔去，重攬長安舊時月

龍小姐同日回覆：

作錦：

舊詩寫得好，情深意重。我看你也是那最後的一種文人報人了。

不入政治，對我絕對是好的。

應台五月二日返台，或可一晤。

應台

知道龍應台要寫《大江大海》，「天下文化出版公司」的高希均教授希望能出版這本書，也知道龍應台要到各地蒐集材料，除了版稅外，他還願意分擔「採訪費用」，希望我代他向龍小姐表達這番意思。應台告訴我，《天下雜誌》負責人殷允芃女士是她成功大學的學長，已先向她表明想出這本書。

二〇〇八年七月二十二日龍應台致函高希均，副本給我：

希均：

感謝寄贈照片。應台愈年長，愈覺時光之匆匆，人生之無常。因此一年來身邊常懷相機，攝好友入鏡，雖然是日常生活，平淡相處，亦深覺難得。

作錦提及希均對應台作《一九四九》之理念認同以及以行動支持之心意，令應台深深感動。應台八月一日赴美，探蔣介石一九四九前後日記，二十日回台後，當再與您相約，當面切磋。

應台

二〇〇八年八月二十八日，作錦自北京函應台：

應台：

知道妳和高希均見了面，知道妳週五離台，也知道妳將以四個面向（文字、圖畫、電視和電影）展現妳那本書，雄則雄矣，但捉二兔不得一兔，妳最能動人的還是文字。總有緩急輕重吧！

奧運辦了三十九屆，我從未參觀過，這回人在北京，到鳥巢看了一場田徑，到水立方看了一回跳水。當東京和漢城都辦過奧運，北京辦一次也不爲過。但是exceptional並不必然是奢華，暴發户的牆上才貼滿金磚銀塊。

我九月一日回台，何時有機會再見妳？

作錦

同日應台回信：

是，只捉一兔。

跟殷允芃「懇談」，但她說支持此書「義無反顧」，所以最終還是跟希均和力行說了慚愧和感謝。

二〇〇九年十一月，《大江大海一九四九》出版了，龍應台先寄了一本給我。我十一月十二日傳信給她：

應台：

讀妳的新著，寫了一點心得，今天在「聯副」上刊出，附寄給妳，看有沒有誤解妳的用心。

書裡有兩處誤植：第一百頁第三行：「奉命於爲難之間」，應爲「危難」。第一五三頁第三行，郭天善，但下面都是郭天喜。另外，「納」鞋底或應爲「衲」鞋底。

在妳的「大江大海」裡，這些太雞毛蒜皮，只是我過去久坐編輯檯，養成愛挑眼的「不良習慣」。

十七日下午新書發表會見妳。

作錦

同日龍應台回信：

想和你好好聚聚。

很多錯字都在新版中改了，一直在修訂中。全世界讀者來信挑錯字，是一本「共讀」的書。攻擊也開始出現了，我忍著。

我在聯副的文章，不僅是寫龍應台的書，而是為那個時代的中國，那個時代的中國人，唱一首輓歌。敝帚自珍，錄下幾段：

誰與斯人慷慨同

——「一九四九」之後還會有戰爭嗎？

在《大江大海一九四九》新著裡，龍應台叫「管管你不要哭」，要「瘂弦你不要難過」，但讀書的人哭了、難過了，她就沒法管了。

龍應台把這個時代的舊創挖了出來，以她的銳敏、細緻和大開放的手法，讓大家再看一次，人對同類、同胞可以是如何的殘忍；再反省一次，多少鞭笞、流徙和殺戮是必要的；再淌一次眼淚，看能否把依舊帶血的傷痕消毒與洗淨。

說到底，龍應台以悲憫的心，向上天和人世控訴，希望以後不會再有如「一九四九」年那樣的歲月。但龍應台多半會失望，因爲幾乎可以肯定的說，世上不可能沒有戰爭。德國十九世紀的歷史學家特萊奇克，是一位強權政治的鼓吹者，他曾直截了當的說：「無戰則無以成國。所有我們知道的國家，都形成於戰爭。因此，只要有不同的國家，戰爭就會與歷史相終始。」

話是冷酷而絕情，但卻信而有徵。柏拉圖「理想國」的實現寄托於哲學家做國王。而培根也是哲學家，他卻認爲：「沒有人離開運動可以健康，自然的、政治的團體皆如此。對於一個王國或階層，一場正義的、榮耀的戰爭，就是一場眞正的運動。」

兩岸今後會不會打仗？世界還會不會有刀兵之災？我們都不知道。但「戰爭始於人的頭腦」，我們怎樣思考戰爭，怎樣影響別人對戰爭的態度，也許都有可努力之處。

孫中山輓劉道一：「尚餘遺業艱難甚，誰與斯人慷慨同。」龍應台花四百天寫了這本書，目的應該不僅是讓人流淚，而是希望很多人掩卷沉思吧！

二〇一〇年七月四日，龍應台在亞都飯店天香樓設宴，請幾位朋友小聚聊天，參加的有王曉波、陳曉林、N先生和我。

那時馬英九就任總統兩年多了，社會大眾對他的政績似乎不怎麼滿意。當時有一句笑話：大夥在餐廳吃晚飯，如果不罵馬英九，就沒有更好的話題了。我們那天「天香樓之會」，似亦未能例外。王曉波教授與馬英九總統是同學，有來往，王可以直接向馬建言，N先生不僅在報上寫文章對馬批評嚴苛，那天餐桌上發言也同樣尖銳。王曉波替馬有所辯白，N先生認為王只會替馬說好話，攀附權貴；王說自己絕非那樣的人，認為人格受辱，要N先生道歉。N先生作色曰：「你不是這樣的人嗎？我可以舉例證明。」說著就站了起來。龍應台和陳曉林趕快把N先生按住，餐會在尷尬中結束。

「天香樓」裡的感喟

我回家後，給應台寫信：

應台：

天香樓菜餚佳美，但價格不菲，讓妳破費不少，心實難安。

走出亞都大門，暑氣薰人，但心中卻充滿寒意，六十年來家國，先是兩蔣，後是李陳，我們似乎總是在一人一黨中繞圈子。兩蔣，威權也；李陳，形式不同，威權則一。好不容易政黨兩次輪替，民主逐漸成形，但我們老百姓似乎受了「制約反應」，仍寄望於「強人領導」，大家現在一天到晚罵馬英九者，不都是指責他「軟弱」嗎？

我平生和馬見面，不會超過十次，他當黨主席時，受邀替他推薦監委（我推薦妳和南方朔），在一起開過三次會，勉強算是相識，絕對不是朋友，我如果是他朋友，當然會「勸善規過」，他不採納，我也不會著惱，能幫他的地方還會幫他，他做對了，我讚揚，他受誤解，我辯護，我也會寫文章批評他的大政方針，以盡「公共知識分子」的責任，但絕不會寫得咬牙切齒，盛氣凌人，一方面報復他「不聽話」的怨氣，一方面也示人「大夫無私交」的風骨。

我一定對妳說過，我從小失學，沒讀過什麼書，對於有學問的人，尤其有學問而文章又寫得好的人（譬如應台），我非常羨慕與敬佩，但是若有人在大庭廣眾之下，大聲吆喝說他比另一人學問大，我就不免覺得意外。

大概是去年吧，在陳玲玉律師家聚會，我說一件事，沒說清楚，妳有不同意見，我加以補充，妳就同意了，事後妳寫信來表示歉意，我吃驚與不解，在e-mail中問：「我們的應台怎麼變得這麼小心眼了？」妳回答：「我的朋友○○○現在很偏執，我不希望自己也這樣。」

偏執緣於自信過強，它與自視過高只有一線之隔，我的英文不好，但有一句英文我常記在心裡：He who knows himself best esteems himself least。

不管住在台灣的人願不願意，依我看，兩岸必將「終極統一」。但大陸需要和平建設的環境，而軍力也不足以對抗美國，台灣的安全一時還不會成爲問題，我們要趕緊加油，充實自己的力量，將來好有談判還價的本錢。另一方面，把民主弄好，以台灣的文化、生活方式影響大陸，從而減少雙方彼此相融的困難。馬的施政，誠有缺點，但比較起來，他也許有可能朝這方面努力。

因爲很久沒見妳，所以說得多了，只是妳我聊天，不足與他人道。

作錦上

第二天，龍應台回我電話，也談了一些她的感慨。

二〇一一年七月二十八日，龍應台約一些朋友在永康街一家餐廳敘談，我二十七日寫信給她，表示不參加了。

應台：

明天不來見妳了，原因有二：

1.連日跑醫院，又拔牙又治鼻子，人很困頓，會掃大家的興。

2.很不湊巧，今天起得早，在等待去醫院的空檔，寫一短文投給聯合報民意論壇版，其中提到妳，若是明天登出來，好像爲了見妳先說了好話，我自己心裡會彆扭，心眼太小，是不？

作錦上

這篇文章談「功高震主」，我在最後一段說：

「二〇〇八年馬英九勝選，籌組行政院，一度傳聞龍應台將掌文建會。龍在台北市全國第一個文化局長任內，『邊蓋工廠邊生產』，政績至今猶令人難忘。她若入閣，會給行政部門帶來生氣與活力。最後未成事實的原因，知情者說她『不太能融於體制』。體制是什麼？是協助官員發揮才能，還是阻礙官員做事的？楊志良若與體制桴鼓相應，我們會有二代健保嗎？」

龍應台當日回我：

作錦：

讀信莞爾；麻煩的是，當政治如此充滿權謀的時候，好人望之卻步，壞人趨之若鶩，是個惡性循環，眞無奈。

有點遺憾明天見不著你。如果明天下午你覺得沒事了，可以臨時決定來，好嗎？

馬英九連任總統，龍應台終於同意入閣擔任文建會主委籌組文化部。原因很簡單，她說，「又是打地基的工作，我今年六十歲，這將是我最後一次做辛苦的社會服務。」她工作忙得不得了，我們見面、通訊都漸漸少了。

二〇一三年八月十七日，星期六，是公休日，龍應台忽然在午後打電話給我，她下午要去屏東看望母親，問我能否先在她辦公室見一面。我到時已在一點以後了，龍應台仍未午餐，拿幾塊餅乾充飢。文人總不免又「家事國事天下事」一番。

我回去，給她一信：

應台：

現在想來妳在高鐵上。

離開妳辦公室，無限閒愁。人生識字憂患始，東坡說對一半，並非識字者都知憂患，有人且製造了憂患。

記住朋友們關切妳，要吃午飯。

作錦

龍應台答覆我：

作錦：

在透不過氣來的緊張行程中，其實常常掛念你。今天小聚雖也匆匆，知你健康較穩，倒也深覺快慰。

我只是一貫地總不曉得怎麼照顧自己，有些性格上的缺點，一輩子無法進步。工作其實漸上軌道，混亂的組織已經隱然成團隊，但是在下沉的漩渦裡想力爭上游，有比較深的孤單感。

二〇一四年十月三十日，《遠見雜誌》舉辦年度「華人企業領袖高峰會」，邀請行政院長江宜樺致開幕詞，文化部長龍應台演講。因為龍應台以首任文化部長作首次正式演講，《遠見雜誌》董事長高希均教授為求鄭重，請我寫一介紹詞，一五〇字以內，在會場以影音播放。

我給他信：

希均兄：

要以一五〇字以內介紹像龍應台這樣的人，是mission impossible，附上二百餘字的「短稿」，僅供參考耳。

作錦

他回我信：

作錦：

空前佳文，介紹她時播用，十分謝謝。

希均

文化使國家偉大

我寫的介紹詞是這樣的：

當她的「野火」把台灣民主法治路上障礙清除，台灣人民以她爲傲，她是屬於台灣的；

當她在北京大學演講「文明的力量」，寫公開信給胡錦濤替大陸新聞界爭取言論自由，《大江大海一九四九》成爲大陸旅客在台灣和香港搶購的書籍，她也是屬於大陸的；

當她以文化部長的身分訪問美加僑社發表演講，各地聽眾如潮水般湧來，她也是屬於全球華人的；

當她出訪英、法，並計劃在倫敦、莫斯科和伊斯坦堡新設海外文化中心，把中華文化推向國際，這時，她也是屬於世界的；

馬英九總統說：文化使國家偉大。我們要說：那就先要有一位有能力使文化偉大的部長。

這本來是替大會寫的介紹詞，與我個人無關，但高教授是「好意」還是「會錯了意」，竟然署了作者的名字。我在會場如坐針氈，事後龍應台寫信給我，表示「實在不敢當」，我告訴她，外人不知，還以為我正在向文化部申請什麼補助款呢？

龍應台抱怨，在文化部做事，像「在水泥地上種花」，這話深刻而又淒苦。但也正因為文化部的開創性，她在得到讚美的同時，也招致不少批評，甚至抨擊。惟「古之致治者，豈借才於異代乎？」就文化局長和文化部長的職務來說，今天有誰證明能比她做得更好嗎？

二〇一四年十二月八日，隨著江宜樺內閣總辭，龍應台「致仕」了。大隱隱於「龍應台文化基金會」，做她最有興趣也是最專長的事。

不過龍應台能就此安心嗎？她的心在大陸，關注十三億人有沒有「文明」；也在台灣，牽掛兩千三百萬人有沒有「安全」。

這些關注和牽掛，會在她心中翻騰，那是她的「大江大海」。

聯合知識庫／提供

李亦園
一個君子型的學者

什麼樣的人才算文人、學者、君子，我們中國人似乎有某些「眾議僉同」的想像。但要具體的說，又很難講得清楚。勉強找一個「定義」，大概就是孔子說的，「質勝文則野，文勝質則史；文質彬彬，然後君子」。簡單的說，修養深厚，言行文雅，是一個君子人的必要條件。

如果此說能為大家所接受，毫無疑問的，李亦園院士就是一個君子型的學者。

聯合報系於一九七五年十月創刊《中國論壇》雜誌，台灣著名的知識分子大半集中使用這個平台，發表他們對社會和國家的意見。我在《聯合報》總編輯任內，從《中國論壇》轉載到《聯合報》的第一篇文章，就是李亦園院士發表在一九七六年五月號《中國論壇》的〈文化復興應該下鄉〉。

李先生文章開頭就說：「推行文化復興運動是我們近十年來重要的文化政策；文化復興運動的目的在於重振我國文化傳統，並使之更發揚光大。這確是一件很重要的事，同時也是一件一定要做好的事，因為，在大陸上我們的文化傳統正受到摧殘，在海外各地華僑社區裡，中國文化也面臨著推拒與排除，而只有在台灣我們可以依靠自己的力量與意志，使我們的文化傳統得以保留且生根茁壯下去，這是一個緊要而關鍵性的機會，所以推行文化復興運動是十分重要的。」

不過他指出：「推行文化復興運動既然是要保存中華文化的傳統，並使之生根茁壯，因此一方面要在知識分子的層次上使他們體認中國文化的精髓，再加發揚光大，另一方面卻也要在一般民眾的生活中播下種籽，然後才能收到生根茁壯之效，可是目前我們推行文化復興運動的工作似乎偏重於前者，而較忽略於後者。文化復興委員會雖在省市縣都成立有分會，甚而在各機關學校以至於鄉鎮地方自治單位也都有分會的設立，但是這些都是屬於較形式化的組織，其工作也許可以影響到公教人員及各級學校的學生，但是對於一般民眾則幾乎很難發生作用，這實在是很危險的事，因為一個文化傳統假如僅止於上層的知識分子手裡，而未能扎根深入廣大民眾心中，那麼其根基就不易穩固了。」

李院士是考古人類學家，經常作「田野調查」，深切了解民間基層，他對「文化復興下鄉」的建議之一，可能使一般人大吃一驚，他主張主管部門應多到鄉村的「鑾壇」去工作，使村民能主動虔誠參加「文化復興」，這才能真正發揮力量。

李院士對台灣風土民情的了解，不僅稱得上是專家，而且能把那些專門知識講得「老嫗能解」。一九九一年，《聯合報》招考新進記者三十八人，分派工作前先集訓三個月，課程包括請學者專家上課，以及到各地方、各機關團體參觀訪問。我請李院士為學員授課兩小時，講台灣的宗教和廟宇，課後學員們一致建議請李院士再來講一次，可見他受歡迎的程度。

李院士為人謙和，做事認真，他曾擔任中央研究院總辦事處的總幹事。這個職位非同小可，他的前輩院士周鴻經和傅斯年都曾做過。後來這個職務改稱祕書長。

因為他的學術成就，清華大學請他開辦「人文社會學院」，並於一九八四年到一九九〇年擔任首任院長。當時的理學院院長是沈君山，他們是多年好友。

迨一九八九年蔣經國基金會成立，李院士擔任第一屆執行長，於二〇〇一年到二〇一〇年之間，又擔任董事長，由朱雲漢教授接任執行長。

「蔣經國基金會」在國際間，尤其在歐洲，推廣「漢學」，頗著成效。李亦園和朱雲漢兩位想為這項工作留一紀錄，請我幫他們寫一本書，條件非常優渥，稿費台幣一百萬元，可派助手協助，去國外訪問旅費等等實報實銷。他們兩位的誠意甚叫人感動，但是那時候我已從《聯合報》退休，正在北京「遊學」，參加北京大學一項「歷史文化高級研究班」的課程，為我年輕時流亡當兵沒有讀書補課，沒有時間再「荒廢學業」，就誠懇的辭謝了。他們兩位請我推薦一位「寫手」，我與「遠見・天下文化」董事長高希均教授商量，恰巧《遠見雜誌》總編輯刁明芳小姐換個工作崗位要休息一陣子，就請她「代勞」幫忙。可能我是一名「資深記者」，在李、朱兩位心目中比較有些經驗，要求我做「審稿」的工作，我自然義不容辭。以後刁小姐把稿件逐章送到「蔣經國基金會」，基金會主任祕書宋翠英女士傳到北京我的住處，我若有斟酌，再傳回宋主祕。書於二〇〇八年十二月十八日出版：《國際漢學的推手——蔣經國基金會的故事》。

李院士對朋友很體貼，很周到。他和許倬雲院士當年在台灣大學同班修習考古人類學，據許院士說，他因為行動不便，上下樓等等，李院士總是攙扶著他。在台北，朋友們聚會，兩位院士若同車出席，李院士一定會照顧許院士上下汽車。李院士二〇〇一年曾接受巴黎梭邦大學和澳洲格里菲斯大學分別授予榮譽博士學位，他都邀請許院士和我出席觀禮。

二〇〇四年九月我去天津，參觀梁啟超的書房「飲冰室」，再去訪問弘一法師李叔同的故居，但遍尋無著，回來在「聯合副刊」寫了一篇小文章〈訪李叔同不遇〉，被李院士看到了，打電話給我，要送我一些有關李叔同的書集。因為福建有一個紀念李叔同的民間組織，知道他們在台灣的福建同鄉李亦園先生是一位文化學者，所以請他擔任榮譽負責人。李叔同祖籍山西，生於天津，一九一八年在杭州虎跑寺剃度出家，一九四二年十月十日在泉州「百原寺」寫下「悲欣交集見觀經」幾個字，三天後在「泉州溫陵養老院」圓寂，這就和「福建人」李亦園院士搭上了關係。

李院士雖對朋友體貼，但做事有原則，不是鄉愿。清華大學校長沈君山二〇〇七年七月第三次中風，應否搶救及如何搶救，是一個見仁見智的棘手問題。沈君山事先已寫了「生前遺囑」，表示不願作無謂的搶救。沈校長的弟弟沈君岳和妹妹沈慈蔭分別自美國和內蒙古來台灣，對當時「搶救」的事另有意見。沈君岳打電話給我，請我替他安排記者招待會，要向新聞界控訴他嫂嫂曾麗華女士對他哥哥沒有善盡搶救的責任。我大吃一驚，告訴他，千萬不要輕舉妄動，並約他第二天見面，大家先商量一下。

我穩住了沈君岳，隨即打電話給李亦園，他與沈君山既是好友，也是清華大學的同事，又有學術地位，沈君岳會更聽他的話，所以約他次日一同去會沈君岳。李院士和我都跟沈君岳說，他若舉行記者會，只會為媒體製造新聞，讓社會熱鬧一陣子，可能愈吵愈糊塗，對沈校長的病一無好處。他若仍然清醒，不會贊成這樣做。我們說服了沈君岳。

曾麗華女士事後知道這件事，低沉的說：「事情過後，他們各自回美國，回大陸，剩下的事都要我來承擔。」沈校長「昏睡」十一年，二〇一八年九月十二日辭世。

二〇一〇年之後，李院士的健康漸走下坡，去醫院次數多了，住過兩次北醫附設醫院，我曾到醫院去問候，當時他精神還好。以後外出的機會愈來愈少，打電話給他，他重聽，講話很費勁。我曾徵詢李夫人和小姐的意見，是不是不要常打擾他、甚至「折磨」他了？她們兩位都認為，李先生既不能外出，與朋友在電話中聊聊天也好。可是我們不能「聊天」，他有時只是「獨白」，我在電話這頭很傷感難過。

二〇一七年四月十八日，李先生走了。我同輩的作家朋友，又弱一人。同年九月九日在中研院民族學研究所一樓大廳舉辦追思會，王心心女士南管吟唱《心經》。南管音樂起源於福建，希望李院士在故鄉的音樂中安息。

胡佛、楊國樞

「胡楊之亂」人去事未了？

胡佛。聯合知識庫／提供

楊國樞。聯合知識庫／提供

胡佛和楊國樞兩人的名字，常常聯在一起，在學術界如此，在新聞界如此，在一般人的印象裡恐怕也是如此。

原因在於，他們兩人同為台灣大學教授，同為中央研究院院士，而且同被視為「自由派學者」，經常寫文章，力促台灣政治民主化。

我在報館服務，基於媒體的「社會責任」，為台灣的發展與進步，跟他們一起努力過。數十年來的交往與認識，覺得他們應該當得起「國士『有』雙」。

在一九七〇年代初期，他們兩位以及其他學者，以

《大學雜誌》為基地，宣揚「革新保台」的觀念。一九七五年十月聯合報系的《中國論壇》創刊，他們又以《中國論壇》為根據地，繼續針砭時政。後來他們覺得散兵游勇式的呼喊，力量不夠，應該有個組織才行，於是結合另外五位學者，包括何懷碩、文崇一、韋政通、張忠棟和李鴻禧，仿英國「費邊社」，成立「澄社」，希望在國民黨和民進黨兩黨競爭的形勢下，能發出「第三種聲音」，所以標舉「論政而不參政」，以保持不涉及政治實務的發言能量。

胡佛和楊國樞因為一向自由派的色彩，又參與和「反對運動」之間的協商和溝通，被情治人員所注意，時有被「跟監」之事。太平天國有「洪楊之亂」，胡佛和楊國樞領頭組成「澄社」，有人謂之「胡楊之亂」。

胡、楊與《聯合報》

事實上，胡、楊兩位和《聯合報》及我個人的關係，在《中國論壇》之前就開始了。胡院士在《聯合報》的第一篇文章，刊於一九七二年三月一日舊曆年關，題目是〈破除政治革新的障礙〉，文章一開頭就直指問題的核心：「國際逆流所帶來的低氣壓，縱在春節的爆竹聲中，依然緊壓在人們的心頭。這是大家必須發奮圖強的時候了。發奮圖強，不能空說，必須要從政治的革新做起；政治不能革新，其他就無從著手。事實上，經濟的發展、社會的變遷，早已需要進步的政治，何況處在這樣緊急的時變之下？」

胡院士不僅對執政當局直言無隱，對在野人士也一樣，他批判所謂「台灣主義」，認為這些人主張台灣是一個主體，有四百年歷史，目的是要從歷史的感情割斷與中國大陸的關係，提出以台灣為主、向外擴張的「同心圓論」就是在切割空間關係，把兩岸民胞物與、歷史淵源、鄉土中國都割斷，「不論政治經濟文化都有主張，都是要與中國大陸切割」。

胡佛認為，台灣主義者說自己不是中國人，非常「缺德」，因為祖先都是從大陸過來，現在卻不承認、不講，如果根本的道德不重視，只重視現實，就是沒智慧，時間久了，就會造成族群分裂，甚至出現「武統」聲浪。他認為「兩岸統一是最高的道德」，雙方可以透過談判看如何結合，但基本大方向不應該改變。

一九八八年，胡、楊兩位同時應聘到美國兩所大學擔任訪問學者，胡在哥倫比亞大學，楊在康乃爾大學，當時我正在聯合報系的紐約《世界日報》工作，有機會與兩位得他鄉敘舊之樂。

兩位一九八九年回國後，組織「澄社」，楊院士被推為首任社長，外界普遍寄予厚望，希望他們真能「澄清天下」。但因為社員人數增加迅速，意見不免紛雜，形成內部分裂。

恰巧一九八九年有立法委員和縣市長選舉，「澄社」對各候選人做了評鑑，且要向社會公布，內部對此有不同意見，爭執很大，但結果仍然公佈，在外界的印象裡，評鑑一面倒的傾向在野黨。而「露點」拚選戰的藝人許曉丹，得分比國民黨打出的形象牌趙少康還高。一時輿論譁然。創社的胡佛、文崇一、韋政通和何懷碩不能接受這樣的事，因而退社。

「澄社」與「費邊社」

我在紐約，關心台灣，關心「澄社」和我的朋友們，寫一小文「澄社」和「費邊社」」，刊於是年十一月三十日的《聯合報》上，主要有以下的論點：

「澄社」今年四月十八日成立時，外界把他們視同當年英國的「費邊社」，某些「澄社」社員也以此自許。

一八八四年，英國少數研究時政社情的知識分子，創立了「費邊社」（Fabian Society），不久即有有名的學人，如文豪蕭伯納等，參加為社員，後來大名鼎鼎寫《世界史綱》的威爾斯等人也加入，聲勢更盛。成員均為當地的高級知識分子，這是「澄社」和「費邊社」略近之處。

「費邊社」命名的由來，是紀念羅馬大將費比阿斯（Quintus Fabius Maximus），此人文武兼資，智勇雙全，在第二次迦太基戰爭時，面對強敵漢尼拔，知道一時不能取勝，故採迂迴遲緩之戰略，以空間換取時間，終於獲得勝利。後人乃把這種做事的方法，叫做Fabian。「費邊社」以此為名，其主張不言可喻；他們推動社會改革，不事激烈手段，反對矯枉過正，而主張循序漸進，「緩進但落實」（Slow but sure）成為該社的宗旨。蕭伯納就曾說過：「僅僅高唱革命，絕不能把頭等車廂和三等車廂變成二等車廂。」被後世稱為「費邊主義」的這些論點，不僅在英國，即對世界都有影響。「澄社」成立不久，實踐其政治主張的方法和「費邊社」是否相同，猶待今後驗證。

一九〇〇年「費邊社」參與促成「勞工代議委員會」，六年之後變成英國的勞工黨，一九二四年第一次工黨內閣成立，竟有七位閣員出自「費邊社」。而「澄社」成立時，相約「論政而不參政」，這是與「費邊社」不同的地方。

不論兩「社」異同之處為何，「澄社」成立時國人的期許，似應超過當年英國人對「費邊社」的盼望。因為我國當前處境艱難，而政治又過於激化，實在需要知識界關心國事・需要「清流」起中和作用。至於有人批評「澄社」社員偏向在野黨，只要在「合理的範圍」內，似乎可以理解。因為相對於執政黨而言，在野黨是弱勢團體，學界為他們爭取較大的問政空間，以對抗一黨獨大的局面，對國家的民主政治發展而言，或不為無益。

但是這次對候選人的評鑑，顯然已逾越「合理的範圍」，它的代價是損傷「澄社」獨立公平的立場。「澄社」諸君子的時論文章中，常常批評政府喪失了「公信力」，是執政的危機。「澄社」這樣的事若做多了，可能對社會也有「公信力」的問題，將減弱「澄社」提升政治的功能，是很可惋惜的事。

對我的「友直」，他們兩位報以「友諒」，我一九九〇年年底從紐約調回台北總社，仍與他們有很多來往。楊院士擔任中研院副院長時，曾請《聯合報》編輯和言論部門的同仁到中研院貴賓室餐敘，還鬧了個笑話。報館一位資深前輩談到自己的保健「祕方」，是每天作「狗爬式運動」，說著他就在貴賓室的地毯上「示範」起來。正在爬著，恰好有一位女服務員開門進來，一時怔在那裡。她可能心想，「我們副院長的朋友怎麼是這樣的老頑童？」

以後楊胡兩位都從學術行政職務上退休，大家年紀逐漸大了，外面活動少了，接觸也就遞減。二〇一二年楊院士八十華誕，他的學生為他祝嘏，我是受邀的兩位新聞界人士之一。胡院士深居簡出，碰面的機會更少，除了偶爾通電話問候外，倒是前行政院院長郝柏村撰寫對日抗戰回憶錄，邀請學術界和新聞界人士提些意見，在那場合，見了胡院士三兩次。不過他的身體已顯得衰弱，每次都由夫人陪著來。

近年來，台灣政治、社會都在「轉型」，報紙的內容也跟著有些變化，《聯合報》與「老作者」的形跡有些疏遠了，我建議報館，由副董事長劉昌平先生出面，邀這些「老朋友」來報社參觀和餐敘。二〇一〇年十一月二十四日，在汐止報館新址的會客室裡，賓主「濟濟一堂」，能來的都來了，包括胡、楊兩位院士。現在看著張合影，胡、楊兩位走了，當天到場而未及合影的李亦園院士走了，主人劉昌平先生也走了。顧影懷人，哀傷何之？

兩位幾乎「相偕而去」

二〇一七年夏，許倬雲院士從美國打電話來：「聽說國樞病了，住在醫院裡，你知道情形嗎？」我不知道，打電話問胡佛教授，他知道楊先生病了，但詳情也不清楚。我直接打電話到楊府，楊太太接的，她很坦白的說，不希望親友到醫院打擾楊先生，所以也不願透露住哪家醫院。

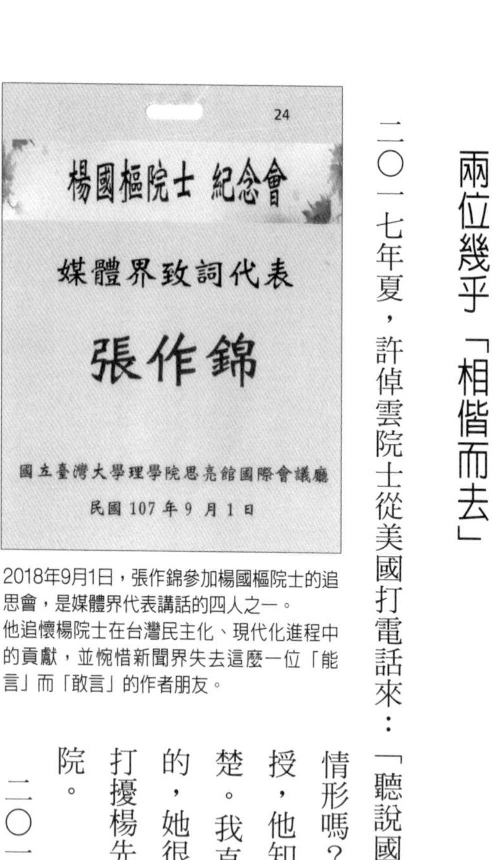

24
楊國樞院士 紀念會
媒體界致詞代表
張作錦
國立臺灣大學理學院思亮館國際會議廳
民國 107 年 9 月 1 日

2018年9月1日，張作錦參加楊國樞院士的追思會，是媒體界代表講話的四人之一。他追懷楊院士在台灣民主化、現代化進程中的貢獻，並惋惜新聞界失去這麼一位「能言」而「敢言」的作者朋友。

二〇一八年七月十七日楊先生走了。

中研院民族所九月一日在台大思亮館為他辦追思會，承辦的瞿海源教授邀我出席，向楊院士作最後的敬禮。新聞界有四個代表講話，是吳豐山、余範英、王健壯和我。

胡佛和楊國樞的名字常常聯在一起，想不到他們辭世的時間也靠得那麼近。送走楊先生還不到兩個月，九月十日胡先生也走了。我到內湖胡府，向胡院士的遺像行禮，胡夫人、小姐和胡先生的高足石之瑜教授都在。在胡先生的書房裡，他看的書，寫字的筆，都還在原位。就在那張書桌上，他為《聯合報》、《中國論壇》和許多報章雜誌，寫出多少擲地有聲和影響深遠的文章。

胡佛原是中研院唯一政治學領域的院士，後來他的政治系學生朱雲漢步武老師，成了政治學門的第二位院士。他為老師辦追思會，於十二月一日在台大社會科學院舉行，我也去參加，跟大家一起獻花、鞠躬、致敬。

原已創造「經濟奇蹟」，且登「亞洲四小龍」的台灣，在解除戒嚴、開放黨禁和報禁之後，大家都認為台灣民主化建設會有進一步發展，但想不到這些年來「不進反退」，今天的台灣，在各方面反而顯得混亂、萎縮而又「茫然不知所從」。想想「胡楊之亂」時台灣的朝氣蓬勃，真叫人感嘆，撥亂反正，是否也需要另一場「胡楊之亂」？

梁從誡

「我母親林徽音跟徐志摩沒有愛情關係」

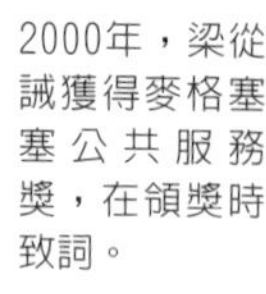

2000年，梁從誡獲得麥格塞塞公共服務獎，在領獎時致詞。

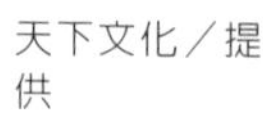

天下文化／提供

我們有一群朋友，當年還算「年輕」，「以高希均教授伉儷為核心」，每年春節假期都出去旅行，遠到歐洲的義大利、希臘，近到亞洲的印尼、柬埔寨。

有一年高教授倡議，今年去北京。春節時北京冰天地凍，我們這些在亞熱帶台灣「嬌生慣養」了幾十年的人，春節去那兒不是找罪受嗎？但我卻怦然心動，因為《傳記文學》不久前報導說，梁啟超的墓在北京被「發現」了。我幼年失學，一向敬佩有學問的人，而作為記者，沒有比「老記者」梁啟超更能「鼓動風潮，造成時勢」的媒體人了，所以我是標準的「梁粉」。就跟高教授「欲擒故縱」，「去北京可以，但有一條件，要去瞻仰梁啟超的墓」。

但墓在哪兒？不知道呀！《傳記文學》也沒有說清楚。我們請北京「三聯書店」總經理沈昌文先生安排行程，但他也不知道梁墓的詳情，「不過我認識梁從誡，他應該知道他爺爺葬在哪兒」。

梁從誡先生是梁啟超的孫子，梁思成和林徽音的獨子。他領我們參拜了梁任公的墓，我虔敬的鞠了三個躬。墓在北京植物園的一角，幸而僻靜，否則在文化大革命時，這樣的「階級敵人」和「反動分子」的墳，能夠安然無損嗎？

北京友人和我們旅行團的團員，當天都寄宿在「大覺寺」，有充分的時間聊天。台灣公視不久前播出《人間四月天》連續劇，搬演詩人徐志摩與三位女子間的感情，在寶島掀起一陣風潮。

徐志摩與張幼儀結婚、離婚，陸小曼離婚與徐志摩結婚，都是事實，比較容易認定和理解；唯獨徐志摩與「中國第一才女」林徽音間的感情關係，撲朔迷離，成為文學史上的一樁公案。

梁從誡主動談母親

如今和梁從誡閒坐聊天，我的記者職業病又犯了，如果能讓他談談他母親和徐志摩間的事，那是再權威也沒有了。但是，問人家的母親和另一位男性的感情，怎麼問得出口？想不到梁從誡先開了口：「《人間四月天》的故事不是事實，我母親和徐志摩之間只有友情，沒有愛情。」

這大大出乎我意料之外，我說，這件事不僅是文學的，也是歷史的，「梁先生願意詳細談談嗎？」他說「可以啊！」我恰巧身上帶有小型錄音機，我問「可以錄音嗎？」他說「可以」。以下就是訪談紀錄摘要：

我母親生於官宦之家，外祖父林長民曾任司法總長，但外祖母是舊式婦女，不識字，又是殷商的女兒，也不會女紅和家事，所以得不到外祖父的歡心。但是母親偏偏生得美麗、活潑、聰慧，深受外祖父及全家的鍾愛。

母親在上海和北京時，都在教會女子學校讀書，跟外國教員學會一口流利的英語，這對她後來吸取新知、到國外讀書和遊歷，以及結交外國朋友、擴大生活圈子，都很有幫助。

我父親是一位建築學家，世人多以爲我母親後來也進入建築領域，是受我父親的影響，其實是不對的。母親讀中學時，到一位同學家玩，同學的父親是一位建築師，正在畫圖，當時中國沒有這個行當，這是她生平第一次看到建築繪圖。畫一個圖樣，爲人蓋房子，這事使母親著迷。她後來說，把藝術創造和人們的生活需要結合起來，這就是她想做的事。若干年後，她和父親一同出國學習建築，不是沒有原因的。

外祖父林長民和祖父梁啓超兩家是通家之好，母親很早就認識了梁家的長子、後來成爲我父親的梁思成，那時他剛入清華大學就讀，在親友的眼裡，不僅兩個年輕人很匹配，而兩個家庭，一是司法總長，一是財政總長，更是門當户對。不過兩人年紀都輕，兩家沒有很認眞的談過。

張作錦在山西省五台山山腳下豆村「大佛光寺」留影。此寺為1937年梁思成和林徽音所發現，是中國僅存的唐朝木造建築。

一九二一年，外祖父在北洋政府受到排擠，被迫「出國考察」，就帶著母親去倫敦。碰到也在英國讀書的徐志摩，徐對母親一往情深，爲她寫了很多詩，又從倫敦追回北京。這件事，成爲中國文學史上的著名「事件」，直到現在，還受到大家的談論。

當時也在倫敦的一位留學生張奚若，是徐志摩的朋友，後來也成爲母親的朋友。他回憶說，徐志摩常邀他去「和林長民先生聊天」。

到了林家，稍事周旋後，徐志摩就不見了，剩下他一個人對付林長民。起先他頗爲不解，後來聽到內間談笑之聲，這才恍然大悟，原來徐志摩拿他當幌子，讓他纏住林老先生，而徐自己去找林大小姊去了。

友誼真摯．但非愛情

那麼我母親對徐志摩究竟是個什麼態度呢？母親是一個性格開朗、對自己誠實的人，她與徐志摩的情感問題，不僅我父親深切了解，她也從不隱瞞我們姊弟。我可以這樣說：她對徐志摩的友誼十分眞摯，但絕不是男女之間可論婚嫁之情。

她在倫敦初見徐志摩，對徐確有好感，甚至可說仰慕他。但她只有十六歲，徐志摩大她八歲，且早與張幼儀結婚。基本上，徐志摩是外祖父林長民的小朋友，不是林徽音的朋友。他們之間的友情，很難解讀爲愛情。

母親曾告訴我們，她是一個受傳統教育長大的人，她沒有辦法改變自己，當年離婚是不得了的事，她怎麼能叫一個男人離婚再跟她結婚，她連這個念頭都沒有過。

母親還說過，徐志摩愛的不是她，而是一位浪漫詩人想像中的林徽音。至於她自己，她要「對得起」人——她的父母、大夫、子女，甚至也要對得起徐志摩。

這幾十年來，很多人相信市井間流傳的故事，認爲林徽音對徐志摩態度模稜兩可，害得徐單戀多年，最後還爲了趕去聽她演講而摔了飛機，言下多少有點責怪林徽音「玩弄」了徐志摩的感情，這實在是一樁冤案，是不懂林徽音個性和爲人的說法。

母親雖然與徐志摩有深厚的友誼，但對他也並非全無批評，她曾對我姊姊說，徐志摩「也有世俗的一面」，他「也是一個會歡喜穿粉紅繡花鞋女子的那種人」。這話是聽我姊姊轉述，也許我是男子，且較姊姊爲小，所以母親沒有跟我說。不過後來徐志摩與陸小曼結婚，證明他確有俗的一面。陸雖然也有才氣，但從人品而論，很難說有什麼品味。

就我個人觀點，我覺得徐志摩是一個「跟著感覺走」的人。做爲一個現代的男人，他太不負責任。當年在倫敦，張幼儀千里迢迢來陪他，人地生疏，不會英語，他卻一頭栽到林徽音這邊來了。如果你不愛張幼儀，怎麼會讓她懷孕？又在人家懷孕時要離婚，眞是豈有此理？

這種男人，不能原諒

張幼儀懷著孩子，躲到冰天雪地的柏林過日子。徐志摩在倫敦卻是什麼「康橋」呀的風花雪月。過了一年多，徐去柏林見了張，問她孩子呢？張答死了。這種男人，怎麼能叫人原諒他？

徐志摩與陸小曼的日子，愈來愈過得不好，他的情感不免又轉回林徽音身上。若是繼續糾葛下去，未必是好事。他飛機失事遇難，固然是一樁不幸，但也是一種結束與解脫。

我父母的結合，感情非常深厚，因爲他們關心同一個事業——對中國古建築的研究。他們在一起，除了有愛情的基礎，還有共同語言做基礎，更寬廣的事業前景做基礎，這是很重要的。

從這個角度來觀察，可以說，徐志摩的精神追求，林徽音後來是完全理解的；反過來說，林徽音所追求的，徐志摩未必理解，更談不到專業上的支持。從中國古建築研究和美術創作的角度來看，梁思成和林徽音才是最好的搭檔。

也許我就此可下個結論：如果林徽音當年嫁給了徐志摩，我們頂多只能有一個文學家的林徽音；因爲她嫁給了梁思成，我們不僅有一個文學家的林徽音，還有一個建築家的林徽音。

以上是我訪問梁從誡先生錄音摘要，還有很多內容都割愛了。另外，也有一事我沒有向他請教，就是金岳霖和他們家的事。

金岳霖爲林徽音終身不娶
梁從誡爲金岳霖養老送終

金岳霖和梁思成是清華大學同事，是鄰居，是通家之好。據說有一天，林徽音跟梁思成說：「我苦惱極了，我同時愛上了兩個人，不知怎麼辦才好。」一個就是自己的丈夫，梁思成；一個就是鄰居「老金」——金岳霖。

作為一個男子，面對妻子這樣的表白，梁思成當然很痛苦，但他告訴妻子：「你是自由的。如果你選擇了老金，祝你們永遠幸福。」

後來林徽音又把這話告訴了金岳霖。金岳霖想了想，更加坦率地說：「看來思成是真正愛你的。我不能去傷害一個真正愛你的人。我應該退出。」他退出後，即終身未娶。

由於彼此的坦誠，金岳霖仍住在梁家的後面。除了早飯他自己在家吃，中飯、晚飯大都到前院和梁家一起吃。

老金看著林徽音夫妻恩愛，一時感慨做了副對聯：「梁上君子，林下美人。」

林徽音病逝，許多親朋好友都送了輓聯，其中一幅流傳最廣：「一身詩意千尋瀑，萬古人間四月天。」

寫這副對聯的人，是金岳霖。電視劇《人間四月天》，就是從這幅輓聯中來的。

時光荏苒，林徽音、梁思成都走了，金岳霖也老了，就和梁從誡夫婦同住，他們為「金爸」養老送終，金於一九八四年以八十九歲高齡辭世，使這個民國最動人的愛情故事，也有一個動人的結尾。

我和梁從誡先生及他夫人方晶老師，後來陸續有來往，跟梁先生在廣州等地一起開過會，他們也到台北演講和出版新書。

我曾問他：「令尊既然給你命名從誡，當然是希望你循著明朝大建築家李誡的腳步，你何以學了歷史？」他笑著回答，他當年報考清華大學建築系，以兩分之差未錄取。當時系主任的名字叫：梁思成。

大陸建政，百廢並舉，對環境的破壞十分嚴重，梁從誡成立「自然之友社」，從事環保運動。美國總統柯林頓一九九八年訪問中國，梁從誡是他指定要會面的人士之一。同年，英國首相布萊爾訪華，梁從誡寫信給他，請他終止英國對藏羚羊的非法買賣。布萊爾當日回信，第二天約他見面。二〇〇〇年，菲律賓頒給他麥格塞塞獎的公共服務獎。我清晨閱報，從台北打電話向他道賀。他說，「你是全世界第一個打電話給我的人。」

我在北京「遊學」五年結束，二〇〇九年要回台北長住，行前到他家辭行。梁太太告訴我，梁先生已罹失智症，他坐在客廳椅子上不太言語，梁太太與我聊天，指著客廳家具，哪張桌子，哪個櫃子，是金岳霖先生留下來的。

梁從誡於二〇一〇年十月走了，人生能「留下來」的，也許只有記憶吧！

（作者註：林徽音亦名林徽因，梁從誡寫他母親，都用徽音，本文從之）

周汝昌

胡適把價值連城的祕笈借給一個初次見面的大學生

張作錦（左）在北京訪問「紅學家」周汝昌。

我二〇〇三年退休後，去大陸「遊學」，以北京為基地，遊覽古蹟名勝，參觀大學和圖書館，以及訪問著名文化界人士，譬如周汝昌先生——研究紅樓夢的泰斗級人物。

二〇〇五年周汝昌生平第四十三本著作《我與胡適先生》出版，我和周先生的談話，自然以周、胡兩位的過從為核心。周先生說：「是胡適先生引領我進入『紅學』的。」

這一句簡單的話裡，卻有一段極不簡單的故事。

一九一八年出生的周汝昌，家住天津鄉下，一九四〇年入燕京大學西語系。一天，他四哥祜昌寫信給他說：近讀新版《紅樓夢》，卷首有胡適的考證文章，由於胡先生得到敦誠的《四松堂集》，世人由此方知曹雪芹其人其事，而敦敏的《懋齋詩鈔》卻遍求未得。你在燕京，實可一查，未必全無希望。

敦誠和敦敏兄弟是曹雪芹的好友。敦誠號松堂，敦敏號懋齋，《四松堂集》和《懋齋詩鈔》，都是研究曹雪芹生平的重要資料。胡適先後得到《四松堂集》和第一本古鈔本《石頭記》，也就是世人羨稱的《甲戌本脂硯齋重評石頭記》。這兩本書所發現的材料，把紅學推進一個新境界。

周汝昌到學校圖書館，一查目錄卡片，竟很快找到《懋齋詩鈔》，而且從來沒人借閱過。周汝昌根據此書提供的線索，寫了〈曹雪芹生卒年之新推定——《懋齋詩鈔》中之曹雪芹〉這篇文章，刊於一九四七年十二月五日天津《民國日報》，對胡適原來的考證提出不同意見。

首篇文章得胡適來信

胡適讀到文章，僅隔一天，十二月七日就寫了一封信，請《民國日報》編者轉給周汝昌，編者又把它登在報上。胡適很客氣，稱他為「先生」，即使後來發現他只是一名大二學生，早已「名滿天下」的胡適，也從來不改這樣的敬稱。在信裡，胡適稱讚周汝昌尋到《懋齋詩鈔》是「大貢獻」，也接受他對曹雪芹卒年的推算，但保留他對其生年的論斷。信是這樣說的：

汝昌先生：

在《民國日報·圖書》副刊裡得讀大作「曹雪芹生卒年」，我很高興。《懋齋詩鈔》的發現，是先生的大貢獻。先生推定《東皋集》（編按：即《懋齋詩鈔》）的編年次序，我很贊同。《紅樓夢》的史料添了六首詩，最可慶幸。先生推測雪芹大概死在癸未除夕，我很同意。敦誠的甲申挽詩，得敦敏吊詩互證，大概沒有大疑問了。

關於雪芹的年歲，我現在還不願改動。第一、請先生不要忘了敦誠、敦敏是宗室，而曹家是八旗包衣，是奴才，故他們稱「芹圃」，稱「曹君」，已是很客氣了。第二，最要緊的是雪芹若生得太晚，就趕不上親見曹家繁華的時代了。先生說是嗎？

匆匆問好。

胡適

（民國）卅六，十二，七

匆匆往南邊去了，這信沒有郵寄，今天才寄上。

（民國）卅七，一，十八

周汝昌跟著就寫了一封長信給胡適，對他「保留」的地方再加商榷。周汝昌承認，那時年輕氣盛，「語氣相對也不夠謙虛」，但胡適不以為意，仍舊把他作為一個討論學術的平輩看待，通訊頻繁。而且「語氣一向客氣委婉，真率關切，字裡行間沒有做作的氣味」。

周「激勵」胡適繼續紅學

胡適於一九二一年曾出版《紅樓夢考證》，是紅學的開路之作，到周汝昌與他通信的一九四七年，已經二十六年了。周汝昌「激勵」胡適，應該根據新發現的材料，進一步的再寫一本考證書。胡適答覆他，自己目前無法做這件事，如果周汝昌肯做這項「苦工」，他願給予「一切可能的便利與援助」。

有這句話，周汝昌就「得理不饒人」了。他先後向胡適借三部書：《甲戌本脂硯齋重評石頭記》、《四松堂集》和《戚蓼生序本石頭記》。這三部書，都非常了得，尤其甲戌本，世人根本都還未見過，是周汝昌口裡的「連城之璧，無價之寶」。一名青年大學生，和胡適的身分地位相差十萬八千里，而且，跟他沒見過面，竟然獅子大開口，直到晚年，周汝昌還覺得太冒失，太過分了。但胡適似乎比他還「過分」，竟然一話不說，託人把三本書都帶給了這位忘年交的小朋友。在周汝昌的記憶裡，胡適對這三本書，「從此以後，再無一言詢及，書是否還用？何時歸還？這些情理中的惦念之意，半字皆無，簡直好像忘了它。」

一九四八年暑假，周汝昌帶著甲戌本回天津鄉下老家，與四哥祜昌花了兩個月時間，把甲戌本抄寫了一個新的本子。事後寫信給胡適，承認自己「先斬後奏」，心中忐忑不安。但胡適回信說：「……使這個天地間僅存的殘本有個第二本，我真覺得十分高興！這是一件大功勞！將來你把這副本給我看時，我一定要寫一篇題記。」周汝昌讚嘆：胡先生真是「仁人大度」。

連城璧歸還原主

過完暑假，周汝昌返校上課，時局已有巨變，共軍圍攻北平之勢已成。周汝昌內心惶恐，覺得甲戌本不能再留了，初冬的一天，專程到東廠胡同一號胡家，把書奉還。開門接待的男子「氣質厚重，彬彬有禮」，自稱「家父有事」，把書代為收下；想來此人應是胡思杜。十二月十五日國民政府派專機把胡適接往南京，胡先生匆忙離平，據周汝昌說，只帶了兩本書，其中之一即是《甲戌本石頭記》。

這是周汝昌第二次造訪胡宅，第一次曾在胡適書房裡與他「論學」。胡先生看他身體單薄，還勸他注意健康，不要太用功。藹藹然，一長者也。周汝昌有詩頌曰：

肯將祕笈付他人，不問行蹤意至眞。
誰似先生能信我，書生道義更堪珍。
平生一面舊城東，宿草離離百載風。
長念有容方謂大，至今多士尚研紅。

胡適有容乃大

胡適有容乃大的故事，還有續篇。周汝昌「研紅」第一件成品──《紅樓夢新證》，開始寫於一九四七年，完稿於一九四八年。到一九五三年出版時，胡適在大陸已成「階級敵人」，書中所有敬稱都被出版社刪除。胡適時在美國，有人把書給他看，本以為「周某批胡」，胡先生會生氣，但胡適讀了此書，卻託人多買幾本，以便分贈友人。他還認為，這是一部好書，作者是他的「一個好徒弟」。

一九六〇年十一月十六日，胡適寫信給台灣歷史小說家高陽：

關於周汝昌，我要替他說一句話。他是我在大陸上最後收到的一個「徒弟」──他的書絕不是「清算胡適思想的工具」。他在形式上不能不寫幾句罵我的話，但在他的《新證》裡有許多向我道謝的話，別人看不出，我看了當然明白的。你試看他的《新證》頁三十至三十七，便知我的《甲戌本脂硯齋重評石頭記》，我的敦誠《四松堂集》稿本，都到了他的手裡。他雖不明說向我道謝，我看了自然明白。《甲戌本脂硯齋》本是我借給他的，由他兄弟兩人分工影抄了一本。天地間只存我的原本和他們兄弟的影抄本，這個影抄本，他在書裡從不敢提起，大概沒有別人見過或用過（原本現在南港，你可以來看看）。《四松堂集》稿本是我臨時起意留給他用的，此時大概還在他手裡。看他對此稿本的記載（頁34），我當然明白他的意思了。

汝昌的書，有許多可批評的地方，但他的功力眞可佩服，可以算是我的一個好徒弟。

距周汝昌初識胡適之日，半個多世紀過去了。周汝昌和我談起胡先生，心情仍然激動。他說，他平生結交不少名流碩彥，也有比他年長的忘年之交，今日回想起來，仍應把胡適推為首位，理由有二：

胡適影響沒人能比

第一，胡適的影響沒人能比。在國內不用說了，在海外尤其顯著。外國人往往只知道中國兩位名人，一是Confucius（孔子），一是Dr. Hu Shih（胡適博士），他的代表性大得驚人。

第二，從人品性情察之，胡先生是一位忠厚長者，仁人君子，他尊重別人，信任別人，爽朗平易，真誠大度。

大陸建政伊始，即展開各種政治運動，「批胡」是其中之一。周汝昌與胡適的來往，自然可招大禍。他把胡適的信交給北京圖書館文獻部門，所幸保存完好。二〇〇四年，周汝昌寫成《我與胡適先生》，把兩人來往信件原函影印附於書中，總結了這段動人的文壇佳話、紅學史章。

自從胡適這位師父把他引進門，周汝昌一甲子的修行，已經寫了近四十本紅學著作。我訪問他時，快九十歲了，目盲耳聾，仍浸淫於紅學中，是什麼力量使他如此孜孜不倦？周汝昌答得很乾脆：《紅樓夢》本身的價值。它不僅是一部小說，且是代表中華文化的一本書。

周先生雖已年高，對紅學的研究，仍然興趣盎然。前些年，身體狀況還行，周汝昌不斷應邀到各處演講。再早些時候，還出國參加國際紅學會議。這幾年視力、聽力大大衰退，且行動不便，就不再出門，只留在家中書房裡繼續鑽研紅學。

說是「書房」，其實是一間小小的客廳，會客在此，讀書、寫作也在此。幾架書，一些過時的陳設，顯得擁擠、古舊，也透著幾許蒼涼。雖然北京居大不易，多數人家的住房都很「緊張」，但改革開放以來，別墅、豪宅到處連雲而起，富商、高官無不大門大戶，一位「國寶級」的文化人，似乎不應該只有這樣的待遇。

但周汝昌好像不在乎房子小。斯是陋室，惟吾德馨。他在這裡寫作不輟，近年來又出版了不少紅學的書。

中華煥文明，先後義相繼

當然，他只「作」不「寫」。他口述內容，兩位女公子麗苓和倫苓筆記整理，再讀給他聽，經他修正、補充後定稿。

《我與胡適先生》付梓之日，周汝昌賦詩以記。詩曰：

小生何所能，大賢每不棄。
中華煥文明，先後義相繼。
蕪詞備闕遺，簡陋亦當記。
紅史富波瀾，冉冉閱世紀。

古今與天人，通究待高士。

最後一句，是周汝昌的自謙。《紅樓夢》是否真是一本究天人之際、通古今之變的巨著，這固然決定於這本書自身的價值涵蘊，也有賴於後人的闡幽與發皇。至於周先生個人，「美好的仗已經打過」，於二〇一二年辭世，享壽九十四歲。

第 **8** 部

政治的「參悟」，媒體的「理解」

作為一名政治新聞記者，我對「政治」和「新聞」的態度是什麼？

政治不能不顧現實：我主張由台灣人治理台灣

媒體不能沒有理想：我認為新聞界不可自甘墮落

張作錦出版的著作。 林澔一／攝影

政治不能不顧現實

我主張由「台灣人」治理台灣

但台灣不可獨立，大陸不可獨裁，二「獨」有一，便是悲劇。

我自一九六四年進入《聯合報》任職，一九六六年開始採訪政治新聞，一九七一年起擔任內勤主管，但仍參與處理政治新聞，一直到二〇〇三年退休，前後三十九年，說是「政治新聞的資深記者」應不為過。這樣長時間浸淫在政治新聞中，我對「政治」自然有一些自己的理解和參悟。

簡單的說，政治不能全憑理想，也要重視現實。在台灣這個「現實」環境裡，我主張由「台灣人」治理台灣。

我很不喜歡用「台灣人」或「本省人」對「外省人」這種二分法的字眼，而「民主進步黨」或新成立的「台灣民眾黨」也不能與「台灣人」畫上等號，但為了能清楚討論問題，不得不便宜行事。

一九四九年，中央政府被中共驅離大陸，一百多萬各省同胞相隨來台。由於主政者對國家安全特有的戒心，由於「大中國」的歷史傳統，由於某些政策上和執行上的差錯，使本省同胞感受到有不公平的待遇，難免滋生畛域之見。其後因同學、同事和通婚等各種融合管道，再加上解嚴，以及選出台籍人士擔任總統，省籍和群族問題本已可逐漸消弭，但是一碰到政治，尤其是選舉，問題就跟著惡化，社會就跟著不安。

我自己「政治態度」心路歷程的變化，應該稍加說明。早年我是傾向支持國民黨執政的，遠的不說，就以到台灣而論，他們戮力建設台灣，實行地方自治為全民普選作準備，推展國民義務教育，致力「十大建設」，使台灣成為「亞洲四小龍」之首。「台灣經濟奇蹟」和民主化進程，讓全球注目。這些成就，都源於政府正心誠意的對國家和國民履行責任。但是當郝柏村擔任行政院長以後，我對政治觀察的角度，開始有了轉變。

反郝組閣．政爭開始

一九九〇年五月，時任行政院長的李煥確定請辭，誰來接下任閣揆，引起媒體揣測，在五月二日從國民黨黨部傳出李登輝將任命郝柏村繼任院長的消息，立刻引起外界的反應。當時的《首都早報》五月三日在第一版，用斗大的字作標題〈幹！反對軍人組閣〉。《自立晚報》也在同日的社論中，貼出「無言」二字。五月十九日青年學生和「全民反軍人干政聯盟」發起「反軍人干政大遊行」，到中正紀念堂抗議。

最後在民進黨強烈杯葛下，郝柏村仍獲得以國民黨為多數的立法院表決同意，於六月一日就任。但各方杯葛，未曾稍戢。尤其在立法院，郝柏村每次列席備詢，總是惹起兩黨立委激烈的衝突，甚至身體的對抗。

民進黨籍立委葉菊蘭指控郝柏村在任內多次「違反體制召開軍事會議」，有人認為葉菊蘭的資料是李登輝總統辦公室主任蘇志誠所提供。李登輝提名郝柏村組閣時曾謂他們兩人是「肝膽相照」，現在有人則說是「肝膽俱裂」了。

郝柏村執政，非常重視社會的公平正義，但這恰恰衝撞了本地企業家的利益和李登輝的「人際關係」。在王力行訪問記述的《無愧：郝柏村的政治之旅》這本書裡，有這樣的記載：

在郝柏村的觀察，影響社會不公最嚴重的，是「土地政策與稅收公平性」。

「如果納稅不公平，競爭也就不公平。」他指出，政府的責任在查稅，但查稅必定引起當事人反彈。

尤其是遺產稅、贈與稅，一般認爲是「典型的不勞而獲」，但逃漏得厲害。

當時財政部長王建煊任內，曾查出好幾位大企業主都個別需要補繳幾億、甚至幾十億的稅款時，郝柏村心裡有數：這些家喻戶曉重量級的大企業家，有他們直接的通天管道，有他們無所不在的人脈，更有他們控制的一些媒體，一定會直接、間接來打擊王建煊。

「打擊王建煊，就是打擊我。」他相當清楚地表示。一位民意代表好意地提醒郝院長：「只有傻瓜才敢碰他們。」

他卻一點也不遲疑，繼續支持財政部嚴格執行查稅。

另一方面，藉「土地增值稅」，在地方散布「外省人部長搶本省人土地」的流言挑起省籍情結。一位本省籍黨國大老歎息：「這次政爭擴散到地方，十分危險。」王建煊深知「倒王」風波最後可能演變為「倒郝」風波，乃自請辭職。

八十一年十月七日，王建煊還是從財經鬥士變成財經烈士，他向郝院長辭職時，據說「聲淚俱下」，不願牽累郝院長。

對於選用爲財政部長前只正式見過一次面的王建煊，郝柏村覺得他「不和稀泥、認眞做事」竟得到這樣的結果，深爲台灣金權和特權介入政治的低品質痛心。

他對這件事的心情可從這段話顯現：「今天我們在金權政治的陰影下，所受到的阻力，必須倚賴這個社會和知識分子的正義力量！」

把《聯合報》從大報變小報

《無愧》指出：

許多跡象也顯示，總統府對於郝柏村的不滿意，不願他久留，正透過各種方式表露出來。八十年三月的某一天，一位位居要津的大老告訴郝柏村：有一位黨中央要員準備策動新聞界反郝；八十一年三月，外界傳言，府裡傳話要把比較敢言的《聯合報》，「從大報變成小報」。不論這些傳話是否眞實，郝柏村深知輿論被左右，民意被扭曲，選舉和民主都將喪失公平與正義。

後來的一連串民進黨立法委員質詢「軍事會議」、「王建煊辭職風波」，似乎都反映無風不起浪。

浪頭其實是朝著郝柏村打來的，目的是要他自動下台。

所謂的「省籍情結」，使郝柏村點滴在心。《無愧》說：

台灣內部把省籍和統獨畫分得壁壘分明，是令郝柏村及很多人擔心的。

在他院長任內成立了陸委會、海基會，他個人又是國統會的副主任委員，但是郝柏村卻很少對大陸政策公開表示意見。

不發表意見並不表示他沒有意見，他卸任後曾公開說，「我知道因爲我是一個外省人，如果我做得積極一點，獨派分子一定會說我出賣台灣；如果做得消極一點，主張統一的人又說太消極了。」因此，他認爲在內部尚未建立共識之前，「多說話或多指示，都沒有意義。」

他對陸委會與海基會之間的摩擦時有所悉，深知陸委會主委黃昆輝所加予海基會的各種限制，有些他本人並不同意；對陸委會其他主管的一些發言，更認爲「有失分寸」。

當陳長文辭海基會祕書長時，他告訴陳長文：「我同意你辭去祕書長。」這個「同意」是惋惜，也是無奈。他已意識到，在兩岸關係上，省籍的懷疑動機論已使福建籍的陳長文難以施展長才。

省籍統獨．壁壘分明

郝柏村說，「台灣內部把省籍和統獨畫分得壁壘分明」，絕非厚誣之詞。李登輝卸任總統，二〇〇九年十月訪問美國，他十六日在紐約「台胞千人餐會」上講話，呼籲台僑「全力支持民主台灣本土政權」。他說，不管「中華民國在台灣」或「中華民國是台灣」的說法都不對。「因為中華民國是在台灣借住，時候到了，就可以將中華民國趕出去」。

了解李登輝的人都知道，這不是他卸任總統才有這種說詞，這是他一貫的信仰。

「李郝體制」絕裂的時刻終於到來。一九九二年末，立法院進行全面改選，李登輝以「建立行政院向立法院負責」為由，要求郝柏村辭職，郝柏村堅持由國民黨中常會通過才辭職。雙方相持不下，直至一九九三年初國民大會閉幕時，民進黨國代集體大呼郝柏村下台。郝自言不甘受辱，在台上振臂高呼「中華民國萬歲，消滅台獨」，走下台來，隨即宣布辭職。

當時筆者在紐約聯合報系的《世界日報》工作，在電視上看到民進黨國代們的「激憤」，看到郝柏村的「悲憤」，知道台灣政局要有大變化了。

半年後我調回台北總社供職，目睹政治人物的表裡不一，親身體驗國族認同的漸行漸遠。而國家體制和運作上也有很嚴肅的內在的問題：

總統和內閣的權責不清；大家只看到人而看不到制度。

強人政治逐漸顯露，勢將加深政爭。

執政黨和在野黨角色混淆，不守各自的分際。

「台獨」已不是口號，而是「現在進行式」，這是台灣結構性的大問題。

請外省政治人物退出政壇

際此風雷將起之際，如陸放翁所說「位卑不敢忘憂國」，一九九三年我提出自己已思索很久的建議：〈請外省政治人物全數退出政壇〉，刊於是年六月號的《遠見雜誌》上。

我在文章中說：

台灣能不能獨立？因爲無從實驗，有的人把它畫成一幅美好的藍圖，有的則認爲它危險萬端。解嚴之前，台獨的言論是被禁止的，抗爭的對象是政府、是國民黨；解嚴後，中華民國有了一位台灣籍的總統，國民黨有了一位台灣籍的主席，這時外省籍的高級官員還認爲台獨是不可行的、將陷台灣於危局，抗爭者的對象已不是國民黨和政府，而換成了外省人。時局的激盪，深化了政爭，又逐漸被人引申成「外省的行政首長欺侮本省總統」，或者更誇張成「外省人欺侮本省人」。這樣發

專論

請外省政治人物全數退出政壇

政爭模糊了制度的缺陷，省籍情結遮掩了大家對問題的注意和認知，若是外省政治人物全數退出政壇，將可把問題的癥結清楚地呈現出來，從而謀求解決。這不僅對台灣籍同胞好，也對外省人好。

張作錦

1993年，張作錦在《遠見雜誌》上撰文，呼籲外省人退出政壇。
天下文化／提供

展下去，情勢會很嚴重。

第一、我們雖然號稱是實行憲政的國家，但是我們的政治制度很紊亂，總統制或內閣制糾纏不清。目前是總統無責、內閣無權。現在監察院不是民意機構了，而國民大會又要和立法院對抗。只是因爲有政爭在，大家只看到人，而忽略了制度。

第二、我們雖然號稱是實行民主政治的國家，但領導人之專權一如往昔，甚至過於往昔。「強人復辟」的政局會有什麼後果，很令人懸念。大家現在也是因爲人的關係，完全把民主政體「制衡」的必要給忘了。

第三、「台獨」的活動年來較爲積極，外省籍的行政首長自認對國家、同胞有「責任心」和「使命感」，奮身「力挽狂潮」。但是因爲身分的關係，顯得沒有力量。如果獨立有益無害，當然最好，如果有害無益，那就是因人廢言了。

在這種情形下，我認爲外省籍政治人物應該全面退出政壇，政府高級官員概由本省籍人士擔任，這樣我們國家的問題就可很清楚地呈現出來，不再被無謂的「省籍情結」遮掩住，也不再被有心人轉移了大眾的注意力。那時大家就必須面對：

第一、我們究竟要誰當家？是總統還是行政院長？權給誰，也就同時要課他以責任。

第二、我們究竟要什麼樣的政治？是專權還是民主？要專權非常容易，要民主就要努力整頓體制，信仰民權。

第三、台灣眞有獨立的必要嗎？有獨立的可能嗎？是少數人要冒險，還是多數人都同意？

這些問題釐清了，解決了，台灣才能緩續繁榮進步。全體同胞，自然也包括外省人，也才能安居樂業。這對外省人意義尤其重大，因爲他們將不再成爲權力角逐場中的箭靶子，而後才能沒有任何負擔，完全融入當地社會。

我的建言，人微言輕，台灣政爭依然慘烈，在二〇〇〇年一月號的《遠見雜誌》上，我再度誠懇獻言，繼續呼籲「請外省人退出政壇」。

到了二〇一四年三月「太陽花」學生運動，以反服貿之名攻占立法院，不僅國會癱瘓，實際上整個國家的運作都跡近停頓。各方對起事者批評有之，勸勉有之，抗爭亦有之，都希望「運動」早日結束。

讓民進黨執政以救台灣

我在四月八日的《聯合報》上發表〈讓民進黨執政以救台灣〉的文章，理由是民進黨如在野，台灣內鬥不止，必定走向衰亡」。文章要點如下：

即使這回「太陽花」收了，國人也不要高興太早，以後還會有別的事件，台灣不會安寧。因爲台灣政局操在民進黨手裡，民進黨一天不執政，就一天不會停止鬥爭國民黨，台灣就會繼續陷於內耗，國家元氣日損，經濟景況日差，人民生活就會日走下坡。這是二十幾年來的歷史經驗。看看博鰲論壇和洛桑管理學院最近公布的國家競爭力評比，台灣排名都連年下滑。有人認爲這次學運是年輕人對國家前途的集體焦慮，更足證明台灣政爭惡果之嚴重。

學運以來，各方撰寫文章，發表談話，說情論理，都「垂泣以道」夠多了，現在不妨提出一個具體建議：讓民進黨來執政。依個人所見，這可能是短期內救台灣的最好藥方。

聯合報　民意論壇 A14

民進黨如在野，台灣內鬥不止，必將走向衰亡

讓民進黨執政 以救台灣

2014年，張作錦在《聯合報》上撰文，建議「讓民進黨執政以救台灣」。

這不是隨興發言，也不是反話、氣話，而是出自肺腑的一貫眞誠，有筆者過去的文章紀錄可爲覆按。

筆者的主張，一方面可能被視爲「離經叛道」，另一方面參政權是憲法所賦予，我的建議對想從政的人是褻瀆與僭越。但現實是很無奈的，國、民兩黨的爭鬥，使社會撕裂，且從社群的範圍深化到反中國大陸。把國民黨和大陸扣在一起，則台灣的政局之結就更難解了。挽救之道就是讓民進黨執政，由他們挑起擔子去應對大陸、日本、美國以及國內的經濟、社會和民生諸問題。若繼續像目前這樣，國民黨不能做事，民進黨不負責任，無異驅全體人民入死胡同。

在現行的憲政體制下，國民黨無法把政權轉移給民進黨，兩黨不能私相授受。當然馬英九總統可以辭職下野，但繼任者是副總統吳敦義，還是國民黨。馬總統也許可以考慮，提名一位民進黨人士擔任行政院長，行內閣制，把國防、外交和兩岸的權力也交給他，總統只居「虛位元首」，民進黨實際執政，就必須負責，應該不再撒潑胡鬧，國家也許可以安定下來，認眞從事建設。只有台灣身強力壯，才能應付來日困局。如果此議不可行，那麼等到二〇一六年大選時，希望選民能爲台灣前途著想，投民進黨一票。我對民進黨的執政能力心懷憂慮，但是他們不執政一定千方百計整垮國民黨，結果也把台灣一起毀滅。凡明理之人，都知兩害相權取其輕也。

讓民進黨執政這樣的倡議，應可得到統獨雙方人士的贊成與支持：

以言獨派：民進黨執政有「獨立建國」的希望。若能成功，且能存活，對全體生活在台灣的人民來講，有何不好？

以言統派：國民黨執政，怕戴上「親中賣台」的大帽子，絕不敢與對岸坐上談判桌。民進黨執政，才有膽量、才自覺有正當性與大陸談統一條件。君不見若非「反共」的尼克森進了白宮，美國還不知何時才會向大陸伸出「友誼之手」呢！

文章結束前要回答一個可能有讀者提出的疑問：馬英九當選總統且獲連任，省籍地域云乎哉？不錯，這是選民的民主水準。問題是民進黨不擇手段的政爭，讓國家沒有休養生息機會。而選民對民進黨這種爲政作風，似乎不願或無力約束。讓其執政，乃釜底抽薪之道。國民黨在野，比較能遵守憲政運行規則，有陳水扁八年任內的實踐過程爲證。等台灣民主政治更成熟了，兩黨輪流執政也許就是人民之福了。

以上這些都是我二〇一四年以前的呼籲。雖然與我的建議大概無關，但湊巧民進黨全面執政了，現在到了二〇一九年，民進黨執政的政績如何？我對自己過去的言論有沒有反思？我可以坦白的說，就算民進黨執政政績不好，但是，以民進黨「無所不用其極」的手法，台灣的局面，很難改變。改變了，也未必會好。因為根據這些年的經驗，民進黨若在野，絕對不會讓執政黨做事，最後把國家拖垮。

我在上述二〇一四年四月的文章中指出：國、民兩黨的鬥爭，使社會撕裂，民進黨且從社群的範圍深化到反中國大陸。「把國民黨和大陸扣在一起，則台灣的政局之結就更難解了。」

台灣政局凶險，誰能預料未來

到了二〇一九年的今天，民進黨修改「國安法」，並推動「中共代理人法」，不僅把國民黨和大陸扣在一起，甚至把所有不同意民進黨主張的人，都「和大陸扣在一起」。台灣政局的凶險，未來豈可逆料？

二〇一九年八月，台北市長柯文哲以承蔣渭水衣缽自命，組織「台灣民眾黨」，準備參加二〇二〇年的總統大選，使「在地人物」的政治活動，又添了新動力，使未來的大選情勢又有了新變數。台灣的出路在哪裡？怎麼走？誰能說得準？

儘管說不準，我還是對兩岸事務提了不少建言，譬如〈今作浪子，明為孤兒——台灣在經貿上排拒大陸恐有嚴重後果〉（二〇〇五年五月號《遠見雜誌》）；〈把台灣這塊材料鑄造成器——台灣有力量，進可以影響大陸，退可以立足自保，否則還有什麼路走？〉（二〇〇四年七月八日《聯合報》）；〈台灣不可獨立，大陸不可獨裁——台灣如果獨立，大陸一定會以武力逼它回去；大陸如果獨裁，台灣一定不會自願回去。兩『獨』如有其一，統一就是悲劇〉（一九九六年八月號《遠見雜誌》）。標題應該把我文章的忠忱和懇切都表達出來了。

像我這樣一個政治新聞記者的「心路歷程」和「心所謂危」，在台灣，應不僅是一人一家而已。

媒體不能沒有理想

我認為新聞界不可自甘墮落

爭取到民主，卻未護衛，淪為民粹；爭取到自由，卻不節制，使社會失序。

由台灣經濟建設領航人李國鼎創辦的「群我倫理促進會」，目前工作項目之一是委託《遠見雜誌》的「民意調查中心」，每兩年舉辦一次「社會信任度調查」，看看社會大眾對哪些人比較信任？哪些比較不信任？作為他們推展工作的參考，並讓社會各方對我們所處的環境有所認識和警惕。

調查從二〇〇一年開始，當年沒有列入新聞記者。從二〇〇二年將記者列入調查。問卷上列有十四種人：家人、醫生、中小學老師、鄰居、社會上大部份人、總統、政府官員、民意代表、基層公務員、法官、警察、律師、企業負責人、新聞記者。

從二〇〇二年到二〇一九年，調查辦了八次。新聞記者有兩次是最後一名，即第十四名；四次第十三名，即倒數第二名；兩次第十二名，即倒數第三名。說歷次都在「後段班」，已經很客氣了。

作為在新聞界服務四十年的「老記者」，我記述這件事，列舉這樣的「成績」，實在感到「惶愧無狀」，汗涔涔下。

當然，我並非今天才知道新聞界在社會大眾心目中的印象，早在一九六四年，我從政治大學新聞系畢業，初進《聯合報》，被派到高雄市當地方記者，我的同業就編造一則「女人島」的荒唐故事，在「黃金版面」的第三版連續以頭條地位刊出好幾天。我對那次的「震撼教育」終身難忘。我當時就感慨地寫在日記上：「『女人島』的故事完全顛覆了我在學校所受的新聞教育。我很震驚，報紙內外勤人員怎敢這樣沒有紀律，這樣濫用公器，這樣沒有對社會負責的態度？我也很沮喪，這就是我們的媒體，就是被我們在學校裡歌頌的那個行業，我要

張作錦身為記者，常為文向媒體建言，並出版專書《試為媒體說短長》，2002年「天下文化」成立20周年時，為展覽書籍之一，裝框懸於慶祝酒會會場。 邱德祥／攝影

長期在這樣的環境裡接受薰陶、學習和成長？」

不過我寫道：「這事對我也有正面意義，它讓我知道，新聞界不是我們在學校裡想像的那樣完美。人品決定報品，我要成為一個什麼樣的新聞工作者，在入行的起跑線上，就要想清楚。」

自此以後，我對自己從事的這一行業，一直持「勸善規過」的態度，提一些批評和建議，希望它祛除「弱智」的形象，洗刷「亂源」的惡名，以善盡社會責任，贏得大眾尊敬。

以《聯合報》和《遠見雜誌》為主，我寫了近三十年專欄，雖然沒有精確的統計，但其中討論到新聞界問題的文章，至少在一百五十篇以上，而且還出了一部專書《試為媒體說短長》，可能是新聞界「自我體檢」最認真、最勤快的一人。

首先我認定〈天下沒有不箝制言論自由的政府〉。因為：

政府容易濫權、貪瀆和有官僚行爲，怕新聞界揭發，影響其執政，故全力箝制媒體；媒體基於監督政府的責任，自然與之對抗，爭取發言的自由。

（二〇〇四年九月三十日《聯合報》）

但是我接著問：〈言論自由有無界限？〉我說：「什麼是言論自由？有沒有不可自由的

言論？向來是民主政治中最難處理的問題。」我指出：

過去台灣是戒嚴地區，有《出版法》，又發生過「雷震案」，言論並無充分自由。經過大家多年的奮鬥，現在這一切束縛都沒有了，連主張台灣獨立都屬於言論範疇，沒有行動即不受罰，可見我們也建立了「事前不設限」的言論自由原則。但窮人乍富有一個危機，就是揮霍無度，弄不好最後有傷身勞神的可能。我又叮嚀：一個國家若無言論自由，其他自由都談不上，但過分濫用言論自由，則將危及其他自由。這是每一個爭取和享受言論自由的人，都應該警惕的。

（一九九一年十月號《遠見雜誌》）

言論自由大爆發，終於造成〈震耳欲聾的台灣〉。我在這篇文章開宗明義的指出：

吾人何其有幸生在台灣！報紙上、電視裡、廣播中，每天都有足夠的事，叫人目不暇給，精神亢奮，想打瞌睡都不忍闔眼。吾人又何其不幸生在台灣！廟堂上、議會裡、社群間，每天都爲那些舊話題爭論不休，議題雜，分貝高，叫人肝火上升，意煩氣躁，很難定下心來做事。

我的結論是：

大家用嘴巴多，用頭腦少，吵歸吵，問題，自然包括兩岸問題，還是不能解決。而且將來多半會回到歷史規律，「議論未定，兵已渡河。」哀哉！

（二〇〇〇年十二月號《遠見雜誌》）

台灣新聞界享受了充分的言論自由，大家縱筆直書，都謂「今天的新聞是明天的歷史」，我禁不住要問：〈記者要不要有「史德」？〉

遠在一千兩百年前，劉知幾就在《史通》中提出良史的三項標準：史才、史學、史識。可是章學誠認爲這還不夠，又加上「史德」。他在《文史通義》中說：「……能具史識者必知史德。德者何？謂著書者之心術也。」所謂「心術」，說得白一點，就是「動機」——在什麼情形下、懷著什麼樣的目的而寫歷史。

不管動機爲何。都會使歷史不正確。換言之，也與「史德」的標準不符。

我輩新聞從業人員，每以「今天的新聞是明天的歷史」這句話，來強調吾人所從事工作的重要性。今天的新聞雖未必盡是明天的歷史，但將成爲明天的「史料」則殆無疑義。是則進德修業，取法乎上，我們要不要也追求「史德」呢？

（一九九八年二月號《遠見雜誌》）

台灣新聞業曾被人譏為「製造工業」，到了一九九五年，我慼嘆〈新聞製造工業仍未夕陽〉。我指出：「記者製造新聞有兩大原因，其一、出自「權力使人腐化」的古老規律。傳播界也享有很大的權力，自亦容易濫權；其二、記者急功近利求表現，要寫最受人注意的新聞，以最快速的方法出人頭地。」我結論說：

這兩點，都涉及人性的貪念，是普遍現象，非僅新聞界爲然！今天台灣的黑金政治、土地壟斷、股市狂潮、「以個人興亡爲己任，置國家死生於度外」的拚鬥，無一不是貪慾的體現。新聞界順濁流而下，保自身清淨已經算有爲有守了，願意作漂白劑的能有幾人？

（一九九五年七月二十三日《聯合報》）

台灣的領導人逐漸走向專權，要掌控新聞界，手段不外是「胡蘿蔔與棒子」。我寫了一篇〈獎賞比懲罰更能殺傷新聞自由〉的文章。我以一九九四年七月二十九日台視、中視和華視三家電視台的午間新聞為例，前五條新聞包括國大臨時會完成修憲、行政院長連戰巡視高雄港、經建會主委江丙坤談核能電廠溝通等等重要消息，但三台一致的選「李登輝接見天主教增德兒童合唱團」為頭條新聞。這種對新聞輕重的判斷選擇，不僅違背新聞倫理，也是違反一般常識的。電視台這樣做，因為他們的人事權、經濟利益甚至執照的存廢，都捏在當權者的手裡。我感慨的說：

台灣解嚴之後，報禁開放以來，社會驟然民主化起來，新聞言論似乎百無禁忌，儼然超英趕美。可是大家如果仔細從精微處觀察，就不難發現，我們的新聞自由正在逐漸萎縮。從前新聞檢查來自官方機構，現在安全機關、新聞局、文工會對新聞界已無約束力，今之新聞界是根據本身的利益，作自我檢查，自我規律。要胡蘿蔔還是要棒子？識時務者是不難選擇的！

（一九九四年八月一日《聯合報》）

我默察台灣言論自由淪喪的危機，覺得新聞界本身應負重要的責任，撥亂反正之道，是〈媒體不要自作奴僕〉。在這篇文章中，我剖析了國民黨、民進黨和新黨人士的言行表現後，我說：

今天在中華民國，談論言論自由的人多，實踐言論自由的人少；原因是大家並不眞心信仰它，只是把它作爲牟取私利、打擊敵人和裝扮自己的工具，一旦目的達到，它就秋扇見捐一文不值了。所以，社會要求國民黨「黨政軍退出三台」，這當然應該，而且早就應該；問題是他們退出之後誰來？會不會由某一個團體的壟斷換到另一個團體的壟斷？由甲乙的操縱換到丙丁的操縱？

兩個王朝打仗，勝方接收了敗方的奴僕，但奴僕到了哪一邊都是奴僕。血染征袍的百戰將軍，會把戰利品的奴僕輕易放掉？不爲自己的利益而純粹爲奴僕的自由而打仗的，歷史上好像還沒有過這樣偉大的事蹟——連美國的南北戰爭都不完全是。

所以言論自由的根本問題是：媒體不要自作奴僕。我們不能指望有權力的政府、有權力的政黨、有權力的各種各類團體以及有權力的個人，會放棄他們對言論自由的操控與侵蝕，所以媒體要主動爭取。縱觀各國的新聞史，言論自由都是爭來的。

解嚴之後，黨禁、報禁開放之後，在野黨壯大之後，台灣言論自由的空間好像無限寬廣，但若精細觀察，情況又不盡然。看看某些媒體對某黨某人輸誠表態地一面倒，彷彿使人回到從前的「威權時代」。但今昔不同的是：

從前多半是被迫，現在多半是甘願；

從前是人身安全的考慮，現在是官位安全或政治利益安全的考慮；

從前是別人從新聞界手中拿走了言論自由，現在是新聞界拱手送出了言論自由。別人拿走了，向對方爭；自己送走了，就只能向自己爭了。

一點也不錯，去自己的心中之賊、不自作奴僕，是新聞界爭取言論自由的最後一仗！

（一九九五年四月號《遠見雜誌》）

現在社會上感時憂國之士，多期盼媒體能救台灣，這也是新聞界和台灣關係的一個終極問題。但是，媒體能救台灣嗎？

媒體發軔於歐西，本有制衡政府和護衛言論自由的功能。西方的歷史不談，在中國，媒體救國是歷史的傳統。清末民初，孫中山辦《民報》，梁啟超辦《新民叢報》，章太炎、蔡元培、吳稚暉等人參加《蘇報》筆政，都在「鼓動風潮、造成時勢」，他們分頭努力，或從建國而救國，或從新民而救國，或從啟迪文化思想而救國。總之，目標都在救國家。

到了抗戰前後，報紙更是無不以國家存亡為念，最有代表性和影響力的，當然是《大公報》。還有的報人，譬如龔德柏，乾脆為自己報紙取名為《救國日報》。可見當時新聞界報國、救國的熱忱。

所以在中國報業史上，報紙，今天擴大範圍來講，就是媒體，內心或多或少都有救國的使命感。我們今天談媒體救國，一點也不必覺得難為情。

那麼，我們要問：媒體有能力救國家、救台灣嗎？媒體監督政府，使政府不做錯事、壞事，就能使國家正常發展繁榮。政府最容易做的錯事和壞事，一是專權，一是貪汙。在制衡政府不專權和不貪汙這兩件事情上，台灣媒體有過輝煌的紀錄。

國民黨在大陸失敗，倉皇渡海來台，風聲鶴唳，對媒體控制極嚴，有戒嚴令，有出版法，有警總和文工會，又有雷震案以殺雞儆猴。但是媒體不屈服，可是也不蠻幹，「義正而詞婉」，以民意為後盾，與當道者長期周旋，最後，終於得到解嚴、開放黨禁和報禁，並且以政黨輪替，達到消除政府專權的最高目標。

至於在防制貪汙上，前總統陳水扁駭人的貪腐，若無媒體的揭發與批判，恐怕就沒有百萬紅衫軍的歷史盛事。陳水扁受到法律制裁，與尼克森去職可相提並論。台灣媒體的表現，不必妄自菲薄，亦可與國外同業一樣，有自己的歷史地位。

但是，台灣媒體卻為德不卒，在完成台灣的民主化和法治化之後，卻迷失了自己的方向，走入一個深沉的陷阱之中。原因就是意識形態，也就是所謂的統獨之爭，當大家選邊表態的時候，媒體的精神和功能就逐漸喪失了。現在看看這些例子：

我們說「真理愈辯愈明」，但媒體各有堅持，很少人願意從善如流，所以雖然發言盈庭，似乎去真理卻愈來愈遠。

《紐約時報》標榜他們自己，公正處理新聞，無所懼，亦無所私。這應該是舉世媒體的通則，但是今天台灣的新聞界，無所懼也許相對容易，無所私就非常的難了。

《大公報》張季鸞申述自己的言論守則：「苟有主張，悉出誠意；錯謬定多，欺罔幸免。」今天台灣媒體的言論，「悉出誠意」而又「欺罔幸免」的，有幾人幾家？

胡適當年辦《新青年》和《獨立評論》等刊物，曾寫詩以「烏鴉」來譬喻自己：「人家討厭我，說我不吉利，我不能呢呢喃喃討人家的歡喜。」但是請聽聽今天台灣的新聞界，很多時候，不都是一片呢喃之聲嗎？

媒體曾經為台灣爭取到民主，但是沒有護衛民主，甚至因為放縱了意識形態，使台灣變成了一個民粹社會。

媒體也曾為台灣爭取到自由，但媒體也帶頭破壞了社會規範。自由而無秩序，自由就岌岌可危了。

說到這裡，也許我們就有一個比較清晰的概念，目前這樣的心態和這樣作風的媒體，要救台灣，還需要很多努力。努力的方向，依我之見，至少應有四點：

第一，使台灣不再混亂。當社會擾攘不安時，媒體要發揮理性的力量，先使大家安靜鎮定下來，然後才能思考與討論問題。若媒體推波助瀾，火上加油，使民情常處於沸騰狀態，那就像熱鍋上的螞蟻，不是有活力，而是群體的焦慮與盲動，是不會有好結果的。

第二，不要使社會對立、撕裂。一個團結的台灣，還很難應付今天複雜變幻的世局，何況大家不能休戚與共的站在一起？

第三，努力協助政府和企業界，重振台灣的經濟發展，讓人民有較好的生活，有安全感，然後才能恢復對國家的信心。

第四，不要慫恿或誘導台灣走向戰爭，否則生靈塗炭，萬劫不復，這是媒體在道德上、在社會責任上，最後一道防線。

期盼媒體救台灣的人很多，媒體能做到嗎？這使我們想到清代文學家彭端淑一篇文章中的幾句話：「天下事有難易乎？為之，則難者亦易矣；不為，則易者亦難矣！」

第 9 部

星雲真善美獎・總統文化獎・景星勳章

《小人富斯濫矣！》，為窮人喊冤，得中山文藝獎。

「終身成就獎」是生平第一個新聞獎。

「總統文化獎」首次頒贈給新聞記者。

「景星勳章」：「景星」典出《史記》，「常出現於有道之國」。

2016年，馬英九總統頒授二等景星勳章給張作錦，並與張太太凌鼎方一起合影。

高山仰止，心嚮往之

我在記者生涯中受到的勳獎鼓勵

「高山仰止，景行行止，雖不能至，心嚮往之」。這是《詩經》裡的幾句話，鼓勵人在品學上追求長進。即使未必做得到，但也要不斷努力。

我在《聯合報》任職四十年，知道勤能補拙，始終未敢懈怠，因而得到一些鼓勵，實際上也是一些鞭策。

這些獎勵包括：

中山文藝獎

星雲眞善美新聞獎「終身成就獎」

總統文化獎

二等景星勳章

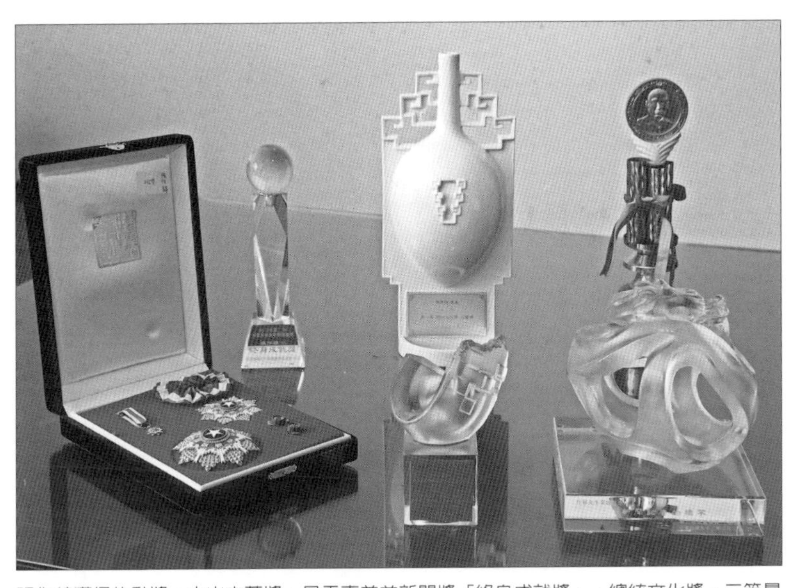

張作錦獲得的勳獎：中山文藝獎、星雲真善美新聞獎「終身成就獎」、總統文化獎、二等景星勳章及退休時《聯合報》贈送的「圓融」。 胡經周／攝影

中山文藝獎

「九歌出版社」二〇〇〇年二月出版我的散文集《小人富斯濫矣！》我替窮人喊冤，我說：

無品德的小人窮了固然可爲非作歹，其實無品德的小人富了更可以胡作非爲。因爲有錢就有勢，既能結交官府，又可上達天聽，什麼事辦不通？

老兵李師科搶了銀行五百四十萬元，結果是「就地正法」；有些人從銀行、國庫一拿就是幾億、幾十億，結果是「就地合法」。

這本書於第二年得到「中山文藝獎」

的散文獎，頒贈金質獎座和獎金。

一九六五年中華民國慶祝孫中山百歲冥誕成立「中山學術文化基金會」，隨即開辦「文藝創作獎」和「學術著作獎」。「中山文藝獎」已於二〇一三年停辦。

星雲真善美新聞獎「終身成就獎」

「星雲真善美新聞獎」自二〇〇九年創立以來，主任委員高希均教授即著手遴聘評審委員，他認為委員中應有一人來自新聞界，了解媒體生態，備供委員諮詢，乃徵召我加入委員會。

真善美獎設有好幾種獎項，其中之一為「終身成就獎」。在成舍我、王惕吾、余紀忠諸先生之後，覺得「後繼無人」，二〇一一年那一屆就拉上我充數。

我很惶恐，照委員會的規定，寫下了我的感言：

想到托克維爾的話

受贈真善美新聞獎「終身成就獎」感言

我於一九六四年進入《聯合報》，二〇〇三年退休，前後工作了三十九年。退休後承蒙報館聘爲顧問，我每天仍然到辦公室，這樣已經七年了。如果這七年也能勉強算作年資，那麼我在新聞界已服務了四十六年。

無論是三十九年還是四十六年，我從來沒有得過任何新聞獎，這是我第一個新聞獎，因爲它的名字叫做「終身成就獎」，「成就」當然談不上，但有「終身」兩個字，大概這也是我最後一個新聞獎。

今天接受平生第一個也是最後一個新聞獎，心中不能沒有一些感觸。當前台灣媒體，受到外界很多關注，很多批評，甚至很多責難。在歷次的民意調查中，大眾對媒體的信任度都很低。這種情形，必然是漸進的，是積累成的，在新聞界服務愈久的人，就愈應該反省、檢討，哪裡還能接受一個新聞獎？

我常常想，新聞獎和新聞界的發展進步有沒有必然的和直接的關係？梁啓超辦《新民叢報》、張季鸞辦《大公報》，有什麼新聞獎？儲安平辦《觀察》、雷震辦《自由中國》又有什麼獎？他們不要獎，他們有抱負、有理想，所以報刊辦得轟轟烈烈，帶領人民和社會往前走。

今天新聞獎很多，究竟是媒體表現得太好，所以要給予獎勵？還是表現不夠好，獎勵其實是督促的意思？如果意在督促，那麼這麼多的新聞獎，又辦了這麼多年，新聞界是不是大大進步了呢？

星雲大師在創立「眞善美獎」前，曾發表談話說，設獎的目的，在獎勵新聞界作「優質報導」，也就是高品質的報導，希望把這個獎辦成「台灣的普立茲獎」。

星雲大師以宗教家的眼光觀世，他在意的可能是新聞界的「羶、色、腥」，台灣新聞界今天的問題，不在有八卦雜誌、八卦報紙或聒噪的電視台，而在主流媒體的群落無法形成，中道力量無從發揮，因而社會亂象就沒有辦法去疏解和匡正。

當然，事情並不是那麼悲觀。法國人托克維爾一八三一年去美國考察，回來後寫了一本書，叫《論美國的民主》，於一八三五年出版，到現在已經一百六十五年了，還是一本公認的經典之作。書中在談到新聞自由時，他說：「爲了享受新聞自由所帶來的無法估量的好處，有必要忍受新聞自由所帶來的無法避免的壞處。」

「眞善美新聞獎」的用意，就在鼓勵我們新聞從業人員，本著專業精神，把新聞自由的好處發揮到最大，把壞處減少到最小，甚至減少到沒有。

總統文化獎

二〇一五年「總統文化獎」的受獎名單中，竟然有我的名字，實出乎我的意料之外。而

2015年，張作錦獲總統文化獎，觀禮的「親友團」合影。

這一屆，也是第一次把「文化獎」頒贈給一位新聞人，尤其使我覺得別有意義。名單公布不久，諾貝爾獎也宣布，把當年的文學獎頒贈給白俄羅斯的一位女記者。

十月三十日下午在總統府贈獎，由馬英九總統頒贈給公益、人道、文藝、環保與創意獎項的五個人。除了家人之外，我邀請了多位親友、同事前來觀禮。

我在贈獎典禮上，以「文化不僅是明天的經濟」為題，講了一些感言：

文化不僅是明天的經濟

在第八屆總統文化獎受獎典禮上的講話

蔣中正總統當年倡導中華文化復興運動，於民國五十六年七月成立「中華文化復興運動推行委員會」，就是今天的「中華文化總會」，當時我是《聯合報》的記者，曾採訪和報導了這條新聞。想不到在四十八年後的今天，意外的得到了由文化總會主辦的「總統文化獎」。在個人的生命過程中，是一項很特殊的際遇。

文化究竟是什麼？而我們爲什麼需要文化？解釋和討論這些問題的文章和書籍，汗牛充棟，且眾說紛紜。美國知名學者、哈佛大學教授杭廷頓（Samuel P. Huntington）曾經舉過一個例子，恰巧能明確而簡要的解答了這兩個問題。

公元兩千年，西方學者合寫了一本書，書名是《爲什麼文化很重要？》杭廷頓替這本書寫序，開頭就說：

「一九九〇年代初期，我看到迦納與南韓一九六〇年代的一些經濟資料，令我十分震驚。當時迦納與南韓的經濟狀況非常相似，國民所得差不多，幾乎都是以原料出口爲主。這兩個國家也都接受相同程度的經濟援助。三十年後，南韓成爲工業大國，是全世界第十四大經濟體，擁有跨國性企業，是汽車、電子設備與其他製造業產品的主要出口國家，國民平均所得接近希臘。更重要的是，民主制度日益鞏固。迦納卻還是一樣，現在的國民所得只有南韓的十五分之一。這種懸殊的差異當然有許多原因，不過我認爲文化是很重要的因素。南韓重視節儉、投資、教育、組織、紀律，並且願意努力工作；而迦納的價值觀卻不一樣。換句話說，是文化的影響，使兩個國家變得不同。」

杭廷頓的這段話，既回答了文化的重要性，而且也解釋了文化的範圍。文化不是只侷限於音樂、美術和戲劇這些精緻文化，而且包括提倡節儉、重視教育、努力工作，以及組織和紀律等等這些形而上的重要元素。

大陸作家朱來常先生一九九一年寫了一本書，書名叫《文化是明天的經濟》。當時大陸正致力「改革開放」，發展經濟，這樣的書名，自然有它的時空背景。但事實上，文化推動和豐富了人類各方面的生活，文化不僅是明天的經濟，也是明天的政治，也是明天的社會。正像杭廷頓所舉的例子那樣，文化決定了國家的前途。

中華民國朝野，幾十年來致力於文化建設，而且成果顯著。在具體的「民生」上，我們是亞洲四小龍之一，豐衣足食；在高層次的「民主」上，我們是舉世公認的民主國家。我們生活在台灣的每一個人，都是中華文化的受益者，所以要愛惜它，保護它，讓我們的子孫，在未來的歲月裡，也能同蒙文化的福祉。

我國政府和民間在文化建設上，都在意和強調文化的多元性，以總統文化獎來說，不僅有各個項目，這回更把新聞寫作也納入「文藝」範圍，頭一次把「文藝獎」頒給一名記者。就在我們總統文化獎得獎名單公布不久，諾貝爾文學獎也宣布，把今年的文學獎贈給白俄羅斯的女記者亞歷賽維奇，也是第一次頒授給一位記者。可見我們文化獎對文藝的理念，是和國際潮流相一致的。

文化總會公布我個人的得獎理由，最後有幾句話，大意是說：新聞媒體爲當代社會很重要的一環，此獎不僅是頒給張作錦個人，更希望爲新聞人與評論工作者樹立一種有爲有守的榜樣。個人是一名普通記者，得獎已覺受之有愧，更何敢言「榜樣」二字？但是，總統文化獎對新聞報導的肯定，必將使媒體工作者，未來在善盡社會責任上，受到更多的鼓舞。

二等景星勳章

依照中華民國《勳章條例》，景星勳章是總統府頒授的文職勳章，授予對國家政務有勳勞的公務員，或對國家有重要貢獻的本國及外國人士。

景星勳章中心為五角星形圖案。所謂「景星」，猶言「德星」，典出《史記・天官書》「天精而見景星，其狀無常，常出現於有道之國」。

景星勳章於民國三十年頒行，分一至九等。一等景星勳章概由總統親自頒授，其他各等可由主管長官授予。

我與其他七位女士、先生二〇一六年獲二等景星勳章，蒙馬英九總統於五月四日在總統府頒授。

那年獲贈勳章的有八位藝文界人士，包括我熟悉的經濟學家高希均教授和書法家杜忠誥教授。

馬總統對各受獎人都有介紹，在提到我時，他說「筆名龔濟的張作錦，以新聞傳播為終身職志，為族群融合、社會和諧、民主信念，作時代的見證；曾任《聯合報》記者、總編

二等景星勳章。
林澔一／攝影

輯、社長及《聯合晚報》副董事長等職，至今仍針砭兩岸關係與世事變動，精闢解析台灣社會現狀與人心，是受人尊敬的新聞界領袖，充分展現社會菁英對真理公義的追求與期許，也為有為有守的新聞人與評論工作者們樹立不朽典範。」

第 10 部

服務四十年，老兵解甲

不管戰果是否美好，仗已打完了，應該退休了。
退休想念書，台北、北京間飛機通學四年。
想不到，幾乎去大陸辦台灣國民黨的《中央日報》。
寫了二十七年的「感時篇」刊出最後一篇：告別讀者。

張作錦退休時，美編同仁林浩榮為他畫了一幅漫畫。

美好的仗，當跑的路，所信的道

——服務近四十年，從《聯合報》退休

退休了，《聯合報》董事長王必成（右）贈獎。

我自一九六四年進入《聯合報》，在高雄市地方和首善之區的台北市都當過記者，以後又擔任採訪主任、總編輯和社長，在美國和香港也工作過。報系全球八份報紙，我在海內外日、晚報服務了四份報紙。聖經上說：「那美好的仗我已經打過了；當跑的路我已經跑盡了；所信的道我已經守住了。」不管戰績是否美好，仗我是盡力打了；路是無盡的長，我氣力有限，恐怕有跑不到的地方；道，關乎人格與報格，我自認是努力信守了。

不管怎麼說，工作了幾十年，應該退下來了，好把機會讓給年輕人。而且，報館逐漸轉型，要電子化、自動化，

都不是我這樣年歲的人能跟得上腳步的，於是二〇〇一年在《聯合報》社長任內申請退休。報館董事長王必成和總管理處總經理王必立兩位先生認為，我可不必再負責社務實際操作，但也用不著現在就退休，就把我調「升」為《聯合晚報》副董事長。為了不拂逆他們兩位的好意，我就任新職。於二〇〇三年再提請退休，終蒙他們兩位同意，前後在報館服務了三十九年。

兩位王先生體念我在報社近四十年的辛勞，退休後聘我為報館「無任期」顧問，保留辦公室，使我離職後仍像慣常一樣，有可去的地方。

更令我難忘的，是報館在我退休那天給我舉行的茶會，那是我的老同事、老戰友《聯合晚報》社長黃年一手策劃的，不僅盛大，而且溫馨，甚至我都覺得有點過分了。

茶會在忠孝東路報館九樓會議廳舉行，報館領導階層董事長王必成和張寶琴伉儷、副董事長劉昌平、發行人王效蘭、王必立、各報社長王文杉、黃年、胡立台、項國寧諸位女士、先生，以及各位總編輯等人士，都來參加，由《聯合晚報》總主筆蔡詩萍兄擔任節目主持人。

必成董事長贈送我一個琉璃獎座，名為「圓融」，題詞曰：

作錦先生榮退紀念：

新聞記者的標竿

聯合報系董事長王必成敬贈

必成先生在致詞中，對我多所獎飾，稱讚我「樹立了新聞人的標竿，也豐富了《聯合報》的報史」。

昌平副董事長是創報元老，做人做事，豁達寬厚，受到報館上上下下一致的尊敬，他才是「新聞人的標竿」。他認為我是一個求上進的記者，而且能把我的所見所思，在報紙上表現出來。

在我退休之際，昌公替我「定一個新里程」：寫回憶錄。「由個人的回憶錄，來代表台灣新聞界進步的里程。」我退休已經十六年，昌公也已辭世，我的回憶錄才要完成，愧對昌公的期許了。

報館固然贈送我一座獎座，而同仁也送我一個琉璃獎座。

黃年代表同仁贈獎給我，也講了話。他的講話很長，主要一段是說：

我覺得，有些人上司怎麼看他，和同事怎麼看他，未必一樣。但作老這個人，從他的上司來看他，和從他的部屬來看他，可以說都是一樣的。由報社頒獎給作老，肯定他是一個好幹部，大家一定覺得是理所當然；現在由我們部屬也頒獎給作老，肯定他是一個好長官，相信大家一定也覺得是理所當然。我覺得，張作老這個人，不只是上司看他，和部屬看他，沒有兩樣；而且，報社裡面的人看他，和報社外面的人看他，也沒有兩樣。還有，張作老能寫很好的文章，四十年沒停過筆；在新聞界，能帶隊伍打勝仗，自己又能「成一家之言」的，作老應當是少見的代表性人物；而且，有些人的文章和他的人不太一樣，作老卻可以說是「人如其文，文如其人」。所以，作老是一個上下內外看他都是一樣的人，也是文章和人品都是一樣的人。

被黃年這麼一說，我好像成了「千古完人」了。但是，如果我在同仁心目中若能留下一點做人誠懇和做事負責的印象，那自然也是我所希望的。

茶會還有很多其他項目，都使我感動難忘。我曾在台大新聞研究所第一期濫竽半年，與同學們切磋新聞採訪與寫作。居然也有多位同學來參加茶會，使我意外驚喜。

除了報館的茶會之外，還蒙學術界、新聞界及我的母校政治大學賜宴餞別。當時的《聯合報系月刊》第二四六期有這樣的報導：

張作老退休，各界友好相繼設宴餞別，這是其中的兩場。

四月廿四日中午在「欣上海」餐廳，聯合作東的有四位中研院院士許倬雲、李亦園、胡佛、楊國樞，前清華大學校長沈君山，威斯康辛大學榮譽教授高希均，台大教授兼蔣經國基金會執行長朱雲漢。報系應邀作陪的有黃年和項國寧兩位社長。

這些學術界人士，是張作老在總編輯任內合作最多的學者。他們在席間回憶從前在《聯合報》發表文章的種種情況，以及《聯合報》對社會發展所產生的重大影響。

四月十四日晚上在「福華酒店」，政大校長鄭瑞城伉儷、傳播學院院長翁秀琪和新聞系主任臧國仁，設宴爲校友張作老送行，並贈送紀念品。新聞界應邀作陪的有報系三位社長胡立台、黃年、項國寧，兩位總編輯黃素娟、傅依萍，中時社長林聖芬、中晚社長陳國祥，《天下雜誌》發行人殷允芃。

鄭校長送給張作老一幀「典藏政大」的文物——政大創校的建築「四維堂」照片，傳播學院院長翁秀琪也送了一張歷史性照片——民國六十一年張作老返校參加新聞系活動的留影，新聞系主任臧國仁則送了一座銀盾，上書「諤諤國士」四字。

鄭校長致辭讚揚張作老的敬業精神，及對新聞理念的堅持。他並回憶說，他自政大新聞系畢業之前，到《聯合報》實習一個月，時任採訪組副主任的作老，希望他留下來當記者，但他要服兵役，在退役前，作老還與他連絡，希望他到《聯合報》工作，後來他出國讀書，未成事實。作老說，《聯合報》固然少了一位好記者，但國家多了一位好大學校長，報館的「犧牲」也算值得。

在此之前，台北市記者公會理事長、中廣總經理李慶平，也曾邀請十餘位新聞界人

政大為校友張作錦退休送行，賓主合影：前坐者，右起殷允芃、張作錦、鄭瑞城、徐木蘭，後立者，右起項國寧、黃素娟、林聖芬、黃年、傅依萍、胡立台、翁秀琪、陳國祥、臧國仁和鄭校長女公子。

士，與張作老話別，並贈送紀念銀盾。

厚誼隆情，常念在心。尤其學術界的那場聚會，今睹舊照，倍增感傷。四位院士已走三人，胡佛、楊國樞、李亦園都已辭世。許倬雲遠適異國，囿於健康條件，也不知何時再能回台。而前清大校長沈君山，於昏睡十一年之後，二〇一八年終獲「解脫」。

鄭瑞城校長夫人徐木蘭女士，是政大新聞系傑出校友，在美國深造返國之後，成為台灣大學著名的管理學教授。卻於二〇一〇年英年早逝，令人惋嘆。

我退休後，蒙報館禮遇，為我保留辦公室，對我甚為重要，使我可以繼續安心寫專欄，寫評論，因而在二〇〇九年得到星雲真善美新聞獎的「終身成就獎」；二〇一五年得到「總統文化獎」，是這個獎項第一次頒贈給新聞記者；二〇一六年再獲頒授「二等景星勛章」，是國家頒給高級退休文官或對社會有貢獻的民間人士。

我在北大的「博士後」
——台北、北京間「通學」四年

絕非故作淡泊狀，平生對有錢有勢的人並不會「雖不能至，心嚮往之」，但對有學問的人則十分崇敬、欣羨。

錢有用完的時候，勢有失去的時候。錢和勢用得正當，當然可幫助和造福他人，惟範圍可能有限。

但腹有詩書，卻可大可久，不會得而復失。斯人也，正心誠意，立地頂天，可教化千萬人，像普羅米修斯一樣，把火種帶到人間。

因為自幼失學，腹笥短淺，在報館因工作關係和一些大學問家來往，我一向執禮甚恭，非常欽佩他們博學多識。

在二〇〇三年退休時，我已在報館服務近四十年，大部分時間在編、採兩個崗位上，都是極花時間、極累人的工作。稍有閒暇，也是雞零狗碎，沒法集中使用。總之，進新聞界以前，沒有念過什麼書；入行後，也沒有認真讀過幾本書。甫屆退休，視力又開始大幅減退，讀書就更加困難。

二〇〇三年三月三十一日辦妥退休手續，從此無職一身輕。那麼要幹什麼呢？還是「回學校」念點書吧！去哪裡的學校？台灣的大學似乎沒有容許外人旁聽的習慣，而私人講學之風不盛，執經問道亦無途徑，於是想起北京大學。學界前輩先賢聊天、寫文章，常談到北大自由開放的學風，好像任何人、在任何時間、進入任何教室，都沒有人管的樣子。那就上網查查北大吧！

事有湊巧，網上正有北大歷史系主辦「中國歷史文化高級研修班」第一期的招生啟事，要點是：

一、開辦目的：拓展歷史文化視野，激發其人文關懷，提高其人文素養，並使其從歷史文化中汲取經營管理的營養、靈感、才能與智慧。

二、招生對象：具有大專以上學歷、四年以上管理崗位經歷的政府官員及企業高級管理人。

張作錦夫婦在北京「老舍故居」門前合影。

三、學習方式：學習一年，每月集中學習兩天（每月第一個周末，即周六、周日兩天）。

四、授課計劃：中華文明的起源與發展、中國人的家與國、新儒學與儒學的現代化、世界三大宗教與當代文明衝突、美國文化與中美關係史、中西文化交流、中國傳統信任結構的危機、中國文化產業的歷史與現狀、當代中國文學、中國的政治傳統與中國人的政治智慧、老莊哲學與道教文化、中國歷史上的改革、中國近代思想史論、曾國藩與李鴻章、基督教文明與西方倫理、跨文化交流、中西商業倫理比較。

歷史文化，平常瀏覽稍多，也與性情相近，我就寫信給他們，詢問像我這樣的人能參加嗎？他們回說歡迎。雖然學費每年人民幣兩萬八千元，不便宜，但能列北大大師門牆，也算值得。何況他們還體念台胞遠道而來，略予學費的優惠，於是立即報名，成了「北大學生」。

歷史文化班第一期訂九月四日開學，我正整裝待發，也許興奮過度，血壓忽然猛增，數日不退。醫生告誡我，北京天氣已冷，此時去，大不利。我想也是，萬一異地病倒，情何以堪？不得已，申請延期一年，我就成了歷史文化班的「黃埔第二期」。

二〇〇五年九月入學時，有辦事人員告訴我，去年我報名，班上認為台灣有一退休老者來上課，又曾擔任過大報的總編輯和社長，是一項新聞賣點，準備替我大大報導一番，作為招生廣告。我聽了暗自慶幸，幸虧去年病了，否則我大半輩子都使別人拋頭露面，這回怕「惡有惡報」了。

授課老師俱為一時之選，主要為北大教授，其他則為清華、人大、社科院等等。也有來自外地的，如武漢大學。歷史文化班收費不菲，所以給老師的演講費也相應頗高，故能請到名師。

看完2008北京奧運會，張作錦夫婦在體育館「鳥巢」前留影，並結束了在北大四年的「博士後」生活。

國學泰斗湯一介自是掛頭牌的老師，他講授「文明衝突與文明共存」。湯先生態度謙和，言必有中，是一位溫文爾雅的儒者，於二〇一四年九月九日以八十七歲高齡謝世。他的夫人樂黛雲女士也任教北大，是著名文化學者，她上課時卻痛責北大開班招學生，收這麼多錢，又高價請老師來上課，都是不道德的行為。

事實上，北大不僅有這個歷史文化班，還有

各種講習、訓練班，名目繁多。而且，也不僅北大如此，清華等校猶有過之。收費雖高，但學員未必要自掏腰包，他們在各自單位都是高階人員，多由服務單位出錢，個人到北大來鍍個金。

我們開始在北大四院歷史系上課。每月第四個周末上課日，歷史系門前停了很多黑頭轎車。守在外面的祕書人員，一會進到教室來給老闆遞個條子，一會拿手機過來問領導要不要接聽。全班幾十人，像我這樣業已退休，自己繳學費，又從台北坐飛機來「通學」的，應是絕無僅有。

「我的朋友」高希均教授最能恭維我，也最會取笑我，他說我在北大讀「博士後」。博士後四年也該結束了，台北、北京通學也累了，看完二〇〇八年的北京奧運會，就自動「畢業」返鄉了。

歷史文化班四年，遇到不少名師，他們的講授內容，都如一顆顆璀璨耀眼的明珠。但課程安排稍嫌沒有系統，缺少邏輯性和連貫性，你手捧一大堆明珠，卻無法串成項鍊。

四年走讀，當然不是「博士後」，連「博士候」也談不上。但自得其樂，不知老之已至，博士何有於我哉？

「感時篇」的最後一篇

——結束了二十七年的專欄，告別讀者

文章寫得好，是給別人「精神食糧」。我寫文章，是給自己「精神食糧」。寫作使我有觀察世情、反饋自己的機會，讓自己活得有目的，生命有意義。

但凡事總有了結的時候，一個專欄寫了二十七年，也夠了，既然退休，就讓自己清閒一些吧！於是我在二〇一四年十月二十三日的「聯合副刊」刊出〈「感時篇」的最後一篇：告別讀者〉。

讀者的反應，大大出乎我的意料之外。他們打電話到報館，寫信給我本人，或安慰我的辛勤，寫了二十七年畢竟不容易；或鼓勵我繼續寫，認為國家社會還有很多未解的難題；或寄贈書刊字畫，給我留作長遠紀念。種種隆情厚誼，在在使我感動。

我年歲日長，大概此生是沒有機會再報答他們了。

現在把「告別讀者」那篇文章，重新刊在下面，藉以向讀者們再度表示感謝之意。

D3 聯合副刊　　中華民國一〇三年十月二十三日　星期四　聯合報

感時篇

感時篇的最後一篇：告別讀者

◎張作錦

苟有主張，悉出誠意；錯謬定多，欺罔幸免。——張季鸞

「感時篇」專欄結束，今天刊出最後一篇，敬向讀者告別。

這個專欄始於1987年。27年來，世界、台灣、兩岸，浪起波湧多少事，但躲在報紙一角小小的一片文字，誰知能否取一瓢飲？

1983年筆者被派到紐約聯合報系的《世界日報》工作，但身在域外，心懷故土，對台灣的風吹草動都很牽掛，忍不住寫些文章，提點意見，分刊於新聞版和副刊，後經當時《聯副》主編詩人瘂弦的安排，以「感時篇」之名統一於副刊版面。我1990年調回台灣後，繼續執筆。先是每周一篇，近幾年改為每兩周一篇。「感時」開篇時，《聯副》已另有兩專欄，彭歌的「三三草」和張繼高的「未名集」，兩位都是名家，從顯題詩在上頭，真教後來者忐忑難安。

台灣曾連年有兩位數的經濟成長，躋身「亞洲四小龍」，民主化進展快迅，但還是沒走出偏安王朝的歷史舊路——強敵壓境，而內鬥不歇。

清朝末季，外患此去彼來，主持「洋務運動」的李鴻章，提出他的救國方針：外須和戎，內須變法。和戎，與外國和平相處；變法，要努力革新自強。今天台灣的局面不也是這樣嗎？我們要和大陸和平交流，打仗就是玉石俱焚；我們自身則要戮力建設，以實力爭取國家的未來。這些年我的專欄小文，大致不離這兩條主線。

台灣實行政黨政治，但弊病不少，我寫〈「政黨」政治與「我黨」政治〉，「政黨」尚或可能心存國家社會，「我黨」必然只是一黨之私。我又寫〈政黨收買選票，百姓賣國家〉，警告選民貪圖政黨放送「社會福利」和亂開空頭支票的危險。我體認到台灣社會對政黨輪流執政還不太適應，呼籲人民〈要把政黨輪替養成習慣〉。

台灣最引以為傲的是我們的自由開放，但自由顯然已被揮霍濫用，我認定〈自由而無秩序，終將失去自由〉，也指出〈沒有道德的自由社會從來就沒有過〉，希望國人警覺。

不錯，台灣是民主了，但民主的品質如何恐怕還要接受檢驗，我寫〈有民主之人，才有民主之國〉，大家要反躬自省自己的民主素養。而且，有民主若無建設，國家不會前進，所以我說〈民主並不能保障國家不走向貧亡〉。我祝望〈台灣不能是「短暫的富裕」〉。

民主的精神面貌，國家的實體進步，都靠法律維護和推動，而法律出自立法院。我們立法院之醜陋不堪，以及對國家發展的阻礙與戕害，國人盡知。我問〈怎樣搶救立法院？〉，答案有，但誰能做到呢？

兩岸關係複雜，端賴時間解決，有些專事挑撥、想火中取栗者的態度，教人憂心。2003年11月3日國防部副部長陳肇敏在立法院說，「台灣獨立，中共一定動武」。若開戰，「國防部戰耗動員為12萬8千人」。所謂「戰耗動員」，就是我軍第一波傷亡人數。當時陳水扁總統正規畫2006年制定新憲，2008年建立新國家。那麼06到08年之間要不要打仗？我在專欄裡問：〈誰家的孩子列在攻台第一波十二萬傷亡名單上？〉這篇文字有不少讀者反應，足證很多人不願兩岸以戰爭解決問題。一位讀者更把文章自費影印1000份，分送各方，希望為阻止殺戮盡一點力。

台灣近年流行檢驗別人是否「愛台灣」，且常以出生地為判斷依據。自明朝以降，西方傳教士來華，有些人力行「華化」，忠貞不二的替中國人服務，我舉了些例子，問道〈誰說人只愛自己出生的地方？〉，我並引申以談〈愛國與憂國〉，我的結論是：心中若無國家，憂國是妄言，愛國是謊言。

我是職業新聞記者，自然會談本行本業的事。我寫過〈新聞「製造工業」仍未夕陽〉，也寫過〈媒體應擺脫政治附庸地位〉。盼投新聞界數十年，內心的無奈與倉皇，盡在這兩題中。

提起新聞界，像其他行業一樣，自亦有典範人物，譬如當年《大公報》的張季鸞。他為《大公報》所訂「不黨、不賣、不私、不盲」的四不，是報界永遠的碑石。他曾在文章中勉調，他個人及同僚「雖技能有限，幸品行無虧」。又說，「苟有主張，悉出誠意；錯謬定多，欺罔幸免。」張氏的文采與事功，令人高山仰止，但他著文「悉出誠意」和「欺罔幸免」的篤實與嚴謹，後人還是可以學習與追求的。

寫這個專欄，結識很多讀者朋友，他們給我的指正，我敬謹接受；他們給我的鼓勵，我永銘在心。台灣處境艱難，國人望治心切，而筆者力薄能鮮，專欄雖云「感時」，但文章未能「濟世」，辜負了讀者的期許。

長亭外，古道邊。耕耘小小一方土地27年的老農，此刻放下鋤頭，走過田埂，然猶屢屢回頭張望也。

小詩房

白沙丘

◎李長青

當這個世界依舊繁瑣
怒目
而殘忍

這方小小天
寧靜地
依舊願意
包容我於萬一

註：2014年7月4日，於秋山堂觀「舞想心影：柯錫杰攝影作品展」有感。〈白沙丘〉為柯錫杰的作品。

「感時篇」的最後一篇：告別讀者

苟有主張，悉出誠意；錯謬定多，欺罔幸免。——張季鸞

「感時篇」專欄結束，今天刊出最後一篇，敬向讀者告別。

這個專欄始於一九八七年。二十七年來，世界、台灣、兩岸，浪起波湧多少事，但躲在報紙一角小小的一片文字，誰知能否取一瓢飲？

一九八三年筆者被派到紐約聯合報系的《世界日報》工作，但身在域外，心懷故土，對台灣的風吹草動都很牽掛，忍不住寫些文章，提點意見，分刊於新聞版和副刊，後經當時聯副主編詩人瘂弦的安排，以「感時篇」之名統一於副刊版面。我一九九〇年調回台灣後，繼續執筆。先是每周一篇，近幾年改爲每兩周一

篇。「感時」開篇時，聯副已另有兩專欄，彭歌的「三三草」和張繼高的「未名集」。兩位都是名家，崔顥題詩在上頭，眞叫後來者忐忑難安。

台灣雖曾連年有兩位數的經濟成長，躋身「亞洲四小龍」，民主化進展快迅，但還是沒走出偏安王朝的歷史舊路——強敵壓境，而內鬥不歇。

外需和戎．內需變法

清朝末季，外患此去彼來，主持「洋務運動」的李鴻章，提出他的救國方針：外需和戎，內需變法。和戎，與外國和平相處；變法，要努力革新自強。今天台灣的局面不也是這樣嗎？我們要和大陸和平交流，打仗就是玉石俱焚；我們自身則要戮力建設，以實力爭取國家的未來。這些年我的專欄小文，大致不離這兩條主線。

台灣實行政黨政治，但弊病不少，我寫〈『政黨』政治與『我黨』政治〉，「政黨」尚或可能心存國家社會，「我黨」必然只是一黨之私。我又寫〈政黨收買選票，百姓零售國家〉，警告選民貪圖政黨放送「社會福利」和亂開空頭支票的危險。我體認到台灣社會對政黨輪流執政還不太適應，呼籲人民「要把政黨輪替養成習慣」。

台灣最引以爲傲的是我們的自由開放，但自由顯然已被揮霍濫用。我認定「自由而無秩序，終將失去自由」，也指出「沒有道德的自由社會從來就沒有過」，希望國人警覺。

不錯，台灣是民主了，但民主的品質如何恐怕還要接受檢驗，我寫〈有民主之人，才有民主之國〉，大家要反躬自省自己的民主素養。而且，有民主若無建設，國家不會前進，所以我說「民主並不能保障國家不走向衰亡」。我祝望「台灣不能是『短暫的富裕』」。

民主的精神面貌，國家的實體進步，都靠法律維護和推動，而法律出自立法院。我們立法院之醜陋不堪，以及對國家發展的阻礙與戕害，國人盡知。我問「怎樣搶救立法院？」答案有，但誰能做到呢？

誰家的孩子第一波傷亡？

兩岸關係複雜，端賴時間解決，有些專事挑撥、想火中取栗者的態度，叫人憂心。二〇〇三年十一月三日國防部副部長陳肇敏在立法院說，「台灣獨立，中共一定動武」。若開戰，「國防部戰耗動員為十二萬八千人」。所謂「戰耗動員」，就是我軍第一波傷亡人數。當時陳水扁總統正規劃二〇〇六年制定新憲，二〇〇八年建立新國家。那麼〇六到〇八年之間要不要打仗？我在專欄裡問：「誰家的孩子列在攻台第一波十二萬傷亡名單上？」這篇文字有不少讀者反應，足證很多人不願兩岸以戰爭解決問題。一位讀者更把文章自費影印一千份，分送各方，希望爲阻止殺戮盡一點力。

台灣近年流行檢驗別人是否「愛台灣」，且常以出生地爲判斷依據。自明朝以降，西方傳教士來華，有些人力行「華化」，忠貞不二的替中國人服務，我舉了些例子，問道「誰說人只愛自己出生的地方？」我並引申以談「愛國與憂國」，我的結論是：心中若無國家，憂國是妄言，愛國是謊言。

我是職業新聞記者，自然會談本行本業的事。我寫過〈新聞『製造工業』仍未夕陽〉，也寫過〈媒體應擺脫政治附庸地位〉。於役新聞界數十年，內心的無奈與倉皇，盡在這兩題中。

雖技能有限，幸品行無虧

提起新聞界，像其他行業一樣，自亦有典範人物，譬如當年大公報的張季鸞。他爲大公報所訂「不黨、不賣、不私、不盲」的四不，是報界永遠的碑石。他曾在文章中強調，他個人及同僚「雖技能有限，幸品行無虧」。又說，「苟有主張，悉出誠意；錯謬定多，欺罔幸免。」張氏的文采與事功，令人高山仰止，但他著文「悉出誠意」和「欺罔幸免」的篤實與嚴謹，後人還是可以學習與追求的。

寫這個專欄，結識很多讀者朋友，他們給我的指正，我敬謹接受；他們給我的鼓勵，我永銘在心。台灣處境艱難，國人望治心切，而筆者力薄能鮮，專欄雖云「感時」，但文章未能「濟世」，辜負了讀者的期許。

長亭外，古道邊。耕耘小小一方土地二十七年的老農，此刻放下鋤頭，走過田梗，然猶屢屢回頭張望也。

退休到大陸辦台灣《中央日報》？

從校對、記者、社長到董事長
我與《中央日報》四次擦身而過

從《聯合報》退休，本以為「無職一身輕」了，但想不到卻差一點可能到大陸辦起台灣的《中央日報》來。

很長時間，台灣社會習稱「三大報」，指《中央日報》、《聯合報》和《中國時報》。在聯合與中時「大國崛起」之前，台灣有兩大報，《新生報》和《中央日報》。《新生報》排名在前，他們的「新生大樓」民國一九八一年在中山堂旁邊矗立起來時，是全台灣第一座超過二十公尺高的大樓。名作家、後來曾任《中央日報》社長的姚朋（彭歌），是當時《新生報》第一版主編。

《中央日報》因替黨和政府發言，有「蔣公」的加持，聲望漸漸超越基本上屬於台灣省政府的《新生報》，成為「自由中國第一大報」。社會大眾要看中央的消息和專欄，新聞界人士想擠進中央謀個工作。

大概是一九六二年，《中央日報》登廣告招考三名校對，我覺得勞工出版社是一小單位，能進入《中央日報》是踏入新聞業的一大步，於是報名應考。

考試是假一所學校舉行，已忘其名，應考者坐滿了五個教室。我已在雜誌社工作了好幾年，校對是基本功，自覺考得不錯，但放榜了，錄取三人中無人姓張。

過了若干天，忽接《中央日報》來信，約我去見副總編輯兼人事室主任馬志鑠。馬先生說，我考校對的成績不錯，是備取第一名，現在錄取的三人中有一人要服兵役一年半，我可來代他工作。

「他回來後，我呢？」我問。

「他回來了」，馬先生笑笑：「如果報館有缺，我們會安插你，若沒有缺，就只好請你離職。」

我從軍中退役，舉目無親，幸而有勞工出版社收留，怎敢再冒一次「無業遊民」之險？就謝了馬志鑠先生。

後來我讀政大新聞系，在畢業之前，規定要到新聞界實習一個月，算作學分，實習單位考核及格，才能拿到畢業證書。系裡分發調查表，詢問每人選擇實習的機構，我填了「第一大報」《中央日報》。

教我們新聞寫作的于衡老師，當時是《聯合報》採訪組副主任，也是有名的專欄作家，他對我在班上的成績印象甚好，覺得可以琢磨成一個記者。當他知道我要去《中央日報》實習，大不以為然，「去那個黨報有啥意思？」不由分說，就跑到系辦公室把我申請的實習單位改成《聯合報》。這一改，改變了我一生，在《聯合報》實習不到三周，報館即通知聘用我，一待就是四十年。

當時和事後我都在想，以我專業上的訓練，以我認真且略有創造力的工作態度，如果我到《中央日報》實習，他們應該會留我作記者。

我和《中央日報》的「緣分」並未到此結束。一九八六年我在紐約聯合報系的《世界日報》工作，有一天我政大同班同學朱宗軻從台北打電話來，他那時是國民黨文工會副主任，主任是宋楚瑜。他告訴我宋主任想請我回台灣接《中央日報》社長，希望我能考慮。他還說，宋主任已經向經國先生報告了，因為我曾和經國先生談過兩次話，他有些印象，表示同意。消息來得突然，我一方面覺得責任重大，另一方面我現在是《聯合報》職員，不能與《中央日報》私相授受，就跟朱宗軻說：「這要看《聯合報》王董事長的意見怎麼樣。」宗軻表示，我若同意，宋主任才好向王惕老借人。我在《聯合報》，賓主相處甚得，我不希望我的老東家覺得那邊「官」大一些我就「趨炎附勢」，就跟宗軻說，最好還是先聽聽王董事長的意見。後來王先生傳話來，謂由我自己選擇。他知道我對編務有些經驗，對廣告、發行等業務陌生，如我要去，他會派《聯合報》第一流業務人才去輔助。我想，王董事長也許覺得，《聯合報》人被借到《中央日報》，若是弄砸了，他也臉上無光。

事情發展到此，消息即行中斷。後來聽說，黨中央當權的副祕書長秦孝儀反對，他說張某人講話胡說八道，怎麼能擔任這個職務？秦先生若真是這樣說，也是事出有因。蔣公逝世後，海外曾傳聞他的日記、手札和重要文件等被有計劃的刪改，我也曾寫文章評論此事過。刪改若屬實，自然以替蔣先生掌文牘的秦副祕書長嫌疑最大。海外傳言，未必是真，我寫文章更未指名道姓，但若秦先生不快，也是人情之常。

我於一九九〇年從美國調回台北總社，因工作關係多次向秦先生請益。他出掌故宮，也偶在館內設宴，還贈送我一幅他寫的條幅。

我雖未參加《中央日報》工作，但當它受到不公平的待遇，基於新聞獨立、言論自由的大是大非，曾路見不平，拔刀相助。

一九九六年八月，國民黨李登輝主席在中常會上，點名批評《中央日報》，說它發行量太低，「連黨員都不看自己的報紙」，認為這是「替黨的政策辯護不夠的結果」。我在《聯合報》上寫文章，指李主席本末倒置，因為「要檢討的是黨，不是黨報」。我說，國民黨經營文宣，仍沉湎於總理孫先生創辦《民報》時「鼓動風潮，造成時勢」的歷史情懷中。殊不知孫總理首倡革命之時，中國只有外國人為傳教而辦的刊物，尚無現代報紙。革命黨不辦報，黨就沒有聲音，革命的道理就無從宣揚，就得不到群眾的同情與支持。

我說，今天台灣的局面已大不一樣。政治民主了，老百姓不再需要政黨和政治領袖告訴他們做什麼、怎麼做。報禁也開放了，民眾可以自由選擇資訊，甲報不登的消息乙報登，乙報不談的事情丙報談，「一言堂」式的壟斷已不可能。

至於為黨的政策辯護，我說，那也要看黨的政策是什麼。政策對了，所有的媒體都會為它辯護；政策錯了，黨報硬是護短也不會有效果。

「連黨員都不看自己的報紙」，李主席對此似深感遺憾，可是我指出，黨員為什麼一定要看黨報呢？黨員張三、李四都是民眾的一分子，他們也有自己的主張與判斷。他們加入國民黨，是認同黨的某些理想，不可能對黨的所有作為都「概括承受」。他們固然對黨的豐功偉業加以喝采，但是也一定願看到黨的錯失能得到檢討和改正。

李登輝本已不喜《聯合報》，我這篇小文是署名稿，與報館無關，但想來會更增加他的不滿。

我與《中央日報》零零散散的「緣分」即將走到終點。二〇〇五年，馬英九接任國民黨主席，他是一位法律人，凡事守法，既然「黨政軍退出媒體」是朝野共決，他就交代出售全部黨營媒體。像中廣、中視、中影等可賺錢的單位有人要；而平面媒體日薄西山，《中央日報》自然沒人願接手，黨部即決定停刊。

中央日報
CENTRAL DAILY NEWS
中央日報向您問好！
期待再相見
讀者共同的心聲：中央日報是大家的，是與中華民國、中國國民黨命運與共的；中央日報必須永續經營，絕不能就此走入歷史！
燭光惜別 歷史傳承
危機．轉機 致歉．感謝
中央日報6·1暫時停刊 擬組自救會籌劃復刊
不必避諱批評政府
中央日報責任重大
中央日報 暫時停刊啟事
暫刊！
復刊！
創刊！

2006年，《中央日報》休刊，最後一天的報紙。

有一天，高希均教授打電話給我，說徐立德先生次日在他杭州南路辦公室請吃早點，約好一起去。徐先生在政府曾任財政部長、行政院副院長，在國民黨任財委會主委，是大老級人物，我也有緣結識，他做事乾脆，要言不煩。

他告訴我，《中央日報》是一份有歷史性的報紙，無論對黨和對國家來說，停刊了，都很可惜，他願意出資買下來，到大陸上續辦。他說，到大陸辦這樣的報紙，需要一位資深媒體人撐舵，才足以「號召」，也才能「壓得住陣腳」，他覺得我是一個適當人選，希望我能「共襄盛舉」。

我望著旁邊的高希均兄直想笑。他與徐立德是幾十年的老友，必然是徐找他，他不願，乃使出「嫁禍東吳」的招數。雖然他是好意，但「陷朋友於不義」則一。我跟徐先生說，我已退休，實不堪重任。徐表示我任董事長，管大政方針，實際操作則另行找人。我力言大陸是新聞管制地區，官方對他們自己的媒體都一點也不放鬆，何況是台灣來的國民黨的報紙?不過徐立德與連戰關係深厚，多次陪連戰訪大陸，與北京高層人際關係甚好，也許他有辦法讓《中央日報》先「反攻大陸」。

這樣的早餐會，在杭州南路吃了三次，我覺得盛情難卻，但又知前途多艱，就跟徐先生提出幾項「條件」，這些條件具備，我願意「士為知己」走一遭。

一、至少要有台幣三億元以上的資本。

二、報館人事自主，大陸不能干涉；大陸官方不得派人進駐報館。

三、報紙新聞言論自行負責，不送審，也不接受事前檢查。

四、報紙須能在報攤上出售，不可僅限於台商的小圈子。

三億元資本額，對徐先生應非難事，但其餘各事，均操之在中共中央。這種涉及意識形態和思想自由的大解放，他們豈敢？豈願？中共要為十三億人把關，不讓他們「純潔的心靈」受任何污染。

《中央日報》紙本終於消失，改成網路報。徐立德先生壯志未酬，其咎雖未必在我，但我總覺辜負了他的好意。不過看習近平主政後，對大陸新聞媒體的言論尺度愈抓愈緊，徐先生未到大陸辦《中央日報》也未嘗不是幸事。

第 11 部

我有三個媽媽

許許多多和我身世相同的人，
都在等待這個答案。

三歲的張作錦依於父親膝下，七姊依於母親膝下，兩旁立者為哥哥和嫂嫂。這是張作錦唯一一張和父母合影的照片。

三個媽媽誰是娘？

在家庭：我有大媽、二媽和親媽
在國家：大陸是生母、台灣是養母、美國是婆母

這本書快要完成時，一位朋友先看到目錄，問我怎麼沒有介紹一下自己的家庭？我說，書是回憶的性質，只寫我生平比較重要的事，不是自傳，所以沒有寫到家庭。

朋友搶白我，你從哪裡來的？總該有個媽媽吧！我答當然有媽媽，而且有三個。他怔住了。我真有三個媽媽。

我老家是江蘇省睢寧縣第七區古邳鎮。古邳鎮有一條小河，河上有橋，名圯橋，我能記事時橋邊就樹立一座石碑，上書「漢留侯進履處」。就是張良使大力士在博浪沙刺秦始皇誤中副車，遭到緝拿，他逃難到下邳，就是我們那個小鎮，巧遇黃石公，那老頭有意把鞋子掉在橋下，叫張良撿起來為他穿上，試探他的人品和氣度，最後授以《太公兵法》，讓張良輔佐劉邦得天下，受封「留侯」。

這個故事想來八九不離十，連《史記‧留侯世家》都記載了，它是歷史、文學加武俠的連體混血，叫人著迷。

一千多年前的李白，大概就受不了迷誘，跑到橋上參拜，寫了一首《經下邳圯橋懷張子房》，有句云：

我來圯橋上，懷古欽英風。
惟見碧水流，曾無黃石公。
嘆息此人去，蕭條徐泗空。

徐是指徐州，泗是今安徽泗縣，當年均是徐地。

「留侯」既在古邳住過，我這戶張姓人家是不是他的後代，不知道，也不敢高攀。

我父親諱子秋，先娶我第一位母親，生三女一男，僅存大姊蓮英、四姊蓮玉和大哥作鈞，二、三兩姊夭折。大媽早逝，父親再娶二娘，未生子女即謝世。我母親「填房」進來，親友稱她「三娘」。她娘家姓龔，像絕大多數同輩婦女一樣，她沒有名字，只能稱「龔氏」。母親生下我六姊張榮、七姊張靜、我和弟弟作振。我是孿生，比我晚一刻出生的弟弟，不幸夭折。我有時會揣想，他長得什麼樣子？如果當時我先走，留下他，他會是怎樣的人？

我家應是「地主階級」，我們有田地，但自己不種田，租給佃戶耕作，佃戶每年向我們「納糧」，我家有一座很大的倉房儲存糧食。共產黨來了，要打倒地主，我們家當然「夠資格」被鬥爭清算，掃地出門。

我家也算是「大宅門」，有好幾進院子，有爺爺奶奶住的，父親會客的，然後有正房，父母和我們兄弟姊妹住的，大哥結婚後住在最裡面一進院子，空地很大，可以踢足球。當然還有佣人住的房子，堆柴草的房子，以及養牲口的地方等等。

提到佣人，家裡除了廚子和做粗活的工人外，還有奶娘。我斷奶後，奶娘有一次回來看我，淚眼汪汪，摟著我，解開懷，讓我再吃一次她的奶，我十分羞赧，手足無措。我已不記得奶娘長得是什麼樣子，以及姓什麼了。她以奶水養大我，我感到自己好薄情寡義。

因為家境不錯，我的童年有很多玩具。有一隻捲毛小獅子狗，製作得與真狗無異，抱在懷裡，手指觸摸到牠肚皮下的按鈕，牠立即「汪汪」叫。我還有一隻三個輪子的小腳踏車，與現今孩子們騎的那種完全一樣。還有一隻小火輪船，放在一隻大水盆裡，點上火，蒸汽驅動，它就「噗哧、噗哧」的轉彎子。八十幾年前，在鄉下，這些東西可是稀罕得很啊！

我父親是仕紳，當過我們地方的區長。中國面積幾近一千萬平方公里，龐然大物，一個區，可不像台北市松山區、信義區，它一個區應比整個台北市大得多。我記得父親到縣城開會，坐黃包車去，幾天才能回來。母親染上吸鴉片和打麻將兩項習慣，最為父親痛恨，曾爭吵多次，父親並把煙具搗毀。後來母親把鴉片戒了，但仍然打牌，父親一到縣城開會，母親就招來三朋四友，日夜都在牌桌上，著一佣人出鎮口向遠處張望，一見到父親的黃包車，就飛奔回家報信，母親和她的牌友們立即一哄而散。

我家既然是「地主」，父親又是「國民黨的官」，當然是共產黨剷除的對象。抗日勝利那一年，國共爭端漸趨激烈，共產黨還未到我們家鄉，「土八路」先來了，捉到我父親，就地「正法」。母親因悲憤過度，不久也病逝。我六歲那一年，成了無父無母的孤兒。那時大哥已婚，就跟著哥嫂過活。我十二歲時去縣城上學，十六歲到徐州讀書，跟著就當了流亡學生，再當青年兵，來到台灣。

大哥因病過世，共產黨的正規軍來了，整肅得更嚴厲，家人被掃地出門，歷經艱辛，包括三年大饑荒，學術界估計餓死一千五百萬到四千五百萬人之間，他們卻幸能苟全性命於亂世，活了下來。二〇一〇年，我和內子鼎方以及兩位姊姊和弟弟在徐州聚首，再回古邳鎮，少小離家白頭歸，找到我們的故宅，現在已變成一所小學。我們去時正值暑假，學校空無一人。我們進來尋舊，卻已無任何舊物可認。只在院子裡看到一塊青石板，六姊說，她當姑娘時，這石板是放在後院馬槽附近。

兩位姊姊商量，這房子是我們家的產業，我們有權要回來，而且也有台胞這樣做過。我問：要回來之後，妳們誰會回來住嗎？無人答腔。我說，那就不如留給孩子們當教室了。

一九三七年，日本侵華，那年我五歲，開始流亡；接踵而來是內戰，繼續逃難；對那個時代的青少年來說，「教室」是一個珍稀而可貴的名字。

我幸而尚知自學，也勉強讀了大學，才得有機會進入媒體，有正當的工作和出路。我深知有教室讀書對孩子們重要性。我們的舊宅子若能對鄉土有些新意義，自應樂於為之。

我寫這篇〈我有三個媽媽〉，不由想到我寫過的另一篇類似的文章，〈「三母論」：生母、養母、婆母——我這一代外省人的幸福與悲涼〉。我把大陸出生地稱為生母，在台數十年，台灣自是「養母」，又曾在美國學習、工作和生活將近十年，則美國可謂「婆母」。

我在〈三母論〉最後這樣說：

像我這一代的「外省人」，漸入老境，他鄉日久是故鄉，早已沒有、也不重視「落葉歸根」這類想法，現在更以「三個母親論」自寬自勉。惟願母親們和睦相處，使子女自由探省沒有爲難之嘆。

在我老家北方，母親是「官式語言」，我們人前人後都叫娘。娘，不只是親熱，更是心、血、肉相連的那種疼，那種難捨難割。如果「三位母親都是娘」，我們是天大的幸福。若是「三位母親無一娘」，那就是人世難堪的悲涼。

是「幸福」還是「悲涼」，很多人跟我一樣，等待答案。

第 12 部

附錄

懷念一位「報人」和兩位「御史」

王惕吾　書劍無負平生

他畢業於陸軍官校，多年疆場生活之後，壯歲改行進入媒體，在海內外、歐、亞、美三大洲創辦了八家報紙。他辦報的最大人格資產，是他信仰文化，尊重文人。

陶百川　丈夫無苟求，君子有素守

他倡言「辨冤白謗為第一天理」。一生為自由、民主、法治及百姓福祉和民族安危而呼號。他走了，以後的日子要靠我們自己過了。

王建煊　雖七千人吾不往也！

物有假，人也有假，但王建煊清廉公正，不苟且，不畏權勢，始終是個「真人」。

王惕吾　書劍無負平生

略述《聯合報》創辦人王惕吾先生的人文情懷

張作錦

《聯合報》創辦人王惕吾先生。　聯合知識庫／提供

《聯合報》創辦人王惕吾先生於一九九六年三月十一日辭世，到今天滿二十年了。

二十年來，我常想寫一篇文章紀念他，但是第一、我是《聯合報》記者，在約定俗成的社會觀念裡，他是我的「老闆」，一名職員追懷老闆，是否有阿諛之嫌？第二、王先生是一位成功的報人，在電子媒體尚在萌芽，報紙仍居傳媒主流的年代，聯合報系在國內外、歐亞美三大洲擁有八家報紙。創業維艱，我要用多少篇幅才能寫他一生的功業？

但時光荏苒，一晃二十年。筆者個人已早自《聯合報》退休，而世事多變，應該及時還這樁心願了。我無力寫出王先生全面身影，但可嘗試描繪他側影的片段。

中國報紙發軔於明清之際西方傳教士來華所辦的教會刊物。嗣後外侮日亟，知識分子或謀改革，或倡革命，紛紛辦報以「鼓動風潮，造成時勢」。那些書生，充滿了熱情與理想，沒有人想到以報紙牟利或沽名。於是「文人辦報」就成了中國報業的精神家園，以及報紙能否受社會尊重的衡量標準。

王惕吾先生畢業於陸軍軍官學校，多年疆場生涯之後，隨軍來台，壯歲改行進入媒體。某些社會人士和他若干同業，對他辦報的能力和信守，不能說全無疑慮。但筆者近身觀察他四十年，覺得他雖是軍人出身，但有文人情懷。與報業史上的先賢們比較，並不遜色。

王先生辦報的最大人格資產，是信仰文化，敬重文人。

新聞界最熟知的一樁故事：一九五三年九月，復旦大學新聞系出身的劉昌平先生，接任《聯合報》總編輯才八個月，發現得了肺結核病。那個年代，此病無藥可醫，且因其傳染性，人多避之，王先生卻把劉先生接回自己家中休養。《聯合報》後來成長壯大，劉先生是協助王先生的重要推手。

王先生自知非報業科班出身，《聯合報》創辦初期，他常到編輯部，站在各版主編座椅後「見習」。那時主編們不乏年輕氣盛之人，王先生若有所請益討論，有人常不耐煩，不假辭色。王先生從不多言，總是默默地走開。這也許對他後來「尊重多元意見」的「新聞人」生涯有益，是很好的「入伍訓練」。

王先生對文士的尊重，在報館外面尤然，並且把「文化人」和「文化」連在一起。他認為，要推行文化建設、促進社會的現代化，先要讓國民認識中國文化，而我們正缺乏一部中國文化的現代讀物。於是在一九八〇年代，邀請留美歷史學者劉岱先生回國擔任主編，延聘九十六位青年學者撰稿，出版了十三大本的《中國文化新論》。那些年輕學者後來都在各自的領域有重要成就，其中如杜正勝、邢義田、王明珂、石守謙等幾位還當選了中央研究院院士。

這套「前所未見」的書，是由《聯合報》關係企業「聯經出版公司」印行。王先生於一九七四年成立聯經公司，邀請學術界人士組織編輯委員會，以提高出版品的內容。王先生承諾，聯經不必以市場為導向，只要有價值的書儘管出，若有虧損概由《聯合報》負責。曾任台大校長的虞兆中先生，就曾擔任過聯經公司的董事長。

王惕吾先生與旅美余英時院士相識甚久，余院士客氣，稱王先生「惕老」。王先生赴美，余院士回台，都有過從。王先生謝世，余院士在追思文中，特別提到兩件事：第一：「大概是一九九〇年，（許）倬雲兄和我曾偶然在惕老面前提起，西方人對於中國文化的認識仍有深化的必要，在海外的華裔學人似乎應該辦一份英文的學術刊物，以較為普及的方式傳播我們的觀點。這在我們不過是閒談，但惕老聽見了卻十分認真，立刻要我們正式提出計畫，他願意全力支持創辦這樣一份英文刊物。我們當時決定了兩項相關的計畫：一是召開一系列的學術會議、出版專題論文集；一是創辦一份上述的英文刊物。關於第一項，我們後來開過兩次會議，主題是中國歷史上的知識分子，會議初稿的中文版已先由聯經出版公司印行。至於第二項，我發現在美國辦一份高水平的學刊，所需要的人力物力實在太驚人，費用的浩繁尤超出我們的預想。我向惕老說明，他毫不遲疑地要我們依決議而行。他說：『應該做的事，我們便去做，不必顧慮其他。』他決心要以個人的力量作我們的後盾。但是後來我和倬雲仔細商量之後，覺得從我們的立場看，決不應該使惕老陷入這樣一個無底深淵。英文刊物之議終於胎死腹中。」

第二件：大陸「八九民運」之後，流亡美國的學人和學生眾多，熱心人士捐款一百萬美金，成立「普林斯頓中國學社」。余院士說：「但是普林斯頓所能收容的流亡人士畢竟有限，而繼續逃亡至美者又一天一天地增加，其中有不少大陸學術文化界的精英都無所依止。惕老聽到了這種嚴重的情況之後，主動地要解囊相助。我記得惕老第一年便捐出了二十名研究獎金。得獎人都在美國各大學取得了訪問學人的身分，可以利用各校的圖書設備繼續他們的研究工作。第二年惕老又捐出了二十個研究名額，救助了另一批大陸學人。第三年還續捐了十個研究名額。所以惕老以一人之力所幫助的流亡學人，便等於普林斯頓大學的『中國學社』在三年間所做的全部努力。但惕老的慷慨仗義尚遠不止此。『中國學社』到了第三年，普大的經費已不足支持。萬不得已，我祇好再度厚顏向惕老求救。他一諾無辭，以個人名義捐出了鉅款，使學校得以度過難關。」

余英時院士還說：「我追述這一段往事，旨在表出惕老『正其誼不計其利，明其道不計其功』的真精神。這一精神源於儒家，兩千多年來中國文化的許多正面成就都以此為其最基本的動力之一。惕老深受儒家精神的陶冶，故於他認為是『義所當為』之事，無不勇往直前，從不計及個人的利害得失。而且就我個人的親身經驗來說，他真正做到了助人而絕不著跡的境界。像上面所說的他的大手筆，他無論在當時或事後都沒有向人提過，外面也沒有人知道。」

王惕吾先生與許倬雲院士也有「故事」可述。許院士有一次從大陸講學回來，王先生設宴洗塵。那時大陸尚未改革開放，物質條件較差，許院士說大陸研究生無力出版論文，王先生表示他可盡點力。許院士再一次回來，說大陸教授出版著作亦有困難，王先生也願協助，請許院士規劃名額即可。

許院士是《聯合報》長期作者，深受王先生敬重。王先生在報館頂樓有一小宴客廳，要走一小段樓梯上去。許院士雖然身體不便，但以他當時體力，走這幾階樓梯不成問題。但王先生交代把餐桌抬下放在會客室，以免許院士勞累。

王先生對學者的體貼尊重，可述之事甚多。

牟宗三先生自香港來遊台灣，王先生在台灣大學設一講座，請他講學一年。一年後牟先生有意在校外自己講學，同時香港未來有「九七大限」，他也不願再回香港，王先生以台幣兩千萬元設立基金，供牟先生講學及生活之用。牟先生辭世後，聯經公司以七百萬元經費，出版《牟宗三先生全集》卅三大冊，讓後人能繼續研究牟先生的思想。

另一位著名學人錢穆先生，生前與王先生也有來往。他們的情誼，邁越生死。自一九九四年開始，聯經公司以四年時間，花費一千七百萬元，出版五十四大冊的《錢賓四先生全集》。這位晚年目盲而又被迫遷出「素書樓」的大儒，英靈有知，也許可感到安慰。

王先生交往的學人不限於文史哲範疇，物理學大師吳大猷先生，在主持中央研究院時，有些想法也得到王先生的協助而實現。吳先生卸職中研院院長，本有一筆退職金，但君子可欺之以方，為歹人所騙，生活立即陷入困境。王先生遂在清華大學為吳先生設立講座，每月十萬元，由他的後輩清大校長沈君山博士照應，歷時將近十年。

王惕吾先生西歸，沈君山先生在追思會上致詞，卻「別生枝節」。他任清大理學院院長時，還是單身，追求一位新竹的小姐，王先生替他親去提親。沈先生入閣作政務委員，也許「名士」慣了，王先生說，從政要穿戴整齊一些，就送他兩套新西裝。沈先生指著那天他身上的西裝說，這就是兩套中的一套，他特別穿來，追懷王先生關懷後輩的無微不至。

提到西裝，還有一樁。大陸青年學者楊小凱，一生非常傳奇。他十九歲還在長沙中學讀書時，貼出一張大字報「中國向何處去」，被判十年勞改。進了勞改營，發現當時中國最高級知識分子多在那裡。他就在營「進修」，在沙土地上用樹枝演算數學。

十年出獄，他考取社科院研究生班，獲計量經濟學碩士，後被武漢大學聘為助理教授。此時旅美經濟學家鄒至莊訪大陸，非常賞識楊小凱，推荐他到美國普林斯頓大學進修，一九八八年獲博士學位，一九九〇年被澳大利亞莫納什大學聘為終身教授。他的論著《發展經濟學：超邊際與邊際分析》，於二〇〇二和二〇〇三年被兩度提名候選諾貝爾經濟學獎，他不幸罹肺癌於二〇〇四年逝世，年僅五十五歲。

一九九〇年王惕吾先生訪紐約，筆者時在《世界日報》工作，王先生希望與楊先生晤談，聚會在報館附近的一家中餐廳。王先生大概不懂計量經濟學，但他懂得人生。餐後他說：「小凱，陪我走回報館吧！」到了報社，王先生進入他的臨時辦公室，片刻後出來，手裡拿著一個信封袋，對楊小凱說：「你要去澳洲教書了，當教授可是要穿得正式一些，我送你兩套西裝吧！」不管信封裡是否只裝得下兩套西裝，但是它一定裝得下兩岸的和兩代人之間的關切、鼓勵和祝福。

我常常想起他們兩位老少對談的情景。如今王先生和楊先生都走了，人已不在，但情義長存。

作為《聯合報》領導人，王惕吾先生對文化的信仰和文化人的尊重，自然會在報紙上耕耘和實踐。他深知一份報紙的價值，不在發行的廣度，而在內容的深度。一九七七年，他接受編輯部的建議，做了兩項重要的決策：成立專欄組和副刊組。

專欄組由後來擔任《聯合報》總主筆的黃年先生負責，專人、長期與學界連絡，經常舉行座談會、討論會，充分發揮媒體和學界導引社會、監督政府的功能。一時間，海內外專家學者，如孫震、胡佛、楊國樞、文崇一、張忠棟、李鴻禧、黃光國、袁頌西、高希均、丘宏達、許倬雲、余英時等等，都是《聯合報》長期作者。

王先生對學者們的專長和性向好像也十分了解，常加借重來充實報紙的內容。高希均教授一九七七年在《聯合報》發表〈天下那有白吃的午餐〉，引起朝野廣泛的注意和討論。王生先認為高先生不僅是一位經濟學家，他銳敏的觀察和行雲流水的文章，更是一位好記者。那時台灣「反共抗俄」十分堅定，但對俄國卻所知甚少。由於高先生在美國任教簽證方便，王先生乃請他去了一趟蘇聯，把「鐵幕」為台灣讀者掀開。

副刊組延聘小說家馬各（駱學良）和詩人瘂弦（王慶麟）先後主持，做了很多開創性的事，譬如舉辦文學獎。先是小說，後來增加了散文、戲劇、詩和報導文學，當時的獎金最高一年就有兩百萬元，敦請國內外名家評審。兩年後，其他報紙也有仿效者。

那時許多青年作家，因要兼差、打工賺生活費，不能安心創作，《聯合報》和他們簽約聘為「特約撰述」，每月津貼五千元（相當報館新進記者的月薪），每月只要供稿一篇文章就行。應聘者有吳念真、小野、李昂、蔣曉雲、李赫、朱天文、朱天心、丁亞民、蕭颯和羅珞珈等人，後來都成為名家。

文藝是文化的重要體現，但文藝的內容，不應止於小說散文詩歌，繪畫也是。大陸甫開放，《聯合報》就請畫家梁丹丰女士用她的筆「走過中國大地」。

王惕吾先生想辦好他的報紙，使他的文化理念得以實現，報館當然要有夠水準的編採人員，所以他非常在意學校的新聞教育。

《聯合報》曾與政治大學新聞系「建教合作」，由學校選拔優秀學生，《聯合報》提供在校時期全數學雜費、書籍費、生活費。寒暑假到報館實習四個月，另發津貼，畢業後到《聯合報》工作。那些「建教合作」的學生，有的已進入《聯合報》領導階層。

王先生常覺得台灣新聞院校的課程，重理論而輕實務，不能與新聞界實際需要相銜接。他認為美國哥倫比亞大學新聞學院以實務為主、以理論為輔的教學方式，應該是台灣可以仿效的，於是有協助台灣大學設新聞研究所的構想。

這個構想得到當時台大校長孫震和法學院院長袁頌西兩位先生的支持。那時哥大新聞學院院長華裔學者喻德基博士行將退休，王先生一九八八年專程赴美，面會喻先生，為台灣學生「拜師」。喻先生慨允協助，並把他的得意門生、曾任UPI特派員的Neal Robins也請到台灣。《聯合報》協助新研所創立經費，補助海外聘請學人的津貼，以及其他的需要。

新研所一九九一年首次招生，取十二人，報名者六百人，錄取率比大學聯考低多了。開課未及一年，忽爆出兩個問題：第一、路線之爭：校內有人認為，台大是一研究型大學，不能辦「職業訓練班」，於是喻德基院長離職返美。第二、《聯合報》壟斷：學校有人指出，《聯合報》出錢出力的目的，是想壟斷台大新研所。在此情況下，《聯合報》的協助被迫中止。新研所首屆畢業生進入《聯合報》及《中國時報》者各三人，其餘則進入別的媒體，《聯合報》何壟斷之有？

綜觀王惕吾先生一生的行誼，看得出他是軍人出身，但有文人情懷。面對中國新聞界「文人辦報」的傳統憧憬，他應當得起是位「報人」。

尤其是，王先生之嚮往文化與禮賢下士，超越了《聯合報》系的範圍，他不但殷切邀約文人賢士在報系園地展現風采，也鼓勵聲援他們在報系以外的各自領域實現理想。王先生珍愛文化、成就文人，後人見其報人的形象，但不能忘記，他曾是當代一方培育文化及文化人的土壤。

王先生以「正派辦報」自勉和勗勉《聯合報》員工，「正派」就是「善盡社會責任」的意思。王先生雖然走了，但同仁對「報訓」始終兢兢自守。

王先生辭世二十年來，台灣的媒體環境和媒體作風，變化很大。以文化和文明的標尺量之，很多時候是不及格的。筆者一介退職記者，於外界以「弱智」和「亂源」批評新聞界，都覺無以面對。「幸而」王先生走了，可以「眼不見心不煩」吧！

（原載於二〇一六年三月十一日「聯合副刊」）

陶百川 丈夫無苟求，君子有素守

願陶百川先生之靈化為鸚鵡以感召眾生

張作錦

陶百川先生在1996年的留影。 聯合知識庫／提供

陶百川先生昨天走了，享壽一〇一歲。他這一生，正像「陶百川全集」各書的書名一樣，《為自由呼號》、《為民主呼號》、《為法治呼號》、《為端正政風呼號》、《為兩岸共存呼號》、《為三聯統一呼號》……。從關心小老百姓的人權，一直關心到中華民族的安危，他力竭聲嘶地呼號了一輩子。

有人問他何苦乃爾？他講了一個故事：「有鸚鵡飛集陀山，乃山中大火，鸚鵡遙見，入水濡羽，飛而灑之，天神言：『爾雖有志意，何足云也？』對曰：『常僑居是山，不忍見耳！』天神嘉感，即為滅火。」這個故事，出自周亮工的《因樹屋書影》。周是明朝的大吏，後降清，仍居高位，因遭劾罷官，復職後又坐事論絞，因赦得救。周亮工「鸚鵡救火」的故事雖然說得好，但其人品曾受議論。

而陶百川說完了這個故事，是言行一致的體現了故事的精神，以其完整的人格，堅毅的操守，為愛山的鸚鵡樹立了典範。

來台後作為「御史」的陶百川，確立了「寧鳴而死，不默而生」的做人行事原則，當年他協同其他監察委員，彈劾行政院長俞鴻鈞。在那個所謂「威權體制」的時代，又身為資深國民黨員的陶百川，彈劾同黨的閣揆，這是石破天驚的大事，沒有大智大勇曷克臻此？

陶百川平生最服膺一句話：「辨冤白謗為第一天理」。他調查孫立人案，直指孫將軍忠於國家，沒有謀反的嫌疑。雖然礙於形勢，調查報告到解嚴後才能發表，但為歷史留下了紀錄。陶百川也曾為雷震的《自由中國》案以及《出版法》修正案，提案糾正行政院，為中華民國擴張了一些言論自由的空間。

沒有信仰民主政治而不尊重憲法之人。政府遷台後，中央民意代表遲不改選，陶先生認為這不合憲政精神，乃於民國六十六年主動辭去監委，以促成民代的全面改選。本於同一精神，陶先生百般呵護「黨外人士」，並毅然挑起溝通角色，不僅避免嚴重的政治衝突，且使「民主進步黨」提前成立，開啟了台灣的民主新時代。

陶先生晚年，最關心兩件事，一是台灣內部的安定，一是兩岸關係的發展。民國七十六年七月他在一次演講中，展望「中華民國在未來十幾年的前景」。陶先生指出：「我國的前景，可能取決於幾個因素或問題。第一個是和平。這是說，和平將會決定我國走向天堂或走向地獄。」他解釋：「這所謂和平，包括兩個方面，一是我國內部特別是黨派之間，朝野之間，本省人與外省人之間，勞資之間，師生之間，能否增進和諧團結？二是我們和中共能否保持和平抑或再打內戰？」

民國七十六年以後的「十幾年」，不就是現在嗎？看看今天我們內部黨派、朝野、本省和外省、勞資之間的問題，以及兩岸之間的和戰，重讀陶先生的發言，我們能不不寒而慄？我們現在是走向天堂，還是走向地獄？時至今日，我們更需要這種有智慧、有遠見，而又有膽識說真話的人。

陶先生說真話是不選擇對象的。民國七十九年李登輝總統要兼國民黨主席，先生為文直言不可，因為那會造成各種弊端，事後證明都被陶先生言中了。陶先生辭世前三天，中華民國總統兼民進黨主席陳水扁去醫院探望他，陶先生如能言語，大概還會建議陳總統不要兼黨主席吧！

不論從哪一方面看，陶百川都是愛台灣、愛國家、愛同胞的知識分子。他為我們「呼號」了一輩子，以後日子要我們自己過，要我們為自己的福祉和前途「呼號」了。

願生活在台灣的每一個人，都受陶先生的感召，做故事裡的鸚鵡，努力濡羽救火，以慰陶先生的在天之靈。

（原載於二〇〇二年八月十日《聯合報》社論）

王建煊 雖七千人吾不往也！

王建煊「人必有所不為，然後能有所為」

張作錦

中年時代的王建煊。
聯合知識庫／提供

台灣二〇一三年代表字選出，「假」字以高票當選，這當然與今年的食安風暴有關。

其實，不僅物有假，人也有假。「假食」還可以檢驗得出來，「假人」就很難察覺。他們貌似忠厚，反而有人對之頂禮歌頌。

「假人」不易辨，但「真人」不難知，因為這樣的人多半獨來獨往，言行一致，始終不渝，不會藏而不現。

台灣的「真人」當然不少，監察院長王建煊就應是一個。王建煊如能得到這樣的「榮銜」，不是因為他做了什麼官，而是因為他做了什麼事。譬如他在財政部長任內，認真查稅，得罪了不少巨商和財團，他寧願去職也不願妥協。這些不苟且的事蹟知者甚多，最近又添一個例子。

今年十一月二十八日馬英九總統邀請五院院長例行茶會，感謝他們平日的辛勞。王建煊在會中發言，講了一則「警察抓小偷」的寓言。他說，為了抓兩個小偷，警察躲在暗處多時，終於逮到他們，結果小偷卻反過來指控警察「怎麼可以躲在暗處？」墮落的媒體也跟著罵，甚至引導輿論走向，結果這個警察被起訴了，兩個小偷反而洋洋得意，整個社會沒人去追究兩個小偷到底偷了什麼？

第二天新聞報導說，王建煊的寓言，是影射涉及司法關說案的立法院長王金平和民進黨總召柯建銘。王建煊沒承認，也沒否認。而王金平很大度，接受媒體訪問時表示，尊重多元社會的聲音。

事隔兩天，十一月三十日，王金平的大哥王珠慶在高雄出殯，藍綠政要都到場，據警方估算，約有七千人參加。總統和行政院長早一天到王家致哀，當天部、會、院首長幾乎全到，但監察院長王建煊沒到。

照王建煊早先的自哂，他這個院長是沒事做的閒差事，當然不會忙得抽不出空。他的「雖七千人吾不往也」，是一種態度，是一種風骨，也是一種批判。

王建煊身在官場，卻不怕得罪「同朝為官」的朋輩。他「紆尊降貴」跑到安置植物人的

「創世基金會」採訪創辦人曹慶，為他寫了一本專書《瘋子：成就了驚人之愛》。他發現依照內政部障礙福利設施標準的規定，安養院的植物人與廁所也要維持六比一的比例。他質疑說：「植物人歡喜上廁所？」為了替所有安養院解決這個問題，他嚴詞批評內政部長閉門造車，並向總統「請願」。

王建煊雖嚴於責人，但並不寬以待己。他做事公私分明，絕不苟且。譬如，下班後非公務活動，不用公務車，由他太太專任司機。機關團體或親朋好友送點小紀念品，也概不接受，說是監察院的規矩。他在兩岸辦了好幾個教育和慈善基金會，自己的收入統統都捐了。

筆者多年前曾寫一文，懷念監委陶百川先生，標題是「大夫無所求，君子有素守」，這句話也可用在王建煊先生身上。

農曆年快到了，臘月廿三日祭灶。《論語》有這麼一段話：

原文：王孫賈問曰：「與其媚於奧，寧媚於竈。何謂也？」子曰：「不然。獲罪於天，無所禱也。」

譯文：王孫賈問：「『與其祈禱較尊貴的奧神的保佑，不如祈禱有實權的竈神的賜福』，是什麼意思？」孔子說：「不對。若犯了滔天大罪，怎麼祈禱也沒用。」

人應做「真人」，要有所不為，然後才能做些有意義的事。種善因得善果，就無須祭神禱告。

（原載於二〇一三年十二月十九日「聯合副刊」）

跋

那個挨打的小小兵，四月四日生

——新聞記者張作錦回憶記事《姑念該生》編後

沈珮君

一個十七歲的小小兵，吃不飽，瘦到連槍都舉不起來；他被打到受不了，作了逃兵。小逃兵走投無路，餓得在街頭撿東西吃，成了遊民。好不容易做了小工，有吃有住了，但不堪被當傭人，最後仍回到軍隊作小兵，卻又天真爛漫寫信「自首」，跟原本的連長道歉當時「不辭而別」，並老老實實報告他現在某單位，淳厚的傻小子因此變成通緝犯。他只好改名，卻又在二十四歲因病被列「老弱殘兵」，強制退伍。他無家可回，但沒有自暴自棄，找到工作，並準備考大學；第一次落榜，第二次數學零分，但其他科目甚好，以二十八歲高齡考上第一志願，政大新聞系。但災難還沒結束，他大二時被指高中學歷有問題，教育部勒令退學，最後留校察看。

這個小小兵，若用今天的話來說，就是「魯蛇」。誰也想不到當年的魯蛇最後做了《聯合報》總編輯、社長，健筆如椽，僅評論文字逾百萬字，出了十三本書，在八十四歲時得了總統文化獎，八十五歲獲頒二等景星勳章，八十八歲出版二十萬字的生平回憶記事《姑念該生》。

張作錦先生，我們在報社稱他「作老」，直到現在他走路都像個小小兵，快速敏捷。他身分證上的生日是「四月四日」，兒童節。就跟他的高中文憑一樣，他的生日也是「時代產物」，他不知道自己生在哪一天，他說，選兒童節，只是因為好記。我覺得不僅如此，那是一個在軍中屢遭責打的孩子想爹娘。他對父母的孺慕之情，終其一生「相思無從寄」。

這個孩子一次兒童節都沒有過過。作老也不願意過生日。

作老六歲就成了孤兒，父母直接、間接死在共產黨手上，他一生的心情就是「孤臣孽子」。那時沒有「亡國感」這個詞，而「亡國感」卻是每天壓在肩上、心上的日常。

誰與斯人慷慨同

「亡國感」，現在被網友戲稱「芒果乾」，當年是「退此一步，即無死所」，是死生大事。退守台灣的中華民國，「毋忘在莒」、「臥薪嘗膽」，從總統到小學生都拳拳在心，就是這種強烈的亡國感，上下一心，自強不息，創造了台灣經濟奇蹟。易經「乾乾夕惕若厲」是那個時代的精神，也是作老一生奮勉憂懼的寫照。我們曾經輝煌，李登輝承繼蔣經國留給他的總統職位時，正是「台灣錢淹腳目」，而現在三度政黨輪替，不論是政治民主或經濟民生，我們愈來愈好了嗎？中華民國仍在「自強不息」嗎？

「誰與斯人慷慨同」，這幾年，作老有些力不從心了，但仍「風雨如晦，雞鳴不已」，希望「江山勿留後人愁」。二〇一五年，他終於決定結束長達二十七年的專欄「感時篇」，發表〈告別讀者〉時，一個讀者打電話給《聯合報》編政組，哭著說，「我們了解什麼是灰心，但是，請張先生不要停筆」。作老這個孤臣孽子最後一本時論集的書名是《誰說民主不亡國》，亡國感直接入題了，「心所謂危」已到何等深切。

作老瘦弱，筆下卻有千鈞之力，厚重，哀傷，讀他的書總像被人一下一下搥著胸膛。我跟作老相差近三十歲，初讀他的舊作時，還不認識他，忍不住驚嘆，這是什麼先知先覺的高人。台灣現在的問題，他在二、三十年前早就直接指出了，很多讀者因此推崇他，他卻毫無「吾道不孤」之感，他說「作為作者，哀矜勿喜」，他憂心忡忡，「台灣幾十年的政治、社會問題，絲毫未改，這是衰亡之兆，而覆巢之下，孰能倖存？」

作老是快筆，但這本回憶錄，卻歷時四年，是他一生最艱巨、漫長的寫作工程，內容和他實際人生相比，簡約過甚，一因他謙抑，他認為「斯人也，小子也」，怎能「托大」寫回憶錄？即使書成，他堅持不肯在書名用「回憶錄」三字。二因他長年做總編輯的性格。在《聯合報》，丟掉的稿子比刊出的多得多，他對自己記憶體的資料，「選稿」、「核稿」甚嚴，一度認為撰寫本書根本是「棗災梨禍」，寫寫停停，若非各方好友勸勉甚殷，幾乎不能終篇。三因他不願道人之短，就算有所謂「內幕」，點到即止。還有，那個家破人亡的時代，多少創傷，年少時即已封存，老時尤不能觸碰。

鄉關何處

「人情同於懷土兮，豈窮達而異心？」他的「土」是整個大中國。翻攬這幾十年的回憶，其實沉重。做為他的主編，我看著他受的折磨，經常不忍。本書寫作過程中，他的睡眠狀況很不好，頻頻作夢，他的夢反映了心底深處的幽微：

——隨一旅行團出遊，但不知為何脫隊走失了，在一條暗巷中狂奔，前後無人。

——回到紐約，去找《世界日報》，天氣極冷，暈倒在地。沒有人認識我，一個好心人願送我回家，我說不出家住哪裡。心一急，就醒了。

家在哪裡？

認識作老的人，都知他的性格堅毅，但我看過他流淚。

他在寫〈許倬雲的三次眼淚〉前，我先聽他說了。其中一次，時代背景是抗日戰爭，許倬雲家住長江邊，那天，許多小兵上岸，川流不息，許媽媽把小許倬雲放在門前石獅上，自己忙著替他們燒開水，媽媽告訴許倬雲，「那些孩子從這裡走過之後，可能再也回不來了」。中日那八年極慘烈、極不對稱的戰爭，中國的「血肉長城」就是一個個這樣的年輕人用父母給的身體堆起來的，中國因此沒有亡。長大之後成為中研院院士的許倬雲，在跟作老說這段往事時痛哭流涕，作老在跟我說時也滿臉淚痕。

一九八九年春，他第一次回大陸探親，與相別四十年的姊姊重逢，晚上在星空下、水井旁洗澡，睡在地上的乾草堆，不以為苦。當時學運熱潮溫度愈來愈高，他遠在雲南山上都嗅到了不尋常，趕赴北京，四月初到天安門，二十六日《人民日報》刊出社論〈必須旗幟鮮明地反對動亂〉，他在路邊看著那些喊著「爭民主，反貪汙」的學生，望著「他們年輕、熱情、勇敢而又充滿憧憬的臉」，他感動又憂慮，寫了一篇特稿，〈長安大街的那一頭有民主嗎？〉他在文中直抒疑懼，「要武裝鎮壓了」，刊出那天是四月三十日。五月下旬他回到紐約上班，不到一周，六月四日天安門槍聲響了，他的憂慮竟成了預言。那些年輕人的臉，那些呼求，「只不過是做一個人和做一個國民的卑微願望而已」，這成了他一生的終極關懷，申論深時，經常哽咽。

沈君山和作老相交半世紀，兩人往返書信如赤子。沈君山第二次中風後，曾在聯副發表〈二進宮〉，公開他已交給律師及親人的遺囑，聲言絕不要無謂的急救，但在第三次中風倒下後，臥病十一年，遺囑竟不能執行。這樣一個風流倜儻的瀟灑公子，這樣一個在二次中風之後仍「尚思為國戍輪台」的血性男兒，半生奔走兩岸，三見江澤民，想為中國「一而不統」鋪路，不料最後竟不能為自己生死置一辭。「悵望千秋一灑淚」，作老每到醫院或赴新竹寓所探望他，往往掩面失聲。

永遠的記者，一生的使命

作老喜與文人相交，所謂文人就是知識分子，以前知識分子不是指高學歷，還講究氣節、操守、人品。作老對他敬仰的知識分子，幾乎是執弟子禮，經常親訪或邀稿，替《聯合報》在學界建構了龐大的人脈網，並創設「專欄組」，將《聯合報》一舉推升到成為知識分子的公共論壇，一改當年以社會新聞為主要報導題材的媒體現象。

作老即使當過總編輯、社長，在拜訪大陸紅學專家周汝昌時，親自採訪、撰稿，從照片上可以看到，他的膝上擺著筆記本，身體前傾，神情之專注興奮儼若中小學生。那時他已七十三歲。

作老一生只有一個工作，「新聞記者」。他認為「總編輯」只是暫時的行政職，終生職是「記者」。記者，不是職業，是職志；不是一時的工作，而是一生的使命。總編輯卸下行政職，就應回到記者本業，或輔佐現任總編輯，這些珍貴的資深人才應該一直留在戰鬥崗位。他始終不認為這想法是「不食人間煙火」，三十年前的建言未被採納，仍把它寫入「生平記事」，這已不是「若有憾焉」。

未竟之志

一般回憶錄多是詳載自己的豐功偉業，作老花了很多篇幅記錄的卻是他的未竟之志。一是《兩蔣日記》應是人類財，不應是一人一家所有；二是三十年前「長安大街的那一頭」不是民主，而是槍聲，天安門至今仍高掛毛澤東像，且儼然有復辟之勢；三是他們那一代媒體人從剃刀滾過，促成了開放黨禁、解除報禁，好不容易爭取到民主，卻變成震耳欲聾的民粹，台灣寸步難行。

作老七十二歲退休，七十三歲去北大「遊學」。他常說，他一生最嚮往的生活是「青燈黃卷」。他自小失學，對知識的渴望、崇慕，貫穿一生。他視力很差，讀書費力，隨著年紀愈長，閱讀愈困難，他發明了一種「張氏大字本」，把剛買的新書拿去影印放大兩三倍後再讀，這種大字本，他有四、五十冊。他一直希望出版社能出大字書，這也成了他未了

張作錦把書放大兩、三倍，以減輕視力負擔，友人戲稱為「張氏大字本」。
邱德祥／攝影

的心願。

作老視弱，和小時乏人照顧有關。他幼失怙恃留下的「後遺症」不少，譬如，他拿筷子極其怪異，像幼兒一樣，是用大拇指及四指夾著；他拿筆和拿筷子差不多，所以，他的字很「難看」，報紙在鉛字時代，有專人為他撿字，他的秘書就是專認他那一筆怪字的高手。這些「毛病」讓作老多了「童趣」，但更添滄桑。

作老「任謗」，有時，旁人替他氣得跳腳，他卻如局外人。他當年為報社做了許多改革，當時第三版幾乎都是以犯罪新聞為主的「社會新聞」，閱讀率很高，但是，作老認為應讓重要版面轉型為各

種值得關注的「社會議題」。這在當時是嶄新的觀念，而那些當年被作為議題設定的深度報導，不像現在如狗吠火車，那些報導對當年民主、民權、民生、民智，都發生極大影響力。但這種改革不免影響了專跑警政新聞的記者見報率，有人至今仍恨恨不休，而作老早已「菩提本無樹，明鏡亦非台」了。

曾任《聯合報》二十一年總主筆的黃年先生，從實習記者就和作老共事，他形容作老是一個「上上下下，人前人後，為人為文，表裡如一」的人，這幾字甚平淡，做來甚不易，而作老自然而然，不費吹灰之力，因為他就是這樣的人。他是《聯合報》唯一一個退休後還有自己辦公室的人，可見報社對他的禮遇，他在辦公室寫作不輟，成為第一個拿到總統文化獎的媒體人。這位白髮蒼蒼的老聯合報人，至今仍搭公車上下班，進出報社和一般同仁一樣佩戴員工證。如果早上在報社一樓聽到超商小七的小姐高聲喊著「大哥，你的中熱拿好了」，那位快速躬身上前去拿咖啡的「大哥」，常常就是作老。

心血肉相連的那種疼

作老會用手機app查公車時間，也會用app叫計程車，他說，「我自己能做的事，不要別人替我做」。我多次看到某大學術機構院長座車到達目的地時，一定坐等司機開門才下車，天雨也不例外，司機淋雨替他打傘，候他下車，我跟作老說這事時，憤世嫉俗了一番，他引曾國藩的話告訴我，「自己在人之上時，要把人當人；自己在人之下時，要把自己當人」。所謂上、下都是世俗評量，「把人當人」、「把自己當人」，這是人格主體性，人人平等。作老身體力行。

作老喜讀田園詩，他曾以陶淵明為例，無論是〈五柳先生傳〉、〈桃花源記〉、〈歸園田居〉，文中滿滿的「人」，而且是「他人」，不是「自己」這個人。作老的回憶記事也很少「自己」，以「事」為主，從「事」看到那個「時代」；寫到「人」，也多是友人，而提到友人也多和那個時代的事有關。最後，在我再三催問家庭細節下，他寫了〈三個媽媽誰是娘〉，那是他一生的大哉問，家園和國家「心、血、肉相連的那種疼」，躍然紙上。

他連徬徨都不是一家一人而已。他的心裡沒有自己這個「人」，而恰恰是因為這樣，成就了他這樣一個「人」。一個文化人，一個知識分子。

社會人文 BGB481

姑念該生：新聞記者張作錦生平回憶記事

作者 — 張作錦

事業群發行人／CEO／總編輯 — 王力行
資深行政副總編輯 — 吳佩穎
編輯行政 — 陳珮真
主編暨責任編輯 — 沈珮君（特約）
封面題字 — 杜忠誥
封面設計 — 張議文、邱士娟（特約）
內頁設計編排 — 邱士娟（特約）
圖片來源 — 除個別標示外，皆為張作錦提供

出版者 — 遠見天下文化出版股份有限公司
創辦人 — 高希均、王力行
遠見・天下文化・事業群　董事長 — 高希均
事業群發行人／CEO — 王力行
天下文化社長／總經理 — 林天來
國際事務開發部兼版權中心總監 — 潘欣
法律顧問 — 理律法律事務所陳長文律師
著作權顧問 — 魏啟翔律師
社址 — 臺北市104松江路93巷1號
讀者服務專線 — 02-2662-0012｜傳真 — 02-2662-0007；02-2662-0009
電子郵件信箱 — cwpc@cwgv.com.tw
直接郵撥帳號 — 1326703-6　遠見天下文化出版股份有限公司

印刷廠 — 中原造像股份有限公司
裝訂廠 — 精益裝訂股份有限公司
登記證 — 局版台業字第2517號
總經銷 — 大和書報圖書股份有限公司｜電話 — 02-8990-2588
出版日期 — 2019 年 9 月30日第一版第一次印行
2019 年10月25日第一版第二次印行

定價 — NT 550元
ISBN — 978-986-479-830-8（精裝）
書號 — BGB481
天下文化官網 — bookzone.cwgv.com.tw

國家圖書館出版品預行編目(CIP)資料

姑念該生：新聞記者張作錦生平回憶記事
／張作錦作. -- 第一版. -- 臺北市：遠見天下
文化, 2019.09
面；　公分. --（社會人文；BGB481）
ISBN 978-986-479-830-8(精裝)

1.張作錦 2.回憶錄

783.3886　　108015493